LA ROUTE DE TASSIGA

DU MÊME AUTEUR

Roman fleuve, Le Rouergue, 1999, prix de la librairie Millepages ; Folio n° 3553.
Mougaburu, Le Rouergue, 2001 ; Le Livre de poche n° 30174.
Les Ronces, Le Rouergue, 2006, prix Emile-Guillaumin ; Babel n° 904.
La Route de Tassiga, Le Rouergue, 2008.
Un voyage au Japon, Le Rouergue, 2010.

ISBN 978-2-7427-8832-3

ANTOINE PIAZZA

LA ROUTE DE TASSIGA

roman

BABEL

Le pinceau du peintre brûle son rêve.

YEATS

1

Au tout début des années quatre-vingt, les ordinateurs qui commençaient à régir le monde étaient à l'échelle du monde, volumineux et fragiles, et, si la Compagnie avait pris une quantité de précautions pour acheminer l'ordinateur du chantier, on ne savait comment le faire fonctionner avec le courant que produisait une centrale à fuel archaïque et défectueuse. Les électriciens intérimaires dépêchés dans les recoins de l'atelier ou dans les couloirs découvrirent des fils à nu, des transfos vieux d'un demi-siècle et refusèrent de brancher l'immense machine enveloppée de gaze qui reposait dans une pièce isolée. Ils avaient leur billet de retour, un ordre de mission pour un prochain chantier et n'avaient pas envie de passer les dernières journées à inventer des courts-circuits. Pourtant, la veille de leur départ, à la suite d'un pari fait au bar du Continental, les électriciens un peu ivres pénétrèrent dans la salle de l'ordinateur où, au moyen d'un bouquet de câbles ramassé dans une brèche, ils fixèrent le tableau de distribution sur un mur, avant de s'enfuir comme des voleurs. Au milieu de la nuit, un brusque sursaut de la vieille centrale à fuel embrasa le tableau et la gaine des câbles. L'ordinateur, les bureaux, les bâtiments eussent brûlé à leur tour si Moussa, le chef magasinier qui habitait un réduit contigu à la base, n'avait couru dans les méandres obscurs, alerté, révéla-t-il curieusement plus tard, par le bruit d'un ruisseau, et s'il n'avait appliqué de vieux torchons sur les flammes.

Le lendemain matin, Hébert, le chef de la base, retrouva dans la cour de l'hôtel *Damagaram* les intérimaires qu'il devait conduire à l'aérodrome. En l'absence de Poncey, le directeur du chantier, qui visitait depuis deux jours de lointains villages de brousse, Hébert recevait le matériel, recrutait les ouvriers, accueillait les premiers expatriés et mettait fin à la mission des intérimaires. Il usait d'un ton arrogant et supérieur avec le chef magasinier, avec le chauffeur du minibus, qui traversaient seuls les couloirs de la base, mais il se taisait quand les hommes formaient un groupe. Et, ce matin-là, le pas entravé par le ventre saillant des valises qu'un boy avait déposées à l'entrée de l'hôtel, l'angoisse dissimulée sous la colère, le torse gonflé et les yeux brillants, Hébert avait à choisir dans la troupe des intérimaires rassemblés devant le Dam l'artisan qui allait rester à Tassiga pour remettre le tableau de distribution en état. Par bonheur, manquait à l'appel un électricien portugais qui ne s'était pas associé aux beuveries de la veille, qui dormait quand le tableau de distribution avait pris feu et dormait encore quand tous ses camarades avalaient un café dans la salle à manger. Hébert se précipita dans l'hôtel, entra dans une chambre vide, dans une autre, aperçut l'électricien assis sur le bord de son lit et, sans un mot d'explication, lui ordonna de ne pas bouger. Avant de rejoindre le minibus, Hébert s'arrêta devant la réception et me vit. Il fit un effort pour me saluer, s'approcha lentement et m'imposa le spectacle de son visage marqué par les rides et la couperose, de sa moustache jaune, de sa lèvre inférieure que faisaient luire la graisse des gueuletons et le sirop des mégots. Hébert n'aimait pas les têtes inconnues, les recrues insolites et il se demandait pourquoi les responsables de la Compagnie avaient fait partir l'instituteur du chantier pour Tassiga quand la plupart des familles étaient encore en France. La veille, me dit-il en épiant les intérimaires qui s'installaient dans le minibus, il m'avait cherché en vain au milieu des passagers qui descendaient de l'avion. Il ne se rappelait pas que les correspondants de Niamey avaient téléphoné pour le prévenir de mon retard et ne savait pas que j'avais voyagé quinze heures dans un autocar délabré qui avait roulé de nuit et qui venait de me déposer devant l'hôtel. Il importait peu qu'il n'y eût pas de place pour moi dans l'avion ou que le car fût tombé en panne puisque j'étais bien arrivé... Hébert fit la grimace. Pas vraiment au bon moment, ajouta-t-il. Le mobile home que la Compagnie avait commandé pour faire office de salle de classe se trouvait probablement sur un dock du port de Lomé et il n'y avait pas grand-chose ici pour employer les journées d'un instituteur. Lui-même n'avait pas de temps à me consacrer. Dans moins d'une heure, dit-il encore alors qu'il se dirigeait vers la sortie, après avoir poussé les intérimaires dans l'avion de Niamey, il s'en allait au Nigeria pour acheter des engins. Il avait ensuite une semaine chargée pendant laquelle il devait acheminer ces engins au km 0 de la future route, réviser le matériel de la carrière, visiter les villas des expatriés, embaucher des terrassiers, des gens de maison, des gardiens.

Au retour de l'aérodrome, Hébert abandonna le minibus sur le parking de la base, fit un crochet par le bureau de Poncey et prit dans le coffre huit cents millions de francs CFA* qu'il enfouit dans une sacoche. Deux hadj de Tassiga et deux gardes du corps l'attendaient dans une Mercedes 280 qui franchit la frontière avant midi sous une poussière de rodéo et atteignit Lagos dans la nuit. A Lagos, Hébert négocia l'achat d'un bulldozer, d'un grader et d'une pelleteuse et remonta vers Tassiga en roulant pleins gaz au milieu des troupeaux. Le bulldozer, le grader et la pelleteuse remontèrent à leur tour le surlendemain, hissés sur des camions qui s'enfonçaient dans les ornières. Peu après la frontière, un engin versa dans un fossé et, en l'extrayant de la terre molle où il était enfoncé, les mécaniciens que Hébert avait envoyés pour le remorquer firent un peu de casse. De retour à Tassiga, il dressèrent une liste des pièces à changer que Moussa chercha sur les étagères et dans les cartons, mais le chef magasinier lisait péniblement l'anglais du volumineux catalogue Caterpillar et il

* 100 francs CFA = 2 francs français (1981).

était débordé. Il vint un matin jusqu'au Dam, frappa à la porte de ma chambre et me dit que Hébert m'appelait à la base, qu'il avait besoin de moi pour dresser l'inventaire des pièces détachées. Hébert me montra les couloirs encombrés de caisses, d'outils, de pneus et m'enferma dans la pièce aveugle qui lui servait de bureau et que remplissait la glu froide d'un vieux climatiseur. Pour déchiffrer le catalogue, le souvenir des années de lycée ne me fut d'aucun secours parce que l'anglais du lycée est une langue et que l'anglais de Caterpillar en est une autre, dans laquelle "nut" ne désigne pas une noix, une noisette, une cacahuète et autre chose encore, mais un écrou. Et le mot "nut" chez Caterpillar ne désignait pas un écrou mais cent écrous, mille écrous, inscrits, détaillés dans un catalogue épais comme une souche d'arbre qui m'occupa pendant plus d'une semaine. Hébert entrait rarement dans son bureau car il n'aimait pas la paperasse et avait beaucoup à faire. Il procédait lui-même au remplissage des cuves de carburant, se rendait chez les fournisseurs, pour des commandes, à la préfecture, pour le règlement de formalités. A longueur de journée, il surveillait des mécaniciens qui vissaient des plaques minéralogiques sur des pick-up tout neufs, vidangeaient des cuves, emmagasinaient des pneus et des outils et réparaient le long portail coulissant donnant sur la rue principale. Les hommes évitaient son regard et redoutaient ses colères. Ils ignoraient que celles-ci cachaient sa faiblesse. En réalité, le chef de la base avait peur de tout, peur des intérimaires qu'il avait mis dans un avion, de l'électricien portugais qu'il avait retenu de force, des mécaniciens réunis en silence, peur de Poncey. Sa peur était visible comme une cicatrice, douloureuse comme un ulcère mais, pour visible et douloureuse qu'elle fût, elle ne l'engourdissait pas au point de le rendre muet. Hébert n'aimait pas Tassiga et le disait aux ouvriers placés sous ses ordres, à Moussa ou encore aux expatriés qu'il installait dans des maisons presque vides. Il affichait volontiers sa répugnance pour les terres lointaines sur lesquelles la Compagnie déroulait ses routes depuis toujours et où il s'établissait pour la première fois. A l'entendre, tous les chantiers auxquels il avait participé autrefois étaient des paradis en comparaison de cette petite ville perdue au bout du monde. S'il était venu à Tassiga avec son épouse et si, obéissant à une consigne de Poncey, il avait accepté de m'y accueillir, il regrettait la grande époque des TP*, quand il n'y avait ni femmes ni instituteurs sur les chantiers. Selon lui, je n'étais pas seulement un personnage subalterne et inutile, j'étais aussi très jeune, très fragile et je n'allais pas vivre deux ans ici sans tomber malade, sans demander mon évacuation. Il avait tort. Malgré l'obscurité du bureau, la poussière du couloir, la monotonie de mon travail, je m'étais habitué aux journées à la base, comme je m'étais habitué aux soirées du Dam, au grincement des ventilateurs, aux blattes qui remontaient les canalisations, s'arrêtaient à la bonde des lavabos et

* Travaux publics.

plongeaient leurs antennes dans la neige tiède et blanchâtre de la mousse à raser. Je respirais mieux que les premiers jours et, si je dormais encore sur le dos, immobile comme une pierre, le matin, à mon réveil, je n'allais plus de mon lit au lavabo en marchant comme un convalescent que l'on met debout dans son armure d'attelles. Il suffisait pourtant d'un faux mouvement pour précipiter dans le sang les vaccins que l'on avait entassés avant mon départ dans les replis de mon corps, pour que, mêlés à l'amertume des bières et au feu des épices qui recouvraient la viande calcinée de mes repas, ils agissent comme des poisons.

Un après-midi de réclusion dans la salle de l'ordinateur avait suffi pour remettre en état le panneau de distribution, mais Hébert retint encore l'électricien portugais car il y avait du travail à l'atelier et dans les villas louées par la Compagnie pour ses expatriés. L'électricien transportait des câbles à l'arrière d'un pick-up ou encore des meubles empaquetés, des appareils électroménagers. Il faisait volontiers un détour pour m'amener à la base, le matin, ou pour m'y prendre le soir. Il dînait au Dam, qui n'avait pas d'autres pensionnaires que nous, assis à une table voisine de la mienne. Pendant que le boy déposait sur sa table des tranches de pâté entourées de sardines à l'huile, des pois chiches flottant dans leur eau et des babas au rhum sans rhum, les yeux fixés sur le plafond, il examinait les petites mèches qui chuintaient dans les tubes de néon, les pales des ventilateurs qui tournaient en grinçant. Il avait ressuscité un vieux téléviseur qu'il allumait le soir, à huit heures. Depuis le coup d'Etat qui avait porté le lieutenant-colonel Kountché à la présidence de la République, la chaîne de télévision nationale diffusait la revue des troupes et rien d'autre, vingt minutes de soldats au visage de cendre et d'uniformes gris qu'une caméra s'efforçait de reconnaître dans un air brûlant et presque liquide, percé de branches de gaos. Le programme s'arrêtait brusquement au bout de vingt minutes. L'électricien se levait, glissait une main derrière le poste, opérait quelques réglages qui donnaient des parasites, des hachures, des arbres et des silhouettes déformées, poussées vers le bord de l'écran. L'image disparaissait à nouveau et un sifflement insupportable attirait un boy. Mon voisin regagnait sa place et continuait à manger sans détacher ses yeux du téléviseur éteint. Il lui venait alors l'envie de raconter sa vie mais, comme il maîtrisait mal la langue française et s'imaginait que j'allais m'empresser de corriger les fautes, il demeurait à distance pour que ses cuirs et ses pataquès fussent couverts par le grincement des ventilateurs, par le cliquetis des assiettes que les boys empilaient. L'électricien parlait peu de Tassiga, où il n'y avait rien à voir et rien à faire, et moins encore de Hébert, qu'il appelait le "chef de la vase" et qu'il détestait. Il avait hâte de s'en aller et ne souhaitait pas qu'une indiscrétion de ma part, en le desservant auprès de la Compagnie, le contraignît à prolonger sa mission. Mais il évoquait volontiers la région parisienne où il vivait depuis dix ans, et notamment Chilly, où il travaillait entre deux missions, et moi, qui avais été convoqué au siège central de la Compagnie, à Chevilly, je ne comprenais pas pourquoi l'électricien qui faisait des fautes de français mais prononçait avec soin les noms de personnes et les noms de villes, escamotait deux lettres d'un mot aussi familier que celui désignant le siège de son entreprise. En fait, il ne se trompait pas. La Compagnie traitait ses affaires à Chevilly-Larue et entreposait son matériel dans les ateliers de Chilly-Mazarin. L'électricien ignorait Chevilly, parce qu'il était artisan, comme j'ignorais Chilly, parce que je ne l'étais pas. Après dix ans de missions à l'étranger, il rencontrait pour la première fois un instituteur sur un chantier et avait du mal à admettre que l'on pût imposer un voyage de plusieurs milliers de kilomètres à quelqu'un d'instruit pour lui confier un emploi de manutentionnaire dans des couloirs obscurs. Quand je lui révélai que j'avais passé une journée entière à Chevilly en compagnie de Roudier – le directeur du secteur Afrique que les intérimaires basés à Chilly ne rencontraient jamais – l'électricien oublia un instant le bureau de Hébert et le catalogue Caterpillar et, me regardant avec un intérêt nouveau, prononça quelques noms, inconnus de moi, avant d'évoquer Poncey. Mon interlocuteur avait autrefois croisé ce dernier sur le chantier du TGV mais il ne me dit rien d'autre sur lui que je n'avais déjà entendu, dans les bureaux de Chevilly ou encore dans ceux de Niamey où j'avais attendu en vain une place dans l'avion de Tassiga. Poncey était passé par tous les postes des TP avant de devenir directeur de chantier chez Dompierre & Brosses et d'être envoyé au Nigeria quand Dompierre & Brosses furent absorbés par la Compagnie Séquanaise de Construction. Pendant sa longue carrière dans les TP, il avait inspiré plusieurs surnoms sans originalité tels que le Vieux, le Bouc, ou capitaine Haddock, que ses subordonnés lui attribuaient selon que la bonhomie, l'autorité ou la colère gouvernaient son humeur. En 1961, après une chute du haut d'un pont, il fut contraint à trois mois de paralysie sur un lit d'hôpital et, dès qu'il put marcher à nouveau, il revint dans les TP et choisit les chantiers les plus difficiles et les plus longs avant de partir pour des destinations lointaines. Poncey fut de plus en plus exigeant, avec les autres comme avec lui-même, et ses chantiers furent bientôt des modèles. Après dix ans de missions prestigieuses, pour lesquelles il avait obtenu des salaires grandioses augmentés de primes, il accepta de dérouler au-delà de Tassiga, jusqu'à un point qui ne représentait rien, pas même un village, cent soixante kilomètres d'une route qui ne servait pas à grand-chose. Personne n'avait une idée du salaire que Poncey avait réclamé pour se perdre dans des territoires plus vastes et plus désolés que ceux sur lesquels il avait régné autrefois et, en débarquant l'un après l'autre à Tassiga, les expatriés, qui savaient pourtant que leur patron avait l'habitude de commencer ses chantiers par un court séjour de reconnaissance en brousse, s'étonnèrent de ne pas le voir rentrer. Jamais Poncey ne s'était absenté aussi longtemps avant le début des travaux. Jamais, dirent-ils encore quand ils reconnurent sur une carte les points extrêmes de son exploration, ses repérages ne l'avaient conduit aussi loin.

L'électricien intérimaire rentra en France et, pour me rendre le matin à la base, j'eus recours au minibus de la Compagnie. Un chauffeur s'arrêtait devant la maison des Hébert, non loin du Dam, afin de prendre Mme Hébert à bord. Drapée dans un pagne, le visage rouge et le cheveu noir, celle-ci apparaissait sur sa terrasse, escortée par deux boys qui la poussaient vers un escalier trop étroit pour elle. Mme Hébert s'emportait contre les boys, qui serraient de trop près son corps massif et bancal, contre le chauffeur du minibus, qui s'était garé trop loin. Me voir assis à l'arrière la mettait en colère. Mme Hébert n'était pas la première femme dans la hiérarchie du chantier mais elle était arrivée avant les autres et voulait que la troupe des boys, qui devait bientôt obéir à tout le monde, n'obéît qu'à elle et que le minibus fût à sa disposition exclusive. Elle allait sans raison du marché à l'aérodrome et de l'aérodrome au club, rentrait chez elle dix fois par jour et ne libérait pas le chauffeur avant le soir. A cinq heures, quand je quittais la base, celui-ci se trouvait quelque part à l'autre bout de la ville, planqué dans l'ombre des flamboyants et je ne l'attendais plus, je rentrais à l'hôtel en allant sur les talus, en coupant par des rues couvertes de chèvres. Parfois, je m'installais dans la vieille Peugeot d'un chauffeur de taxi. La voiture sentait la transpiration, le poivre et le caoutchouc brûlé. Ses passagers fumaient, mâchaient des noix de cola, écoutaient des standards de Bob Marley sur une radiocassette vissé au tableau de bord. Ils descendaient l'un après l'autre, mais, aussi loin que descendait le dernier passager, il en avait toujours un nouveau qui montait à son tour et que l'on déposait plus loin encore. Quand la voiture s'enfonçait dans les champs de mil, une brèche s'ouvrait au loin, sur la ligne d'horizon, comme si le monde, retrouvant l'état originel de paysage infini et tabulaire, rompait subitement à l'heure où le jour s'effondrait. C'était le crépuscule fragile des tropiques pendant lequel la terre engloutissait le jour, d'un trait, et se refermait aussitôt. Je pensais à l'eau de la ville qui, au même moment et pendant de courtes minutes, faisait gronder les canalisations du Dam et détachait les blattes de la bonde des lavabos. Une eau souterraine et mystérieuse que de rares tuyaux collectaient pour le bien-être de quelques-uns, une eau de riche, avais-je compris, moi qui devenais poussiéreux comme une blatte. J'avais compris aussi qu'un Blanc n'allait jamais à pied dans les rues de Tassiga et que certains chauffeurs m'embarquaient d'autorité pour m'entraîner loin du Dam, pour amuser des copains entassés dans leur voiture. Par bonheur, je parvenais parfois à rentrer sans le secours d'un taxi, soit parce que le hasard n'en posait aucun sur ma route, soit parce que aucun chauffeur ne souhaitait jouer. Je courais dans la fournaise mourante du jour en suivant les rues désertes du quartier européen. Un soir, un médecin militaire français, en poste au dispensaire, s'arrêta pour m'enlever, pour effacer la trace d'un

Blanc sur le chemin. Il ignorait que la Compagnie avait engagé un instituteur et s'étonna que celle-ci fût assez pingre pour ne pas me prêter un des innombrables pick-up Peugeot qui recouvraient la cour de la base, que, étant à Tassiga depuis bientôt deux semaines, je ne fusse pas encore inscrit au club privé. Il était facile de faire un détour pour aller y boire une bière ? Je refusai. Je n'avais pas envie de parler, de raconter ma vie avant la Compagnie, ma vie dans cet hôtel presque vide devant lequel le médecin s'arrêta. Celui-ci descendit de voiture et se promena un instant en regardant la façade du Dam avant d'appuyer le visage sur une vitre. Il s'attendait à voir les boys s'envoler en nuées, passer habilement des profondeurs où ils se planquaient à la clarté qui les apprivoisait. Comment la Compagnie, qui avait réservé les plus belles villas du quartier européen pour ses expatriés pouvait-elle me loger aussi loin ? Il cherchait le bar, la salle du restaurant, la tanière où le concierge avait trouvé refuge, pour qu'on lui servît une bière. Je ne l'écoutai plus car il était six heures et, ne voulant pas rater ma douche, je m'étais dirigé vers ma chambre après quelques mots de remerciement à peine audibles. Ainsi, en moins de deux semaines, j'avais désappris les règles élémentaires de savoir-vivre que l'on m'avait dites pendant l'enfance et répétées juste avant mon départ, comme si je n'avais pas été affecté dans un chantier de travaux publics mais invité à un cocktail ou à une soirée mondaine, et la première victime de mon impolitesse ne fut pas un boy ou un intérimaire, l'un et l'autre habitués aux écarts de langage et au mépris, mais un médecin qui n'avait pas oublié en dix ans d'Afrique les simples mots de courtoisie auxquels j'avais renoncé peu après mon arrivée à Tassiga. Je pris ma douche à six heures précises, et je la pris encore les jours suivants, quand l'eau de la ville coulait abondamment pendant cinq longues minutes. Je dînai très vite dans la salle à manger vide, avant de regagner ma chambre. Là, deux ampoules fabriquaient une lumière très faible grâce à laquelle je pouvais déceler sur les murs le mouvement des blattes qui s'échappaient des canalisations où elles avaient occupé leur journée à s'entredévorer ou à s'accoupler, mais toute autre lecture m'était impossible, à commencer par celle des livres que j'avais extraits de ma cantine. Avant de me coucher, j'ouvrais la fenêtre et regardais la brousse et ses gaos dressés et nus, ses baobabs, toute une Afrique de livre d'images scellée par une nuit qu'aucune étoile ne pénétrait. La nuit massive et lourde charriait son encre et rien d'autre, dans laquelle disparaissaient les phares des taxis, la lumière vacillante des rares lampadaires, les lampes des boys étendus sur une natte, la braise des cigarettes, tous les feux négligeables qui brûlaient encore.

Le chantier devait débuter après le retour de Poncey. Les mécaniciens alignaient des engins et des camions sur le parking de la base et, tout près de l'atelier, des ouvriers déballaient le mobile home de l'école. Quelques familles étaient déjà arrivées à Niamey et, chaque jour, des expatriés quittaient Paris.

En France, les retardataires faisaient leurs bagages et barricadaient leur maison. Tous les matins, je m'enfermais dans le bureau de Hébert. Pour mener à son terme mon inventaire des pièces détachées Caterpillar, je réclamais dix fois par jour l'aide de Moussa, qui me guidait dans les couloirs où s'entassaient les cartons et dans l'atelier où les pièces que nous n'avions trouvées ni dans mon catalogue ni dans ses cartons avaient été emportées par un ouvrier. Bien qu'il ignorât tout du mystérieux déluge qui avait poussé une telle quincaillerie jusqu'ici et que la base tout entière fût un véritable bric-à-brac, le chef magasinier avait l'art de dénicher en deux minutes les pièces que j'avais pointées sur le catalogue. En l'absence de Hébert, il me fit entrer dans le mobile home où je découvris des bureaux d'écolier démontés et des cartons remplis de cahiers. Hébert passait une partie de ses journées dans le quartier européen et chez les revendeurs de pièces détachées. Il avait sur lui les clés d'une demi-douzaine de maisons louées par la Compagnie et des billets de banque roulés sous un élastique. Il se rendait souvent au village tout proche de Myrriah, qui marquait le km 0 de la route à construire, et où il entreposait des engins et du matériel. Il revenait exténué et grincheux et je l'évitais avec soin. Je savais qu'il en avait assez de me voir traîner dans les couloirs. Il répétait volontiers que j'étais inutile et rêvait d'une fièvre violente qui m'eût retenu au Dam ou renvoyé en France. Il avait demandé au chauffeur du minibus de me laisser en rade sur l'avenue, de me poser à l'autre bout de la ville, de ne plus me prendre à bord. Un soir, pourtant, peu avant la rentrée scolaire, Hébert m'attrapa par l'épaule et m'entraîna avec lui vers le bar du Continental. J'étais bien pressé de partir, me dit-il. Pour aller où ? Au Dam ? Dans ce jeu de construction rempli de poussière et de blattes que les boys avaient déserté en emportant les dernières caisses de bière… Il voulait me payer une bière, justement, parce que ma mission dans les couloirs de la base était achevée, parce que, dans les TP, on ne se séparait jamais sans avoir bu un coup ensemble. Dans l'après-midi, il avait donné des ordres pour que le mobile home oublié au fond du parking de la base fût acheminé vers le cours La Fontaine tout proche et avait attendu pour cela le feu vert des services de l'ambassade. Tout était en règle, l'administration française, qui m'avait déjà détaché en qualité d'instituteur, ouvrait maintenant à la Compagnie les portes d'une véritable école. Hébert but une première Flag, effaça d'un revers de la main la mousse déposée sur ses lèvres et enfonça une cigarette à l'endroit précis de la moustache où la braise d'anciens mégots avait creusé un cratère. Hébert fumait, buvait, parlait, mais le trou dans la moustache ne bougeait pas, il ressemblait à une cicatrice ancienne, une empreinte héréditaire. Le chef de la base se souciait beaucoup de sa fille de dix-sept ans. Il ne savait pas si elle devait poursuivre ses études en France, sans la surveillance de ses parents, ou s'il devait la faire venir ici pour la distraire avec d'improbables cours par correspondance. Peut-être, moi qui étais dans l'enseignement, avais-je une idée sur la question... Une idée ? Pourquoi pas... Mais elle était enfouie sous des tonnes d'écrous Caterpillar et je bredouillai quelques phrases sans suite. J'imaginais Mlle Hébert, fourbe et veule comme le père, boursouflée et rouge comme la mère, descendant à son tour l'escalier bordé d'oponces, se hissant à l'avant du minibus, entrant dans le mobile home de ma petite école et déversant sur mon bureau la masse formidable de ses cours à peine lus, de ses exercices encore intacts. En réalité, je n'avais pas d'idées, pas de projets, très peu d'envies. Je n'avais aucune curiosité pour les adolescents qui allaient sous peu vivre aux crochets de la Compagnie, pour les familles qui débarquaient à Tassiga l'une après l'autre avec un chat vieillissant et des bibelots, aucune animosité contre Hébert qui m'avait séquestré deux semaines dans un véritable labyrinthe et qui tentait déjà de m'extorquer des leçons particulières pour sa fille. Il faisait plus de trente degrés dans le bar, les pales d'un ventilateur remuaient l'inusable été de Tassiga comme une boue et les bières étaient aussi chaudes que l'air. Le minibus passait tous les quarts d'heure dans la rue. Ce jour-là, Mme Hébert, ne sachant où aller, tournait en rond à la façon d'un enfant sur son manège. Accompagnés de marchands et de paysans, des chauffeurs de taxis-brousse venaient au bar attendre leur nuit de pistes défoncées. Ils buvaient des Flag et répondaient aux questions de Hébert en parlant lentement car ils n'avaient pas prononcé dix mots de français depuis leur enfance sous tutelle coloniale. A intervalles réguliers, Hébert observait les mouvements de la rue et regardait son poignet où un bracelet en cuir que la transpiration avait gonflé retenait une vieille montre. Le crépuscule arriva et, vue de ce bar, dont les murs badigeonnés de couleurs vives avaient confisqué les derniers rayons de soleil, la rue ressemblait à un paysage d'été coiffé d'un nuage, à un gouffre, à un tunnel. Enfin, Hébert laissa son verre, jeta son mégot, sortit et alla se poster devant le portail de la base. Il y avait assez de lumière dans la rue pour que l'on vît un cortège roulant au pas. Hébert ouvrit un battant du portail, repoussa les deux ou trois ouvriers que la Compagnie occupait à des besognes nocturnes et fit coulisser le reste du portail dans un vacarme de charrue broyée. Les patrons du chantier rentraient de brousse et les puissants quatre-quatre, en tête desquels roulait le Land Cruiser bleu à carrosserie panachée de blanc de Poncey, avançaient à la façon de fauves repus et brûlants, les flancs enduits de boue, les vitres couvertes de poussière. A son tour, Moussa avait quitté les ténèbres de ses couloirs, il était sorti de la base en passant dans le dos de Hébert et se tenait près de moi, légèrement voûté, les yeux mi-clos. Il désignait les silhouettes à l'avant des voitures et donnait des noms : Poncey, Lenoncourt, Marcillat, Descorches... Tous avaient un chauffeur, et le chauffeur de Poncey, que celui-ci avait choisi parmi les hadj de la ville, était plus grand et plus âgé que les autres. Il était le seul à ne pas conduire. Poncey avait pris le volant à l'entrée de la ville, quand ses lieutenants désœuvrés faisaient des signes aux enfants souriants qui couraient vers eux, et il s'engouffra dans la cour de la base sans un regard pour les badauds attroupés, pour moi qui étais l'unique Blanc de la rue, sans un salut pour les ouvriers debout derrière Moussa, pour Hébert qui attendait, les mains lestées par des trousseaux de clés, et qui referma le portail sur moi. En longeant les sentiers qui me ramenaient à la nuit du Dam, je pensais à l'inventaire des pièces détachées Caterpillar que j'avais achevé dans l'après-midi, mille huit cent quarante écrous distincts et dûment référencés, aux longues journées de réclusion que la Compagnie avait inventées pour me contenir dans l'obscurité. Il faisait nuit et le néon de la réception jetait une lumière pâle et froide sur la cour du Dam. Je n'allais pas rester deux ans dans cet hôtel vide. Un jour ou l'autre, Hébert viendrait me chercher pour m'emmener ailleurs et j'imaginais le chef de la base marchant devant moi en grognant, en faisant du bruit avec son trousseau de clés. Je n'étais pas pressé de m'en aller... J'avais encore à l'esprit Poncey et ses hommes qui rentraient de brousse, les quatre-quatre qui avaient roulé deux semaines sur les pistes et je me rappelai les quinze heures de trajet entre Niamey et Tassiga, sur les mille premiers kilomètres de la route nationale, les deux techniciens qui arrêtaient le bus toutes les heures pour relever la température de la chaussée et la pression des pneus. Je n'avais pas imaginé qu'une route pût être brûlante et hostile. Comme toutes les choses qui étaient là depuis toujours et que l'on trouvait partout, les routes avaient à peine existé pour moi. Mêlées au paysage, à l'horizon, au ciel, elles n'avaient jamais été un mystère.

2

La poursuite des travaux de la route nationale 1 jusqu'à la frontière de l'Est était un cadeau que la Banque mondiale avait fait au pays, peu avant le coup d'Etat qui porta au pouvoir le lieutenant-colonel Kountché. Ne sachant pas encore où allaient les sympathies de celui-ci dans la guerre ancienne qui opposait le Tchad et la Libye, les décisionnaires des organismes internationaux avaient révisé à la baisse le contenu de l'enveloppe. Ils avaient offert cent soixante kilomètres au nouveau chef de l'Etat et attendaient les conclusions des diplomates envoyés dans les territoires en guerre pour octroyer les trois cents kilomètres supplémentaires promis à son prédécesseur et opérer une jonction avec les immensités de l'Afrique centrale. Les travaux furent attribués par adjudication à la Compagnie, qui cherchait à quitter le Nigeria tout proche, surpeuplé et instable pour une ancienne colonie française où l'on pouvait travailler et vivre sans payer constamment de lourds tributs à des maîtres chanteurs en uniforme. A la fin d'un chantier sur les plateaux de Bauchi, Poncey se rendit à Tassiga sans rentrer en France et repartit aussitôt, laissant à Hébert le soin d'aller sous bonne escorte acheter du matériel à Lagos, d'entasser des voitures et des camions sur le parking de la base, de charrier des pièces détachées et des bidons, de brancher le fameux ordinateur, de s'occuper de moi.

Avant de commencer les travaux, le directeur du chantier avait l'habitude de se rendre au point d'arrivée des routes qu'il construisait. Accompagné de deux conducteurs de travaux et d'un topographe qui étaient remontés de Bauchi avec lui, il prit sans attendre la direction du lac Tchad, qu'il n'atteignit pas, se perdit dans les gaos entrelacés et les papyrus et resta absent deux semaines. Pendant deux semaines, il accumula des clichés Polaroid, dressa des plans, répertoria les points d'eau. Il chercha des montagnes et découvrit des éboulis fragiles, s'enfonça dans des pistes noyées sous les pluies de l'hivernage. Il fut reçu dans les villages par les chefs de canton, il dormit à l'arrière de son quatre-quatre et sur un lit de dispensaire, but l'eau croupie des puits et des bières périmées, mangea la chair rancie d'animaux inconnus. Au retour, Poncey s'enferma dans son bureau où seuls furent reçus les proches qui l'avaient suivi en brousse. Persuadés que leur patron allait les recevoir sans délai, les géomètres, les chefs de chantier, les chefs d'équipe, les mécaniciens, qui étaient arrivés pendant l'absence de celui-ci, se heurtèrent à la silhouette spectaculaire que le vieux chauffeur déploya devant la porte de son patron et rebroussèrent chemin sans dire un mot. Ils connaissaient Poncey, ou s'étaient procuré des renseignements sur lui, aussi laissèrent-ils sagement le hasard opérer une rencontre. Ils prirent la clé de leur maison dans le trousseau de Hébert et disparurent. De son côté, le directeur du chantier acheva le recrutement des ouvriers locaux. Il examina les engins achetés à Lagos, se rendit chez le préfet et eut avec les correspondants de Niamey et les dirigeants de Paris d'interminables conversations téléphoniques. Les expatriés qui avaient demandé à le voir furent reçus l'un après l'autre mais beaucoup plus tard. Tous les postes furent bientôt pourvus. Ou presque. Quand il sut que personne n'était en mesure de faire fonctionner l'ordinateur, Poncey régla en moins de deux jours avec ses interlocuteurs de Chevilly le détachement d'un programmeur qui débarqua peu avant le début des travaux, en jurant qu'il était à Tassiga pour un mois, pas davantage, et qu'il voulait une chambre climatisée dans un hôtel international. Un hôtel international... Le programmeur refusa de rester au Dam parce qu'il n'y avait pas d'eau, pas de lumière, parce qu'il n'y avait personne, parce qu'il était loin de tout, et s'installa à l'hôtel Continental où des blattes énormes, engraissées par les regrats du marché, se vautrèrent dans son lit. Avant de quitter la France, il avait dépensé une fortune pour faire greffer sur le sommet de son crâne chauve des cheveux pris sur sa nuque. Le soleil, l'eau, la transpiration, les lotions, les shampoings répandus en abondance sur le cuir chevelu pouvant tuer la greffe, l'homme bougeait, vivait à peine et allait du Continental à la base en rasant les murs. La salle de l'ordinateur était à l'abri de la lumière, de la chaleur, de la poussière, et le programmeur, qui était venu ici à regret, avec l'assurance de voir la prime rembourser les frais de l'opération, y demeurait douze heures par jour, satisfait de se trouver lui aussi à l'abri de tout, traversant le centre-ville dans le petit matin et dans la nuit noire, risquant parfois la paume d'une main complice sur le taillis impeccable de sa chevelure ressuscitée. Il ne se doutait pas encore que Poncey avait comploté pour le garder.

Puis un jour, au km 0, deux cents paysans que la Compagnie avait enlevés à la terre jetèrent le pic d'une pioche dans la caillasse et, s'ils furent assez nombreux pour que la terre blessée devînt un chantier sous les coups répétés, les débuts furent décevants car leurs bras gardaient le souvenir des paisibles binages pratiqués dans les champs de mil. Les chefs d'équipe, qui avaient reçu des consignes pour que l'on n'adressât pas de reproches à ces ouvriers timides et inaptes au bagne se plaignirent bientôt de voir ces derniers quitter leur poste au milieu de la journée. Motivés par le calendrier des semailles et des récoltes, les hommes entraient sur le chantier et en sortaient à leur guise. Poncey, qui se rappelait le Nigeria où les ouvriers disparaissaient parfois pour de bon en emportant des outils ou un pick-up, laissa d'emblée ses troupes aller de la route aux champs, renonça pour l'instant à pointer les hommes et à compter les heures. Peu après le début du chantier, l'inspecteur du travail, qui venait d'être nommé à Tassiga et qui vérifiait dans le détail les contrats et les qualifications de tous les expatriés, fit savoir qu'il allait procéder à deux ou trois exclusions. Avec la même obstination, il examina les consignes de sécurité, les locaux de la base, l'atelier. Il convoqua Poncey et ses plus proches collaborateurs pour de premiers entretiens qui furent houleux. Par malheur, on découvrit dans le même temps que les engins acquis à Lagos affichaient des vices cachés, que les congélateurs tropicalisés achetés pour les maisons des expatriés fuyaient comme des outres trop pleines, que les responsables du club privé mendiaient cinq cent mille francs CFA à la Compagnie pour la réfection du court de tennis. Poncey s'efforçait d'être calme et disponible. Il travaillait beaucoup et se montrait partout. Il avait rassemblé des hommes et des machines au km 0, envoyé des topographes à l'avant du chantier, créé une équipe de nuit à la carrière. En quelques semaines seulement, il avait annexé un territoire vide et infini et Tassiga, croyait-il, était devenue son domaine. Qu'était donc cette ville de marchands, cette préfecture oubliée à six mille kilomètres de Paris, avant lui ? Trois rues, deux bars, un cinéma en plein air, une gare pour taxis-brousse, un marché cerné par les ânes, des tanneries disséminées autour d'un marécage où dormaient des crocodiles, un sultan traversant sous escorte les rues interdites. Maintenant, la Compagnie occupait presque toutes les maisons du quartier européen et il y avait toujours un pick-up dans une rue de la ville : une équipe se rendait sur le chantier, une autre avait fini sa journée, un mécano allait prendre des lubrifiants dans une réserve tout près de l'aéroport et, quand tout le monde se trouvait à son poste, Poncey dégotait quelqu'un pour rouler bêtement quelque part. Tout n'allait pas si mal, en définitive, parce que Poncey était un grand professionnel et parce que la Compagnie, qui était très riche, avait dépensé sans compter pour acheminer des engins monstrueux, pour s'emparer de la moitié de la ville et qu'elle était prête à dépenser plus encore par la suite pour réparer de grosses erreurs, se procurer du nouveau matériel. Poncey utilisait discrètement l'argent de la Compagnie et, s'il était habile dans l'art de la dissimulation, il savait aussi mentir. A Edouard, le vieux commerçant libanais qui dirigeait le club privé, il révéla qu'il n'était pas en mesure, après les dépenses colossales occasionnées par l'installation de la Compagnie, de payer les cotisations et, s'il ne donna pas d'argent pour la réfection du court de tennis, il dépêcha une équipe pour couvrir celui-ci de bitume. Edouard reconnaissant voulut appliquer un tarif préférentiel en faveur de la Compagnie et Poncey, qui se méfiait des clubs privés que les Européens bâtissaient dans la moindre petite ville d'Afrique afin de se mettre en lieu sûr, se déroba.

Afin d'éviter aux responsables du bureau de Niamey de hisser des caisses sur le toit des taxis-brousse ou de payer des droits exorbitants pour les entasser dans la soute d'un avion, il accepta d'acheter le camion vert qui avait acheminé l'ordinateur et laissa Hébert négocier avec le transporteur de Lomé. Le chef de la base avait sauvé assez d'argent lors des transactions de Lagos pour acheter le camion et son chauffeur et s'offrit les deux. Il conserva sagement une liasse de billets afin de régler la paperasse concernant l'un et l'autre et, si l'immatriculation du camion ne posa aucune difficulté, l'obtention d'une carte de séjour pour le chauffeur togolais créa le premier incident du chantier. Habituellement, un peu d'argent suffisait à régler tous les problèmes et beaucoup d'argent permettait d'acheter un pion bien placé dans les rouages de l'administration locale. Hébert eut le tort de croire que tout le monde était à vendre et, quelques jours après des premiers échanges difficiles, il demanda un rendez-vous à l'inspecteur du travail. On ne sut jamais quelle somme il proposa au fonctionnaire qui avait cinquante mille francs CFA de salaire mensuel, une véritable misère, ni combien de fois il fit en vain le siège du bureau pour discuter encore, avant que Poncey décrétât que cet homme-là était incorruptible comme d'autres sont bossus ou asthmatiques et qu'il n'y avait rien à faire.

Cependant, le Togolais finit par obtenir une carte de travail car aucun chauffeur, dans le département, n'était titulaire d'un permis de conduire pour un camion aussi imposant et celui-ci partit enfin pour Niamey où étaient entreposées des caisses d'outillage et des denrées. Il revint chargé de tôles que les ouvriers de l'atelier couvrirent de coups et de soudures, qu'ils étamèrent et assemblèrent pour en faire des réservoirs d'eau potable que l'on dressa au sommet d'un échafaudage dans les jardins entourant les villas. Poncey voulait de l'électricité et de l'eau en abondance et, s'il n'était pas encore entré en conflit avec l'ingénieur que la ville avait embauché autrefois pour faire fonctionner la vieille centrale à fuel, parce que l'électricité circulait abondamment et que les surtensions qui avaient provoqué un début d'incendie ne s'étaient pas reproduites, il n'avait pu convaincre le responsable de la distribution des eaux d'approvisionner les maisons tous les jours de l'année et à toutes les heures du jour. Il y avait de l'eau, pourtant, et il suffisait de forer plus profond pour en avoir davantage ou pour en avoir plus longtemps. Ou de forer ailleurs. Très vite, Poncey détourna l'eau des puits creusés pour les besoins de la route. L'eau était pure, une eau de brousse, captée dans les profondeurs du monde, que deux hommes du chantier versaient dans une citerne et qu'une pompe envoyait dans le ciel des flamboyants, sous les yeux émerveillés des gardiens de villas. Quand Poncey eut doté d'un réservoir toutes les maisons de la Compagnie, il offrit l'eau aux hadj qui avaient accompagné Hébert à Lagos et dressa une liste de personnalités qu'il s'apprêtait à distinguer. Poncey, qui recevait régulièrement l'inspecteur du travail et attendait de celui-ci, à défaut de soutien, de l'indulgence, voulut corriger la maladresse commise pour l'affaire du camion vert, en remplaçant par de l'eau les billets de banque proposés par Hébert. Mais, une nouvelle fois, l'inspecteur du travail refusa, il vivait depuis l'enfance dans l'ignorance de l'eau comme il vivait dans l'ignorance de l'argent et il habitait un petit logement accolé à ses bureaux et dépourvu de sanitaires, au troisième étage d'un immeuble vétuste et difforme, une véritable termitière au sommet de laquelle il eût été impossible de fixer un réservoir.

Le jour de la rentrée des classes, en prenant possession du mobile home posé à l'entrée du cours La Fontaine, je reconnus l'air de chambre frigorifique qui remplissait le bureau de Hébert quand je dressais l'inventaire des écrous. Il faisait dix degrés à peine et ma nouvelle salle de classe sentait le tabac froid. Par la porte et les fenêtres, je fis entrer le plomb de l'air de Tassiga, avec ses relents de poivre, de cuirots ébouillantés et de charogne et je guettai les élèves. Le mobile home était sous un gao, tout près de la rue, séparé des bâtiments du cours La Fontaine par une mauvaise pelouse. Sans voir le mobile home, sans me voir, les mamans de la Compagnie, endimanchées et nerveuses, avaient emmené leurs enfants jusqu'au bâtiment ancien où Boris, le coopérant affecté au cours La Fontaine, ne les attendait pas. Boris disparut dans sa classe avec ses élèves, pour la plupart des enfants de la petite communauté française, et les mamans éconduites se dirigèrent vers moi. Toutes savaient pourtant que la Compagnie avait acheté un mobile home pour y enfermer leurs enfants. Elles poussèrent les enfants mais n'osèrent pas entrer, puis elles rejoignirent le minibus et pressèrent le chauffeur de ne pas démarrer. Pas encore.

Elles n'avaient pas seulement envie de descendre pour embrasser leurs enfants une dernière fois, elles voulaient s'assurer que je n'allais pas abandonner le mobile home après leur départ et m'enfuir par une rue transversale. Elles avaient remarqué que je leur avais à peine parlé et savaient par ailleurs, grâce aux maris à qui j'avais été présenté, que je parlais peu. Elles se méfiaient de moi et hésitaient à s'en aller. Immobile à l'avant du minibus, les mâchoires serrées, les mains sur les genoux, Mme Hébert, qui commençait à s'impatienter, répétait les inepties de son mari, à savoir que j'étais malade, déçu, désireux de rentrer en France. Personne ne l'écoutait et elle se trompait. J'étais satisfait de cette cage mal arrimée sur le sable, bien qu'elle fût trop petite pour abriter deux ans de ma vie et que Hébert eût conservé une clé dans son trousseau, qu'il pût entrer à tout moment. Pour la première fois depuis mon arrivée à Tassiga, j'avais quelque chose à moi. Et je contemplai mon domaine : un mobile home, un arbre, un terre-plein en faux plat, de la mauvaise herbe, des buissons, du sable. Dans un instant, j'allais m'installer dans la vie de mes élèves, avec ma cargaison d'histoires, de contes, de devinettes, avec mes rois de France, paillards ou pusillanimes, avec les planètes du système solaire, torrides ou glaciales... Je pris la liste qui coiffait la pile des fournitures et fis l'appel : Bonetti, Doucet, Lenoncourt, Martelot, Morelli... avant de m'arrêter au nom de Poncey. Je savais que, quinze ans après la naissance de la dernière de ses quatre filles, le hasard ou l'opiniâtreté avait donné au directeur du chantier un fils, mais je ne savais pas que, insoucieux des confusions, des méprises, des comparaisons qui devaient survenir, puisque ce fils appelé à lui survivre était avant tout appelé à le remplacer un jour sur les chantiers, il l'avait aussi doté de son prénom. Je répétai, Ber-nard-Pon-cey, en insistant sur chaque syllabe comme si j'essayais de me persuader que l'identité du directeur du chantier et celle de mon élève relevaient d'une simple homonymie, et, plus attentivement que les autres visages, je regardai celui du fils Poncey. Contre toute attente, ce fils n'affichait pas l'insolence d'un prince, la morgue de roi que Poncey dissimulait à peine derrière la vitre du Land Cruiser. Il paraissait fragile, fluet. Pour répondre à mon appel, il s'était agenouillé sur sa chaise et poussait un doigt loin au-dessus de lui en regardant vers le plafond. Il demeura ainsi deux ou trois minutes pendant lesquelles j'avais repris l'appel des derniers élèves. Mes yeux se détachaient de la liste et se posaient sur des visages souriants. Maintenant que je l'avais dit et répété, le nom de Poncey était un nom parmi d'autres, comme le fils Poncey, que ses voisins avaient fait asseoir, était un élève parmi d'autres. J'avais appelé le dernier élève de la liste. Dehors, le minibus avait disparu et la rue était vide. Dans un instant, mon domaine allait se mettre à vivre. J'étais seul. J'étais libre. Hébert, avec son trousseau de clés, avec ses grimaces et ses ordres, et tous les expatriés hissés sur un engin, commandant loin d'ici la troupe tranquille des ouvriers, Poncey lui-même, n'étaient pas des hommes plus puissants que moi.

Les premiers jours de classe me furent utiles pour distribuer des cahiers et des livres, pour repousser une chèvre qui tapait du pied sur la tôle du mobile home et habituer les petits troupeaux à passer au large, pour avoir une idée du niveau de mes élèves, pour me rendre compte que le fils de Santareno, un mécanicien, ne se trompait jamais, que le fils Poncey se trompait souvent et que, par bonheur, les deux enfants n'exerçaient aucune tyrannie sur leurs camarades. Les élèves oublièrent vite l'école qu'ils avaient quittée deux mois plus tôt en jurant à leurs copains qu'ils écriraient dès leur arrivée, ils oublièrent les cours de récréation, les murs de pierre, les sonneries de cloche et le nom de leurs maîtres. Sans cesser d'être mon domaine, le mobile home était devenu aussi le leur. Grâce à la rentrée scolaire, chacun et chaque chose, désormais, étaient à leur place dans le chantier de la Compagnie. Le matin, les pères partaient pour la route, ils défonçaient des pans de montagnes, faisaient des relevés sur le bord d'une piste où allaient des ânes, remorquaient un engin en panne pendant que les épouses, qui se rendaient au marché dans le minibus cahotant, essayaient de retenir le café au lait dans le bocal fragile et potelé de leur ventre arrondi par les grossesses. Les femmes de la Compagnie n'étaient pas venues à Tassiga de bon gré… Au moment de quitter leur maison de France, elles avaient fait leurs bagages en compagnie des mères, des tantes, des sœurs, qui annonçaient les plus grands malheurs en entassant des robes d'été dans les cantines. Toutes imaginaient des villages de cases, des mortiers sur lesquels pleuvaient les pilons, une contrée sauvage où les Européens succombaient aux fièvres, aux bêtes sauvages et aux cannibales, mais les clichés étaient anciens et puérils, ils servaient en vain depuis des décennies à dissuader les audacieux d'aller dans les Colonies. En revanche, elles craignaient par-dessus tout qu'il n'y eût à manger que du sable et, renonçant à emporter des provisions pour deux ans, elles partirent avec la certitude de mourir de faim. Pendant les jours qui suivirent l'installation des familles, le chauffeur déposa les femmes dans le centre-ville en faisant deux ou trois voyages. Il n'y avait pas encore de querelles et Mme Hébert ne sortait pas souvent avec elles. Vigoureuses et soudées comme un corps d'armée et portant l'argent de la Compagnie comme une oriflamme, les femmes de la Compagnie prirent d'assaut le marché de Tassiga, les échoppes du centre-ville et les entrepôts de la coopérative. Elles achetèrent sans discuter les prix, et les prix de tous les marchands de Tassiga augmentèrent d'un coup, ils se hissèrent à des sommets et ne descendirent pas. Plus tard, par la faute de Mme Hébert qui voulait confisquer le minibus pour ses protégées et elle-même, deux clans se formèrent. Le minibus emporta Mme Hébert et ses amies dans des quartiers qu'elles avaient repérés et laissèrent les autres aller à pied, s'enliser dans les dernières boues de l'hivernage. En marchant, les exclues trouvèrent des raccourcis astucieux qui les conduisirent de l'école au centre-ville par des chemins que moi-même ne connaissais pas. Elles atteignirent ainsi une vaste avenue dotée, à défaut de larges trottoirs, d'un gigantesque terre-plein central que tout le monde, après elles, désigna sous le nom de "Champs-Elysées", où les tailleurs, les coiffeurs qui n'avaient pas d'échoppe, tous les déshérités du commerce de Tassiga posaient leur machine à coudre sur une estrade ou une glace sur un bidon de lubrifiant. Du haut du tertre qui dominait l'avenue, les femmes de la Compagnie étaient une quinzaine. Serrées les unes contre les autres, elles contemplaient l'étendue de la ville. Le poing refermé sur une liasse de billets et les yeux égarés dans le ruban de latérite où les artisans affairés et souriants ressuscitaient les gestes savants de leurs pères, elles ne savaient si elles devaient rester prudemment sur le tertre ou plonger dans la foule des petits métiers pour se faire détrousser.

Dans un premier temps, les femmes du chantier sortirent beaucoup, en effet. Les promenades en ville, les cafés trop sucrés, les gâteaux pris chez l'une ou chez l'autre, la bourrasque molle des ventilateurs et les odeurs du marché avaient fait d'elles des animaux ventrus et gourds. A l'intérieur des deux clans, le ton était monté parfois, mais tout allait bien pour l'instant, les hommes n'étaient pas encore assez fatigués par le chantier, assez malmenés par Poncey pour que l'accablement des maris atteignît les épouses, pour qu'il devînt haine ou ressentiment. Les femmes, qui avaient couru ensemble dans la lumière des rues, qui s'étaient risquées séparément dans les quartiers commerçants où des couturiers somnolents les percèrent d'épingles, savaient désormais que tous les artisans n'étaient pas sur l'esplanade des Champs-Elysées. Entraînées par Mme Lenoncourt, la plus jeune d'entre elles, elles se précipitèrent chez Barazi Kaba, que l'on appelait Baraka, qui avait une vraie boutique en retrait des Champs-Elysées, et où elles n'avaient pas osé entrer auparavant parce que Baraka habillait Mme Boisson-Mourre, l'épouse de l'agent consulaire, et que ses prix étaient élevés. Là, elles se firent tailler la même robe que celle de leur jeune amie et, sans interroger leur miroir, toutes enfilèrent la robe et se rassemblèrent un matin, à l'entrée du marché. Elles donnaient l'image de soldats en route pour des manœuvres, elles ne bougeaient pas, elles ne parlaient pas, comme si le moindre effort, le moindre souffle eussent fait sauter une couture. Mais elles regardaient les étoffes collées sur l'ample charpente de leurs amies. Il y avait dix ans, vingt ans peut-être, qu'elles n'avaient pas été élégantes et elles avaient attendu le même jour pour être maladroites et apprêtées comme des animaux de cirque pantalonnés. C'était stupide. Les habitudes, l'ennui, les regrets commençaient à rendre les mères de famille cafardeuses et boulimiques. En réalité, la gêne et le dénuement, plus que la fantaisie et les caprices, les avaient conduites ici. Les expatriés de la Compagnie n'avaient pas seulement laissé en France un fils de vingt ans, cossard et parasite, une vieille mère malade et un chien dressé à la verticale d'un grillage d'enclos, ils avaient aussi des crédits, des dettes que le chantier de Tassiga allait effacer. Tous avaient besoin des vingt mois de chantier. Les femmes renoncèrent sans tarder aux fanfreluches et aux défilés de mode parce que leurs corps de jeune fille étaient trop loin, enfouis sous les replis, inaccessibles, parce que les prix grimpèrent chez Baraka plus vite qu'ailleurs, parce que les enfants ne comprenaient pas, les pères n'étaient pas d'accord. Elles renoncèrent à cause de Mme Lenoncourt qui était jolie, jeune et heureuse d'être ici. Par la suite, quand les femmes de la Compagnie apprirent que le pain, la viande, les fruits étaient à moitié prix quelques jours avant leur arrivée, elles firent un rapide calcul : avec ce que les hommes et les enfants mangeaient, avec ce qu'elles-mêmes ingurgitaient, c'étaient des pans entiers de leur maison de France qui s'écroulaient sous leurs yeux. Pour faire des économies, elles abordèrent les subtilités du marchandage, qu'elles avaient totalement occultées par ignorance ou paresse, et s'efforcèrent de renouer avec les vendeurs qui les avaient grugées. Mme Lenoncourt se joignit à elles et fut la seule à gagner de l'argent, se livrant au marchandage par simple goût du jeu. Elle s'amusait beaucoup malgré les mouches qui recouvraient la viande, malgré l'eau des teintureries qui passait au milieu du marché, malgré les femmes de la Compagnie qui ne voulaient plus avancer.

Plus tard, lassées par les sorties en ville, les femmes se mirent à manger moins, à dépenser moins. Les tailleurs ne faisaient plus recette. Il suffisait au groupe que la plus jeune et la plus élégante fût bien habillée et, par bonheur, Mme Lenoncourt, qui n'avait pas renoncé à être belle quand toutes ses amies faisaient reprendre de vieilles robes, déposait encore chez Baraka des patrons qu'elle avait dessinés elle-même. Mme Lenoncourt se moquait des provisions dont les autres remplissaient leurs paniers, du repas du soir que les femmes des TP préparaient aussitôt avalé celui de midi et qu'elles déroulaient comme un tapis d'apparat pour des hommes qui rentraient fatigués et de plus en plus tard. Car les étals nappés de mouches, les tongs découpées dans la carcasse des pneus, les égouts à ciel ouvert et les chèvres dévoreuses de carton n'amusaient plus les femmes, et les poulets ouverts et écartelés autour d'un tertre de braises, qu'elles achetaient à l'unité et très cher, ne nourrissaient pas une famille. Deux ou trois mois après l'installation des premières familles, Paradis, un boucher d'origine française, quitta son étal du marché et loua une moitié de local sur une esplanade isolée du centre-ville, à l'endroit où le chauffeur du minibus se garait, bien en vue, quand il allait chercher le courrier de la Compagnie à la boîte postale. Peut-être Poncey, qui avait échoué à faire venir de France des bœufs pour la découpe desquels Descorches, un conducteur de travaux qui avait été chevillard dans son jeune temps, tenait ses couteaux aiguisés, avait-il donné un peu d'argent à cet ancien soldat de la guerre d'Algérie pour vendre aux expatriés de la Compagnie de la viande et pas des mouches... Et de l'argent, Paradis en gagna sûrement car les Français de Tassiga, las de respirer sur le marché les odeurs d'épices mêlées aux relents des tanneries, commençaient à regretter leur boucher, leur épicier, leur marchand de journaux. Paradis vivait dans son arrière-boutique avec une épouse songhaï et une tribu d'enfants pour la prolifération de laquelle les amants de passage œuvraient avec plus d'efficacité que lui. Les enfants faisaient du bruit, la femme puisait dans la caisse et disait à son mari en langue songhaï des insultes qu'il ne comprenait pas. Tout le monde sut bientôt que Paradis était un déserteur toujours en fuite de l'armée française, que la République n'avait jamais retrouvé, ne l'ayant probablement jamais recherché, mais à qui son épouse, qui regrettait le grouillement du marché et détestait les Français, faisait à longueur de journée le procès. Quand il eut débité assez de viande, Paradis fit le projet d'être épicier ou marchand de journaux et d'articles de bazar. Malheureusement, il ne pouvait ni empiéter sur son logement exigu et surpeuplé ni acheter ou louer le local vide qui jouxtait sa boutique car le local appartenait à la famille d'Edouard qui ne voulait pas le céder. En vendant de la viande, ainsi que des magazines, des jouets et des friandises, en attirant tous ces Français, Paradis avait donné du prix à la boutique vide, et, avant de prendre une décision, les Libanais, qui avaient arrondi leur fortune en déroulant paresseusement du tissu à cinquante mètres de là pendant des dizaines d'années, jugèrent opportun d'attendre.

A midi, pour éviter vingt minutes de marche dans la poussière, je mangeais à la table de Boris, mon collègue du cours La Fontaine. Etant arrivé tardivement à Tassiga, Boris avait dû choisir un boy dans la troupe des vieillards cacochymes et maladroits qui n'avaient pas trouvé de place chez des Européens nantis. Pour se consoler d'avoir embauché un boy borgne et taciturne, Boris se persuada qu'en vivant loin de la lumière et du bruit son employé le volerait peu, comme si la cécité et le silence étaient moins des défaillances que des vertus. Le boy vola, bien sûr, en faisant les courses, et je fus volé à mon tour, non par le domestique mais par son patron qui souhaitait que les pertes engagées par le boy fussent supportées par tous. Celui-ci cumulait tous les emplois et, s'il avait suivi un seul cours de cuisine dans sa vie, c'était par malheur devant les marmites du Dam. Boris ne se plaignit pourtant jamais de manger d'étonnantes garbures où trempaient des pois chiches et des os de poulets tant il avait peur de payer une fortune pour faire des repas acceptables. La première paie fit de lui un nabab empli de désirs. Il acheta un cheval sur les conseils de son boy sans penser un instant que le boy, méthodique et raisonnable dans les achats quotidiens, prélevait des commissions de crocodile dans les dépenses de luxe. Boris, qui voulait un cheval avant tout, donna si peu d'argent que, une fois le courtage du domestique perçu, il resta à peine de quoi se payer un vieil âne. Et mon collègue eût été plus avisé d'acheter un âne en effet, car les ânes d'Afrique sont solides et endurants. D'ailleurs, il avait vu si peu de chevaux dans sa vie qu'un âne eût réellement fait l'affaire si l'on n'avait craint que la bête ne trahît sa race par des braiments. Le boy revint avec un canasson noir que l'on parqua dans un bosquet de flamboyants. Le cheval était petit, ensellé et maigre, et ses dents s'étaient envolées comme des plumes. Boris avait imaginé des bivouacs en brousse et, dans l'attente de longues courses, voulut faire quelques exercices de manège. Quand il monta en selle, le cheval s'affaissa brusquement et les pieds de Boris touchèrent le sol. La bête et son cavalier, bien qu'ils eussent mis leurs jambes en commun, ne purent avancer et la leçon s'arrêta.

Pendant les jours qui suivirent la rentrée des classes, ma vie fut douce et sans accroc. Pour faire de ma chambre du Dam un domicile habitable, je cherchai dans la masse de meubles boiteux et étiques qui remplissaient l'hôtel une armoire pour mes vêtements et une étagère pour mes livres. Afin d'améliorer l'ordinaire, je partis à mon tour à la découverte de la ville. Tassiga était un endroit que les hommes avaient voué aux objets mais les hommes étaient trop pauvres pour avoir quelque chose à eux, aussi des outils inutiles, ou encore de la toile et des cordages, s'accumulaient au fond des magasins. Stockés dans un hangar, les têtes de balai n'avaient aucune chance de rencontrer les manches stockés dans un autre. Sur une aile du marché, on trouvait l'huile d'arachide locale servie au litre par des employés qui plongeaient la moitié du bras dans une jarre et, à deux pas de là, dans le hangar de la coopérative, de l'huile Lesieur à cinq mille francs CFA la bouteille.

Les boîtes de Tonimalt, reconnaissables à l'image familière du mont Blanc, dataient des premières années de la décolonisation. Je ne savais pas si elles étaient entreposées ici depuis quinze ans ou si, ayant échappé à un naufrage, elles avaient longtemps dérivé. J'achetai une boîte et fis le projet d'ajouter du Tonimalt au breuvage que je préparais tous les matins avec des grumeaux de lait en poudre. Le Tonimalt était noir, racorni et dressé dans sa boîte comme un rocher. Le briser, l'attraper était impossible. Le bout de la cuiller, la lame du couteau glissaient dessus et les gouttes d'eau bouillante que, en dernière extrémité, je versai directement sur l'édifice percèrent des crevasses dont les parois durcirent aussitôt.

Je dormais au Dam mais, à ce moment, ma vie se faisait dans le froid du mobile home où aucun autre adulte que moi n'entrait. Les poignées qui commandaient l'ouverture des deux portes étaient rétives et dures et les fenêtres en hauteur, rondes et minuscules, figuraient les hublots d'un engin insubmersible, de la belle ouvrage signée Hébert, pensais-je bêtement comme s'il fallait à tout prix associer un geôlier à ma réclusion… D'ailleurs, le chef de la base eût volontiers expédié le mobile home dans les abysses si mon école avait été perchée sur une falaise ou sur une plate-forme pétrolière, mais il ne pensait plus à moi, il n'avait pas le temps, le premier mois de travaux avait fait beaucoup de casse et les voitures, les engins rentraient à l'atelier en hurlant… Je me rappelai la salle de classe de l'aérium, qui avait été mon précédent refuge au milieu des sapins, dans laquelle je gardais encore, quelques semaines plus tôt, quatre ou cinq enfants que les parents avaient oubliés dans l'air pur des hauteurs et que j'avais abandonnés à mon tour pour les rendez-vous à Chevilly, les séances de vaccination. L'aérium était une grande bâtisse grisâtre sur laquelle les montagnes abruptes collaient des lambeaux de brume et des ombres. Les journées y étaient interminables et les élèves avaient le souffle si court, la respiration si malaisée qu'il se trouvait toujours quelqu'un en blouse blanche à l'affût des apnées pour réduire mon effectif de moitié. Je vivais dans le silence et les odeurs de fougères et de Crésyl, oublié par l'administration qui m'employait mais pas par les bureaux du Service national qui m'avaient adressé une affectation dans un centre de recrutement de l'armée à laquelle je renonçai, par un simple paraphe au bas d'un imprimé, quand la Compagnie Séquanaise de Construction m'offrit l'Afrique à la place d'une caserne. L'aérium soignait les insuffisants respiratoires depuis un siècle et, depuis un siècle, les livres s'y empilaient comme ils s'empilent dans les lieux clos qu'habitent des gens immobiles. Il y avait des manuels de classe, des précis de prophylaxie, des dictionnaires, condamnés à la poussière et à l'obscurité sous lesquelles se trouvait aussi, dépouillé de sa couverture et de la plupart de ses illustrations hors texte, un fort volume qui relatait les glorieuses étapes de la colonisation en Afrique. Avait été épargnée une photographie de Savorgnan de Brazza debout dans la mangrove, le bras armé d'un bois de palétuvier plus grand que lui, que l'explorateur tenait comme un arpenteur tient son jalon. Vêtu de blanc, dressé devant ses porteurs noirs, Brazza posait pour le photographe qui avait déplié sa chambre dans cinquante centimètres d'eau. J'avais auparavant appris si peu de choses sur l'Afrique et la photo était de si bonne qualité que j'en déduisis que Brazza, ses soldats et ses porteurs ne s'étaient pas fourvoyés dans un marécage mais qu'ils suivaient avec aisance un chemin sur un continent tout naturellement recouvert par les eaux d'un ancestral déluge. Et, quand un premier courrier me révéla le nom de Tassiga, que je ne connaissais pas, je fus soulagé de voir sur une carte une ville à l'écart des rivières et des fleuves, sans autre océan à proximité que le lac Tchad, vaste cuvette bordée de buissons et de joncs et dont les sables avaient aspiré presque toute l'eau.

Un mois après la rentrée scolaire, j'attendais le hasard qui devait me conduire un jour sur le chantier quand Boris me fit part de son projet de chevaucher seul dans les infinités sans chemins et de dormir deux nuits en brousse. En octobre, les nuits étaient des nuits de désert et de marbre et le crible qui passait dans le ciel donnait des étoiles par milliers. Dans la perspective d'une longue course, Boris changea l'alimentation de son cheval et nourrit malencontreusement celui-ci avec un fourrage poudreux et trop sec. Pendant toute la semaine, malgré ce nouveau régime, malgré l'eau croupie dont usa le boy pour emporter la poussière et les épines dans son ventre, le cheval tourna autour de l'école dans un mouvement régulier de planète que le boy surveillait en ouvrant son œil énorme et blanc. Jamais la bête n'avait été aussi fringante... Boris partit un vendredi après la classe, longea les murs du club privé et n'osa s'arrêter pour saluer ses amis profs qui jouaient au tennis car le cheval, bercé par les ondulations de la route, avait retrouvé dans sa mémoire le petit trot de ses jeunes années. L'équipage quitta la ville par le grand arc de ciment blanchi et usé qui représentait deux défenses d'éléphant croisées en leur extrémité et sur lequel était inscrit le précepte du nouveau président, "Une armée pour le chef, un chef pour le peuple", et trotta jusqu'à la hauteur de l'aérodrome avant de se perdre en brousse. Boris se risqua sur les rebords âpres des tassilis et dormit dans un vieil autobus chamarré que les Nigérians avaient posé sur des cales en bordure de piste et que des scorpions avaient colonisé. Il avança sous la lumière rase sans voir que les tamariniers ne faisaient pas d'ombre et que son cheval boitait. Il erra dans les éboulis, traversa des champs de coton et des plantations d'arachide et se réfugia dans un dispensaire de brousse. Le lundi qui suivit, Boris voulut me voir faire un tour sur le terre-plein. Le cheval n'avait pas oublié la brousse. Il avait le vertige, il tremblait, et le poids d'un cavalier sur son dos maigre était un supplice. J'interrompis la promenade au bout de vingt mètres. Peut-être Boris comprit-il alors que l'agonie de son cheval avait commencé. Mais il tarda à appeler le vétérinaire et, quand il l'appela enfin, le vétérinaire tarda à venir car la saison venait de reprendre à l'hippodrome de la ville. Il arriva deux jours plus tard. Le vétérinaire, qui donnait des soins aux chevaux du champ de courses, se rendait au chevet des canassons de la ville en toute dernière extrémité et seulement pour les piquer. Le cheval finit sous les flamboyants et dans l'odeur du boy borgne, une odeur de transpiration, de détergents et de poivron brûlé. Boris se déplaçait autour de l'animal mais il laissait au boy le soin de le mouiller, de le brosser, de le caresser. Le boy plongeait la main dans la bouche du cheval et collait sur la langue une pâtée miraculeuse avec laquelle il avait peut-être tué autrefois son père ou sa mère. Avant de mourir, le cheval hennit, s'ébroua et tomba. Les élèves de Boris, le visage collé à une fenêtre de leur classe, regardaient la carcasse désolée du cheval à terre. Par bonheur, mes propres élèves, que j'avais abandonnés un instant pour suivre le vétérinaire, n'avaient rien entendu, rien vu. Le mobile home était posé loin des bâtiments principaux, il était solide comme un bunker et ses fenêtres avaient un double vitrage. La Compagnie avait bien fait les choses.

3

Le dimanche, jour de congé des boys, je déjeunais dans une famille de la Compagnie où l'on dressait des montagnes de nouilles, de pommes de terre ou de choux. Les mères de famille étaient souriantes, épanouies, comme si la présence des domestiques pendant la semaine était pour elles une servitude plutôt qu'un luxe. Des voisins arrivaient au moment du dessert et, dans les douceurs retrouvées des dimanches de France, commençait un après-midi inaccessible aux lourdes odeurs de Tassiga, un après-midi de pâtisseries maison et d'infimes calomnies. Les filles formaient une petite troupe qui servait le café et les liqueurs et les garçons jouaient au ballon dans un jardin sans pelouse. Je ne partais pas sans avoir bu un fond de calva ou de génépi, sans avoir fait une partie de belote, admiré les prouesses scolaires de l'année précédente que les enfants avaient oubliées et que les mamans avaient soigneusement consignées dans des classeurs.

A la fin de la journée, en rentrant au Dam, avec des restes de repas serrés entre deux assiettes à soupe, quand toutes les lumières ou presque étaient mortes, je voyais des ombres traverser les sentiers. C'étaient les professeurs français sous contrat local qui rejoignaient les maisons minuscules, perdues à l'entrée des premiers champs de mil, qu'ils habitaient quand le soleil ne les habitait plus. Les professeurs sous contrat local gagnaient trente-cinq mille francs CFA par mois et en dépensaient trente mille pour nicher dans ces boîtes d'allumettes, au bout des canalisations déficientes et des chemins défoncés. Les collègues qui avaient décroché un contrat d'expatriation et gagnaient des fortunes les asseyaient à leur table et ouvraient leur salle de bains. Ils payaient pour eux la cotisation du club privé et tous, les riches et les pauvres, menaient la même vie. Ils jouaient au tennis, plongeaient dans la piscine, mangeaient du capitaine, le prestigieux poisson du fleuve Niger, buvaient des Heineken et du whisky, et enseignaient les mêmes choses aux mêmes élèves. Les uns passaient deux ans à Tassiga et s'en allaient boire les mêmes bières et les mêmes whiskies à N'Djamena ou à Bobo-Dioulasso et les autres restaient ici. Complètement fauchés, ils n'étaient pas rentrés en France depuis cinq ans et, avant de greffer leur vie à l'opulence des nouveaux venus, passaient les vacances autour de la piscine vide du club, en buvant de vulgaires Flag, des citrons pressés et de l'eau, enfin. Tous les ans, ils attendaient la rentrée comme un miracle. Leur misère était ancrée dans cette maison qu'ils atteignaient après une longue course, le soir, quand la brousse avait appliqué un peu de fraîcheur sur les murs, quand l'électricité municipale ne poussait plus aucune étincelle dans les ampoules. Ils étaient tous assez éméchés pour ne pas voir leurs compagnons d'infortune qui marchaient tout près d'eux. Ils ne faisaient pas attention au petit carré de lumière que la fenêtre de ma chambre dessinait non loin d'eux et ne me voyaient pas. Ils ne pouvaient pas me voir. Ils étaient dans la nuit, ils étaient la nuit.

Par la suite, je pris soin de ne pas accepter toutes les invitations. J'avais envie de voir des gens étrangers à la Compagnie, de me baigner dans la piscine du club, de participer aux barbecues arrangés par Mme Petit, la femme du responsable de la gare routière. En réalité, je souhaitais être libre, avoir des dimanches pour mes livres, ces fameux livres de l'île déserte que j'avais entassés dans ma cantine et que je comptais lire en boucle pendant deux ans. A tort, j'avais cru qu'une dizaine de livres suffiraient à mon exil. Je ne savais pas que les principes de rumination s'appliquent aux seuls très vieux lecteurs à qui dix livres, cinq livres, deux, un livre enfin suffisent pour affronter sereinement les ténèbres de l'audelà et, après de longues et épuisantes lectures du soir, je me rendis pour la première fois à la bibliothèque du centre culturel. Là, je trouvai les titres que j'avais éliminés avant mon départ, des romans dont j'ignorais l'existence, la littérature africaine de langue française, contestataire ou anecdotique et publiée à moins de cent exemplaires. Il me fut impossible de m'en aller sans décliner mon identité à

Bertrand Boisson-Mourre, à qui un employé avait appris la présence d'un Blanc dans la bibliothèque, et qui avait surgi aussitôt, émerveillé et moite. Boisson-Mourre, directeur du centre culturel français et agent consulaire, avait une grande curiosité pour le chantier, pour Poncey, qu'il avait à deux reprises invité en vain à dîner, pour le programmeur que la Compagnie avait enterré dans la salle de l'ordinateur et dont il savait le nom et les attributions, le seul Français qui n'était pas en règle au regard du consulat. Boisson-Mourre arrivait des îles Seychelles, un paradis que les diplomates quittaient pour une promotion ou qu'ils ne quittaient pas et il était venu à Tassiga de bonne grâce, en transitant par Roissy, sans aller jusqu'à sa maison du Gers, lourde bâtisse fermée que plombait l'ombre des tilleuls et sur les volets de laquelle des jars arrogants et hostiles tapaient du bec.

Boisson-Mourre me présenta son nouveau domaine, six mille cinq cents livres, deux bibliothécaires, une secrétaire, un jardinier. Avant de partir, son prédécesseur avait installé un laboratoire photo dans un sous-sol, commandé du matériel et des produits que personne n'avait osé déballer. Je rejoignais la rue en marchant sur les cailloux d'une allée étroite. Boisson-Mourre était derrière moi et continuait à parler. J'aimais la photo et l'alchimie des labos n'avait plus de secrets pour moi ? Ma présence à Tassiga était une chance, clamait-il dans mon dos. Dès lundi il allait demander au préfet une autorisation de photographier. Je n'avais pas encore pris un cliché ? Tant mieux, car les soldats cassaient boîtiers et objectifs et déroulaient gaiement les films à la face du ciel. En serrant une dernière fois mes mains dans les siennes, il me demanda pourquoi j'avais tant tardé à entrer ici. Je ne répondis rien, je n'avais pas envie de raconter les couloirs infinis et sombres des magasins de la base, les caprices de Hébert, les odeurs de pneus, le cambouis et le temps passé dans les écrous Caterpillar.

Quelques jours plus tard, un dimanche, j'avais choisi de rester au Dam. Avant de rejoindre une autre aile de l'hôtel où il faisait des travaux, le boy avait allumé les néons, les ventilateurs, le poste de télé et ajouté à mon repas deux ou trois Flag prises dans le frigo du bar, les premières bières glacées que je buvais à Tassiga et qui glissèrent à la façon d'une lame de guillotine sur deux mois de pois chiches. Comme tous les jours, le Président posait pour la caméra. Ce dimanche-là, il se trouvait devant un avion de chasse cloué au sol, un vieux Mirage de l'armée française qui avait atterri quinze ans plus tôt avec un réacteur en feu ou une aile endommagée et que l'on avait oublié sur un bout de piste de l'aéroport de Niamey. Le Président parla néanmoins de sa flotte aérienne, des raids qu'il s'apprêtait à lancer et le téléviseur attendit la fin du discours pour s'éteindre brusquement. Je n'avais pas fini mon repas quand Poncey, accompagné de Marcillat, Lenoncourt et Descorches, fit irruption dans la salle du restaurant. Il ne me salua pas et ne fit aucun geste pour m'inviter à le suivre sur le terre-plein où il resta silencieux plusieurs minutes pendant lesquelles personne n'osa aller vers lui. Poncey avait appris un peu de haoussa dans les terres du Nord, au Nigeria, en parlant aux paysans disséminés autour du chantier, aux sentinelles qui gardaient un village, aux voleurs qui s'enfuyaient. Quelques mots suffirent à détacher d'un bâtiment lointain des boys qui s'approchèrent, titubants et maladroits, et que la voix inconnue de Poncey poussa dans l'hôtel. Les boys vidèrent ma chambre et transportèrent mes affaires à deux rues du Dam, dans une maison où trois expatriés vivaient en permanence, trois vieux loups des TP que Poncey choyait comme des enfants et qui m'accueillirent comme un enfant, en me poussant dans une chambre où trônait une maquette de la *Pinta* de Christophe Colomb. La maquette était pratiquement achevée. La coque et le pont étaient vernis, les mâts et les vergues dressés, les drisses et les haubans tendus. Seule manquait la voilure. Manquaient le vent aussi, les flots et le capitaine.

Poncey avait enjambé ma cantine, il s'était frayé un chemin au milieu de mes livres et de mes papiers, que les boys avaient déposés sur le sol, et se tenait debout au milieu de la pièce. Au début du chantier, Poncey avait fait venir un vieux camarade, une sorte de géant avec qui il avait autrefois cassé les cailloux et qui était devenu "l'homme du noir", terme familier par lequel on désignait dans les TP le responsable du goudron et de la centrale d'enrobage. Les deux amis avaient eu pour berceau un petit village de

Moselle sur les étroits sentiers duquel ils avaient couru ensemble et Poncey, qui était devenu auvergnat par son mariage et partait de plus en plus loin, n'avait pas oublié son vieux camarade. L'homme du noir n'était rien dans la hiérarchie du chantier. On ne l'embarqua pas dans l'expédition de brousse qui avait précédé les débuts des travaux, il ne fut jamais invité à un dîner et habita dans la maison des célibataires une chambre modeste où n'entrait personne. Ou presque. Poncey y pénétrait une fois par semaine, furtif et silencieux comme une femme. Il trouvait l'homme du noir occupé à la construction d'une caravelle de Christophe Colomb en modèle réduit, ouvrage de titan qui contenait plus de pièces que Caterpillar n'en avait jamais mis dans un bulldozer. L'homme du noir ne parlait à personne pendant son travail dans la fournaise et, le soir, il arrivait le dernier et ne prononçait pas un mot tant qu'une douche n'avait pas éteint le feu qui brûlait son corps. Il s'exprimait peu quand il s'attablait avec les autres mais il faisait beaucoup de bruit en mangeant et ne se levait jamais sans faire tomber sa chaise, sans bousculer un boy. Pourtant, ses mains gigantesques étaient douces et habiles avec la scie égoïne et les pinceaux. Dans les équipes, certains affirmaient que la maison de l'homme du noir, en France, que personne n'avait visitée, contenait cent cinquante maquettes ; d'autres que les maquettes étaient détruites avec le même soin, quelques jours avant la fin des chantiers ; d'autres encore qu'il s'agissait de la même maquette construite et abattue cent cinquante fois et que la *Pinta* de Christophe Colomb et son dérisoire amas de brindilles usées avaient tenu l'homme du noir à l'abri de la folie pendant trente ans.

Deux mois après son arrivée, alors qu'il avait essayé la centrale d'enrobage sur le court de tennis du club et qu'il avait déjà goudronné trois kilomètres de la route, l'homme du noir fut la victime de l'inspecteur du travail. La première victime. Les autorités du pays, qui avaient accordé un certificat de travail aux géomètres, aux mécaniciens, aux conducteurs de travaux, tous dotés d'un diplôme, désignèrent pour le goudron un ouvrier indigène sans qualification et prièrent l'homme du noir de rentrer en France. Après de vaines démarches auprès du préfet, Poncey réserva une place dans l'avion de Niamey, accompagna l'homme du noir à l'aérodrome, l'installa lui-même dans le vieux Fokker et, portant ses mains sur son ami, chercha une poche pour glisser les billets de banque qu'il avait soigneusement ligotés à son intention. En revenant de l'aérodrome, le directeur du chantier laissa éclater sa colère contre l'inspecteur du travail. Il se tordait, se déhanchait, ses genoux heurtaient la portière ou la console du levier de vitesse. Il ressemblait à un astronaute en état d'apesanteur dans son vaisseau spatial et tenait encore à la voiture par les seules mains accrochées sur le haut du volant. Descorches, Lenoncourt, Marcillat, approbateurs et tout à fait inutiles, ne bougeaient pas. Les colères de Poncey étaient violentes mais elles étaient courtes et, ce jour-là, la colère avait déjà pris fin quand le Land Cruiser passa sous la croisée de défenses d'éléphant et entra en ville. Les quatre hommes se trouvèrent face au vide de leur dimanche et Marcillat, qui ne voulait pas s'arrêter dans les bureaux de la Compagnie où Poncey pouvait sans peine inventer un long après-midi de travail, cita mon nom et déclara subitement que j'occupais à grands frais une chambre d'hôtel depuis des semaines…

La maison des célibataires donnait sur un petit terrain vague qu'un boy arrosait tous les soirs pour maintenir en vie des arbustes anémiques et faire pousser une pelouse clairsemée. Le cuisinier déposait dans les flaques des bouteilles vides, des cartons et des caisses que le gardien emportait et vendait à prix d'or à des chiffonniers. Les trois domestiques se retrouvaient pour le grand nettoyage du lundi matin, quand la maison était vide. Pendant une heure, ils faisaient entrer autant d'eau que la maison pouvait en contenir, et l'eau ne manquait pas car Poncey avait compté un réservoir par célibataire, comme il avait compté ailleurs un réservoir par famille. A toute cette eau, les boys ajoutaient des détergents, des poisons violents qui tuaient les blattes. Deux maisons, pendant la durée du chantier, connurent une opulence égale à celle des célibataires : celle de Poncey, où venaient parfois des notables, et celle de Descorches pour qui l'opulence était une loi. Poncey avait donné des consignes aux commerçants de la ville pour que la maison des célibataires fût approvisionnée deux fois par semaine. Il ajouta aux produits locaux des denrées rares, comme le chocolat, le jambon et des spécialités régionales. Les relevés topographiques conduisaient Gilbert aux abords de villages cerclés de palissades où celui-ci achetait des cœurs de palmiers et des moitiés de phacochères. Gilbert arrivait souvent en retard. Ses retards étaient une fête pour nous. Le cuisinier se mettait à l'ouvrage sans se presser et en grognant. Il était un peu le maître de la maison. Le chauffeur personnel de Poncey était son frère ou son cousin. Le cuisinier habitait ici pendant la semaine et, le soir, il étendait une natte à côté de celle du gardien. Un bruit, une odeur, suffisaient à le réveiller.

Les hommes seuls sont plus gourmands que les autres et jamais de vieux renards tels que Gilbert, Maurel ou Bibi n'eussent toléré les bouillies douteuses que le boy de Boris bâclait avec des restes. Pour voir servis les meilleurs repas de la ville, les trois hommes cédèrent à toutes les réclamations de leur cuisinier. Celui-ci demanda tout d'abord qu'on le conduisît le dimanche au marché de Myrriah, son village natal, où il se faisait fort de dénicher de la volaille, du gibier et des épices, et Gilbert, qui l'accompagna le premier dimanche, parla du marché de Myrriah avec tant d'enthousiasme que celui-ci devint la promenade dominicale de tout le monde. Le cuisinier demanda ensuite l'autorisation de laisser entrer des marchands qui avaient pataugé deux heures dans un marigot rempli de crapauds, d'autres qui poussaient des vélos au guidon desquels pendaient des poulets encore vivants. Bientôt, tous les vendeurs ambulants qui traînaient de l'aérodrome à l'hôtel Continental en passant par le club privé ou les résidences de notables gagnèrent le quartier avec leurs batiks et leurs statuettes en bois de colatier. Certains ajoutèrent une natte à celle du gardien et s'installèrent. Les cigarettes et le thé les tenaient en éveil des nuits entières. Pourtant, la population des marchands ambulants se réduisit très vite à une dizaine d'individus. Notre cuisinier, aidé du jardinier et du gardien, avait établi un système de dîmes qui avait fait détaler les moins ambitieux des marchands de volailles ou de cuisses de grenouille et il y eut, chez les vendeurs de breloques, tant de brouilles qui s'achevèrent en pugilat, pendant une guerre dont on ne sut rien, que deux d'entre eux, seulement, survécurent. Les deux rivaux, qui étaient à la tête de clans opposés, fraternisèrent dès qu'ils furent ensemble et boutèrent hors de la ville les imprudents qui surgissaient de brousse avec des bijoux en cuivre et des peignes en corne. Ils rassemblèrent bientôt leurs trésors. En rentrant de l'école, je voyais souvent leur carriole perchée sur un talus. Les deux amis étaient couchés dans le fossé et leur bouche hilare disait le soleil ocre des noix de cola répandu sur leurs dents. Ils rêvaient de Paris à voix haute et avaient du mal à admettre qu'un Français ne fût pas forcément parisien ou que l'on ne vît pas la tour Eiffel depuis les monticules herbeux surmontés de haies qui faisaient les campagnes de France. Pendant près de deux ans, ils allèrent de leur trou à la terrasse des maisons. Ils ne frappaient pas aux portes, ils passaient simplement à plusieurs reprises devant les fenêtres. Les gens de la Compagnie avaient de l'argent et nombreux étaient ceux qui faisaient un premier séjour en Afrique. Ils achetaient n'importe quoi mais ils avaient peu à peu appris à marchander et souvent, pour le plaisir, ils retenaient les deux marchands qui s'indignaient d'une voix aiguë et demandaient à voir des photos de France. L'un reçut le surnom de "Kaï" parce qu'il usait à tout moment de ce juron haoussa pour exprimer une colère feinte et l'autre celui de "Bon Prix", les deux seuls mots français dans son vocabulaire de colporteur.

Trois mois avaient passé depuis l'arrivée de la première famille. Tassiga la ville sans fleuve, sans vent, sans herbe, la ville plate déposée au creux des mils, avait été annexée par la Compagnie. Les cadres de Chevilly préparaient déjà l'adjudication du prochain chantier qui devait relayer l'actuel et conduire la route nationale 1 jusqu'aux abords du lac Tchad. Pour l'instant, Poncey était en avance sur ses prévisions. Les travaux pénétraient des espaces infinis où les champs n'étaient plus que des parcelles, les villages une dizaine de cases entourées de greniers arrondis sur des pilotis. Poncey avait trouvé des sources et créé des forages sur le tracé du chantier actuel et au-delà. Il n'avait pas négligé les fleuves endoréiques que la saison sèche réduisait à l'état de traces et que gorgeaient les hivernages. Poncey était un homme de terrain, il était aussi un homme de plans. Les ravins, les falaises, les précipices l'inspiraient, il aimait les replis obscurs dans lesquels il fourrait ses coffrages et le chantier dont il rêvait était là, dans cet infini que les débuts du monde avaient laissé à l'état de chaos. Maintenant, il rentrait à regret à Tassiga et annulait les rares rendez-vous à Niamey. Malgré l'attention qu'il portait aux moindres détails, malgré les projets qu'il avait conçus pour son fils et pour la réalisation desquels l'école jouait un rôle, aussi modeste fût-il, Poncey ne se montrait jamais devant le mobile home que la Compagnie, qui avait annexé la moitié du centre-ville, avait timidement posé à l'entrée du cours La Fontaine.

Maurel, le chef du labo, venait me chercher à midi, en sortant de la base. Je n'avais pas envie de quitter l'école à ce moment-là car je disposais de deux heures pour mettre un peu de rouge dans le cahier des élèves et casser des craies sur le tableau, mais le boy borgne de Boris faisait des daubes si indigestes que je me demandais s'il n'avait pas racheté la dépouille du malheureux cheval à l'équarisseur. Aussi, m'attablais-je volontiers dans notre cuisine aux trois réfrigérateurs où Maurel finissait un déjeuner frugal avant de s'enfermer dans sa chambre pour une sieste de deux heures. Les journées se déroulaient sous le ciel monotone et bleu de la saison sèche. Le chantier grondait peut-être, comme une machine, mais il grondait loin du mobile home, loin de la maison des célibataires. Ma connaissance des TP avançait pourtant, grâce à des bavardages d'élèves que je n'interrompais pas, grâce aux repas du soir, chez les célibataires, bien arrosés et qui duraient longtemps, grâce aux soirées du Dam qui commencèrent, plus tard, quand le bar ouvrit. Après la nourriture, le grand bonheur de ma nouvelle vie était l'eau. L'eau coulait en abondance dans la maison des célibataires et elle coulait à toute heure. Je n'attendais plus sous le pommeau les trois gouttes qu'annonçait le battement sonore des canalisations du Dam. Le dentifrice et la mousse à raser, emportés par une violente cataracte, franchissaient la bonde du lavabo sans se heurter aux antennes des blattes. La maison vivait, respirait. Il y avait toujours une odeur, un bruit familiers qui l'habitaient quand les boys étaient dehors, quand les pensionnaires étaient au travail.

Un jour, un assistant de Boisson-Mourre apporta les documents de la préfecture m'autorisant à prendre des photos dans le département. Il manquait seulement une photographie, la mienne, que je devais agrafer à l'angle d'un papier. Après avoir cherché en vain une photo d'identité dans mes papiers et au fond de ma cantine, je partis pour le centre-ville en coupant par les rues que les femmes de la Compagnie empruntaient quand elles osaient aller à pied faire leur marché. J'avais bon espoir de trouver un photographe à Tassiga car on trouvait tout dans cette ville, à condition de chercher longtemps, de mettre le prix ou d'envoyer un boy. Sur la butte dominant les Champs-Elysées, j'ouvris le plan que notre cuisinier avait gribouillé pour me conduire jusqu'au seul photographe de la ville. Le plan du cuisinier était illisible et confus parce que la ville était illisible et confuse. Je me mêlai néanmoins aux coiffeurs qui avaient inventé une échoppe sur l'esplanade, aux marchands de cassettes piratées qui avaient ficelé leur stock sur le porte-bagages de leur vélo, aux tailleurs qui nichaient au creux de murs authentiques, à tous les artisans qui campaient fièrement devant le domaine dérisoire qu'ils tenaient de leurs ancêtres. Ils vendaient de l'air ou de la lumière et, pour atteindre une boutique qui vendait de l'ombre, je dus entrer dans un labyrinthe à l'issue duquel un photographe, qui n'avait pas dix clients par semaine, bradait des films périmés et tirait le portrait de ses concitoyens.

Le photographe était très vieux et avait appris son métier auprès d'un aîné qui était photographe peut-être, marabout sûrement. A Tassiga, les pratiques animistes demeuraient malgré l'islam et le photographe devait être un grand voleur d'âmes pour qu'il fît arriver ses clients dans un dédale de rideaux, pour que lui-même les rejoignît dans un autre dédale de rideaux, pour que son appareil, la réplique russe d'un Rolleiflex, fût déjà réglé, pour que, enfin, la lumière du flash fût moins un éclat qu'une brûlure. Le photographe me demanda une heure d'attente que j'eusse volontiers passée dans son labo pour savoir comment on pouvait développer films et épreuves avec l'eau de Tassiga, c'est-à-dire avec trois gouttes de boue tiède, mais l'homme voulait être seul. Dans la rue, je compris aux regards qui se portaient sur moi que les Blancs ne venaient pas souvent dans le quartier. Peut-être des femmes de la Compagnie m'avaient-elles précédé, car il y avait quelques boutiques de tissus posées au bord d'une ruelle dans le caniveau de laquelle se mêlaient les eaux des barbiers et celles des teinturiers. Mais les commerçants étaient enfouis sous leur stock ou cachés derrière des lambeaux de rideaux, engourdis par la prière ou par le sommeil, et la chalandise se limitait à des chèvres qui mangeaient le carton des emballages. Une ou deux fois par semaine, ils déballaient des cartons prélevés à Lomé sur des cargos chinois et que des camions emportaient à l'intérieur du continent. Les camions atteignaient le terminus de Tassiga avec la bimbeloterie que les marchandages inaboutis avaient fabriquée tout le long du trajet comme une lie et qu'ils déversaient au fond des Champs-Elysées. Les marchands se servaient, donnaient au chauffeur un peu d'argent en paiement de l'essence et de la fatigue et accumulaient dans leur arrière-boutique des lames de rasoir et des radiocassettes en panne auxquels s'ajoutaient la marchandise de contrebande et les articles de bazar qui arrivaient de Kano.

J'avais atteint le quartier résidentiel de la ville où les négociants d'huile d'arachide vivaient à l'européenne mais que les Européens ne pénétraient jamais. C'était moins un quartier qu'un village puisque on ne pouvait y entrer sans voir aussitôt quelques-uns de ses habitants poser leur visage contre la fenêtre. Le petit homme qui m'accosta m'avait rencontré dans les couloirs de la base. Les mules, les mules, dit-il en serrant mes poignets. Les mules ? Je ne comprenais pas. En cherchant l'image de cet homme dans mon passé, je me rendis compte que celui-ci était assez vaste désormais pour qu'y fussent engloutis visages et silhouettes, que ma vie à Tassiga avait son histoire, ses oublis, ses silences et que ce négociant n'était rien. Les mules ! répéta-t-il dans un cri qui ouvrit ses mâchoires sur une bouche rougie par les noix de cola et je me rappelai que, au début du chantier, les négociants venaient dans les bureaux pour proposer de l'huile ou des vêtements aux expatriés. Ils imaginaient que ceux-ci étaient non seulement des dizaines mais qu'ils étaient à la tête de familles nombreuses et que, avec la Compagnie, la population de Tassiga allait doubler. Ils déchantèrent vite, bien sûr, car la folie des dépenses touchait uniquement les femmes, qui n'entraient jamais à la base, qui achetaient beaucoup mais en petites quantités et ils s'en allèrent. Lui seul resta. Et, curieusement, il ne vendait rien, il restait dans les couloirs parce qu'il aimait la France et les Français et exprimait son amour en demandant la pointure des expatriés, en attrapant les pieds des plus dociles, des insouciants. Il revenait une semaine plus tard avec des mules en cuir de zébu que personne ne chaussa jamais à cause du cuir qui heurtait le pied comme le bois d'un sabot. Je me souvenais en effet de ce petit homme qui restait une heure sur une chaise pendant que je comptais les pièces Caterpillar et à qui j'avais révélé entre deux références à huit chiffres la pointure de mes chaussures. Les mules cousues à ma taille arrivèrent après mon départ de la base. Hébert les mit de côté pour moi, c'est-à-dire qu'il les garda pour lui ou les jeta.

Tout le monde eut ses mules, mais je fus certainement le seul à entrer dans la maison basse que le négociant avait fait construire à côté de ses bureaux. Le petit homme avait gagné assez d'argent pour acheter un téléviseur, une table et six chaises, des rideaux, un tapis, pour faire de son intérieur un intérieur de maison française, qu'il n'habitait pas mais qu'il avait élaboré soigneusement, comme les retraités rongés d'ennui bâtissent des édifices en allumettes. Mais il ne s'ennuyait pas parce que l'ennui est une invention occidentale et que la faim, la pénurie régissaient encore sa vie de nanti. Le négociant me libéra et, après un long détour dans une ruelle où régnait une odeur écœurante de boyau tiède et d'épices, je vis le photographe qui attendait devant sa boutique avec deux bandes de clichés qu'il agitait mollement pour les faire sécher et sur lesquelles il me fut impossible de reconnaître mon visage.

Le directeur du chantier ne regardait pas à la dépense pour faire venir de France des denrées précieuses comme le beurre, le fromage et le vin ou pour recevoir des hadj le dimanche à midi, mais il hésitait encore à donner chez lui des soirées dansantes et à rafraîchir les danseurs avec du champagne. Pourtant, les jardins ombragés et spacieux de la villa avaient autrefois accueilli des fêtes, les boys étaient compétents et stylés et la Compagnie débloquait d'importants crédits pour le repos des hommes et l'agrément des familles. Poncey n'avait pas envie de faire entrer ses troupes chez lui. Il était maladroit avec les femmes de ses subordonnés et n'aimait pas les enfants des autres. Son épouse, qui avait accepté de vivre à Tassiga parce que ses quatre filles adultes avaient leur vie en France, parce que son fils avait une école ici et parce que son mari lui avait demandé de le suivre, son épouse, donc, ne désirait pas régner sur la petite colonie comme son rang l'y autorisait, ni sur son chauffeur et ses boys, comme le faisait Mme Hébert. Poncey se réjouit d'avoir pris son chauffeur dans l'élite de la ville car celui-ci trouva des tailleurs et des bijoutiers qui firent des robes et des colliers pour sa femme et pour elle seule. Néanmoins, Mme Poncey ne se montrait ni au club ni ailleurs et réservait deux après-midi par mois à de rares épouses de conducteurs de travaux qui, tout en se félicitant que Mme Poncey ne vît qu'elles, s'étonnaient qu'elle ne vît personne d'autre. Mme Poncey confessait volontiers que le reste de sa famille et sa maison lui manquaient, qu'elle n'avait pas le goût des mondanités, que son mari l'occupait beaucoup et son fils, plus encore. Pour elle, le temps des émerveillements était révolu. Contrairement à ses invitées et aux autres femmes de la Compagnie, Mme Poncey connaissait déjà la chaleur, la poussière, les crépuscules furtifs et les bouteilles de Fanta roulant au fond d'une carriole humide. Avant le chantier de Tassiga, elle avait rejoint son mari pour des séjours d'un mois, sous haute surveillance, sur le plateau de Bauchi, au Nigeria. A l'occasion de son troisième et dernier séjour, elle avait appris ce qu'une ville aussi paisible que Tassiga n'enseignait pas, dût-on y demeurer dix ans. Il s'agissait simplement du prix de sa propre existence, deux millions cinq cent mille nairas, que Poncey, lassé de rassembler l'escorte qui faisait traverser le pays à son épouse à chacune de ses visites, donnait à des bandits de grands chemins pour les contenir quelques heures dans leur tanière. Mme Poncey continua à servir le thé dans son refuge meublé de fauteuils cossus et brodés sans jamais livrer le moindre détail supplémentaire sur ses séjours à Bauchi, comme si avoir révélé l'histoire de la rançon payée par le mari était une chose plus extraordinaire encore que la rançon elle-même et l'enjeu de cette rançon. Ses invitées disparurent l'une après l'autre, à mesure que les maris ployaient sous les outrances et les injustices de Poncey. En réalité, l'ennui, plus que la rancune ou la lassitude, les avait éloignées des mondanités rudimentaires de la maison du directeur. De son côté, Mme Poncey ne fit rien pour conserver sa petite cour. A l'imitation de ces souveraines qui s'en vont en exil avec une seule dame de compagnie, elle retint chez elle Mme Marcillat, dont le mari était un proche de Poncey, une femme qui pouvait rester trois jours sans parler et qui ne posait pas de questions.

Puisqu'il n'avait pas l'intention d'ouvrir sa maison, Poncey consentit à contrecœur à inscrire tout le monde au club privé. Poncey n'aimait pas le club, il n'aimait pas Edouard, le Libanais qui en était le président, et le repas qui scella leur pacte fut un supplice car Edouard buvait du whisky à table et entendait que son invité fît de même. Poncey s'efforça de manger peu, de boire de même et de donner le moins d'argent possible. L'inscription des gens de la Compagnie était une aubaine pour Edouard qui était déjà redevable à Poncey d'un court de tennis refait à neuf et reçut avec soulagement les cent inscriptions de la Compagnie. Poncey eut du mal à se séparer d'une somme importante sans avoir en retour un contrôle sur l'usage qui devait en être fait. Edouard comptait chaque sou du club mais il y avait, dans les statuts, une place libre de trésorier adjoint que Poncey réclama et qu'il m'attribua, sans me consulter, comme si l'inventaire réussi des pièces Caterpillar, plus encore que l'arithmétique que je tentais de faire comprendre à son fils, m'avait conféré une autorité sur les chiffres. Poncey oublia son repas avec Edouard et les accords que les deux hommes avaient arrêtés et je ne sus rien de ces nouvelles fonctions jusqu'au jour où un boy du club débarqua dans le jardin en friche de la maison des célibataires. Le boy portait une liasse de papiers dont je devais parapher chaque page et voyageait sur une Mobylette capricieuse qui démarrait péniblement. A chacune de ses haltes, il dressait la Mobylette pétaradante sur sa béquille et se présentait à moi dans un grondement de moteur emballé. Pendant la signature des documents, il ne quittait pas l'engin des yeux. Il avait réglé à fond la poignée des gaz pour ne pas avoir à pédaler dans l'air brûlant, pour ne pas pousser la Mobylette dans l'interminable faux plat du club.

Noël approchait. Le chantier progressait conformément aux prévisions et Poncey, que ses patrons avaient convoqué à Chevilly, partit pour la France. Peu après, le fils Poncey arriva en classe avec un stock de papiers de couleur trouvé dans une remise de sa maison et avec lesquels ses camarades commencèrent à décorer la classe. Le papier de couleur était comparable à de fines lames de cristal, il était d'un vert dense, d'un rouge sang ou d'un jaune paille. Le carton l'enveloppant était si vieux qu'il avait certainement voyagé avec les boîtes de Tonimalt que j'avais achetées à la coopérative. J'avais pris le plus grand soin des feuilles de papier glacé, parce que c'étaient ces mêmes feuilles que je collais, peu avant mes Noëls d'enfant, entre l'air moite et saturé d'encre de la classe et l'hiver qui régnait au-dehors. Ainsi, le Tonimalt et le papier de décoration n'avaient pas seulement résisté au temps, ils avaient aussi bravé les distances et les éléments, comme si mon enfance n'était pas simplement ancrée en moi mais fragmentée, dispersée, reconnaissable à des éclats multicolores portés par les vents ou les courants marins. Vinrent ensuite ces longs moments pendant lesquels les maîtres d'école sont inutiles et encombrants et les enfants habiles et entreprenants. Bientôt, l'ébauche d'un décor de Noël apparut sur les vitres. La dure lumière du dehors se heurta aux guirlandes que les enfants avaient découpées dans ce papier presque opaque et le climatiseur ronronnait avec un tel entrain qu'il suffisait de le laisser fonctionner toute la nuit pour que le givre qui se déposait autrefois sur les vitres de ma classe apparût sur les vitres du mobile home. Les gaos et les flamboyants qui jalonnaient leur chemin d'écoliers n'empêchaient pas les enfants de coller sur les vitres les mêmes sapins que je collais quinze ans plus tôt en prenant pour modèle la forêt qui plantait ses premiers arbres dans la cour de l'école.

Si l'enfance de mes élèves était plus exotique que la mienne, les Noëls de mon école étaient plus chrétiens que les leurs et mon école apparut peu à peu à mon esprit, vaste bâtisse oubliée dans la croisée des montagnes. Je voyais les platanes de la cour, les châtaigniers qui grimpaient jusqu'à la couronne noire des sapins et, ouvrant l'air chargé de brume, l'eau d'un torrent. Au début de l'hiver, les premières neiges blanchissaient la cime des sapins et finissaient en pluie sur les feuilles jaunies des châtaigniers. Le doux temps de Noël commençait dans l'odeur de bois mort gorgé d'eau, quand nous fabriquions des ciels étoilés avec du papier cristal. C'était l'époque choisie par les projectionnistes ambulants pour s'arrêter chez les frères des écoles chrétiennes avec une bobine de *Monsieur Vincent* qu'ils déroulaient au dernier étage de l'école, dans une salle déserte et glaciale. Tous les ans, à la même époque, Pierre Fresnay prenait place au milieu des galériens qui s'effondraient l'un après l'autre et, malgré les coups de fouet, malgré la tempête, malgré les rames éparpillées sur le pont du bateau déserté, il faisait aller seul sa galère. A ce moment-là, frère Bernardin, notre maître, debout près de la porte, à l'autre bout de la salle, commençait à gronder les premiers d'entre nous qui s'agitaient sur les bancs. Frère Bernardin…

Comment Monsieur Vincent, décharné et pratiquement nu dans les embruns, flagellé par des gardes-chiourme, avait-il pu me rendre l'image de cet homme dodu et ensoutané ? Et, en pensant à ce maître que nous ne pouvions approcher à cause de l'estrade trop haute et du bureau qui la recouvrait exactement, en me rappelant le doigt ou la branche de lunettes qu'il plongeait dans une narine ou dans une oreille afin de prélever sur son propre corps la nourriture ignoble dont il semblait se délecter, je me demandais quels étaient les travers, les difformités qui surgiraient quinze ans plus tard à l'esprit de mes élèves pour faire de moi un monstre comparable à ce gros homme solitaire et presque muet.

Maurel, qui passait me prendre à midi, suivait avec curiosité le rassemblement des élèves devant le mobile home et les jeux qu'ils inventaient quand le minibus était en retard. Ouvrant boîtes stériles et éprouvettes ou répandant sur les plateaux d'une minuscule balance des granulats rendus à l'état de poussière, le responsable du labo travaillait seul et vivait dans l'insouciance des galons et des promotions. La rivalité des chefs d'équipe, qu'illustraient des prises de bec et des empoignades auxquelles il assistait parfois, l'amusait beaucoup et les jeux de mes élèves l'amusaient plus encore parce qu'ils offraient un spectacle nouveau à ses yeux. Maurel croyait à tort que les enfants avaient reproduit dans leurs jeux la hiérarchie qui prévalait dans la Compagnie, aussi fut-il étonné de voir que les caïds qui bombaient le torse devant le mobile home avaient pour pères des mécaniciens que Hébert faisait trembler. Le fils Poncey, qu'il imaginait régnant sur les autres par le seul prestige de son nom, était, dans le combat qui décidait de l'assaut du mobile home ou de l'enlèvement d'une princesse, un soldat parmi d'autres. A aucun moment, les courses sur les remparts ou les prises de fortins, tous les épisodes d'un feuilleton que mes élèves inventèrent dans l'ombre précaire des gaos, ne furent le reflet de la société dessinée par Poncey et, plus tard, alors que le chantier connut les premières difficultés, alors que les pères reçurent des outrages en marge des corvées, les jeux d'enfants perdirent un peu de leur entrain mais ne s'interrompirent pas.

Je crus tout d'abord que, comme l'école, la maison des célibataires était un lieu préservé. Poncey, qui avait réclamé un instituteur et qui avait confié à celui-ci l'enfant sans génie promis à sa succession, signa mois après mois et sans rechigner les bulletins de notes qui rendaient impossible cette succession et ne mit jamais les pieds dans le mobile home. Dans le même temps, il comblait de bienfaits la maison des célibataires. Le directeur du chantier préférait les hommes aux femmes et aux enfants, il préférait aussi les célibataires aux pères de famille et tenait davantage à Maurel, dont il connaissait à peine le passé, qu'à Santareno ou Martelot à qui il donnait dix ordres par jour et dont familles et bagages remplissaient un Fokker. Il y avait dans ma nouvelle maison d'authentiques célibataires, comme Maurel, et des hommes mariés ou fiancés, qui avaient laissé leur femme en France comme Bibi ou qui, comme Gilbert, souhaitaient s'installer ici avec elle. Après des années de TP, en France et à l'étranger, pendant lesquelles de vieux camarades avaient fini par se marier et d'autres par faire venir femme et enfants, Poncey avait distingué les célibataires endurcis et les hommes mariés expatriés sans leur famille. Au sommet de cette aristocratie trônaient les hommes divorcés. Poncey ne s'interrogeait jamais sur les causes qui détruisaient un couple puisque les effets étaient immédiatement profitables aux TP, mais il montrait une affection sans limites pour ces hommes qui avaient en fait quitté leur femme pour lui.

Un soir, quelques jours après le départ de Poncey et peu de temps avant Noël, je rentrai de la bonbonnière que les enfants avaient fabriquée avec du papier de soie et de l'étoffe multicolore. Nous étions au creux de la saison sèche et les soirées étaient presque fraîches. Pour la première fois, la journée avait passé sans le secours du climatiseur et j'allais à pied. Sans me presser. Devant la maison des célibataires, assis autour d'une lampe à huile, des boys du quartier fumaient des cigarettes en bavardant. Aux ombres qui flottaient dans le carré de lumière de la fenêtre de la cuisine, je compris que nous avions de la visite. Poncey, avant de partir pour Paris, avait obtenu de la Compagnie la nomination de Cormier, un de ses vieux compagnons, au titre de directeur financier. Le titre était probablement plus coté que la fonction puisque l'homme avait un bureau minuscule et vide et, pour tout domicile, une chambre comparable à la mienne. Cormier arrivait de Paris et, avant Paris, d'un pays lointain où Poncey l'avait envoyé. Il voyageait sans sa femme et ne rentrait jamais dans son appartement de Bois-Colombes sans recevoir sur la figure la vaisselle dans laquelle il avait rarement pris ses repas depuis trente ans.

Notre cuisine était bruyante et enfumée. Dans son coin, le cuisinier découpait une volaille et le jardinier, qui avait laissé son tuyau dans la pelouse ébouriffée, s'était accoudé au rebord d'une fenêtre. L'eau déversée avait libéré des odeurs de terre froide. Maurel écoutait Cormier avec tant de soin qu'il se contenta de pousser une bouteille dans ma direction pour m'accueillir. Cormier avait accompli toutes sortes de tâches dans les différents chantiers où le hasard d'abord, Poncey, ensuite, l'avaient placé mais il avait mené autrefois une vie de bonimenteur ou de bouffon qu'il ne renia jamais. Pour l'instant, Cormier, qui revenait d'un pays lointain, où il avait été intendant ou comptable, expliquait à son public l'acte de chair tel qu'il se pratique en Orient et, joignant le geste à la parole, debout, le corps de trois quarts et une main posée sur le mur, il allait et venait dans un mouvement régulier du bassin, laissant entre le mur et lui l'espace pour une femme rêvée et pressa le mouvement jusqu'à ce que les rires de son public ne fussent plus qu'un cri d'extase. Après moi, étaient entrés Bibi et Descorches, qui n'avaient rien vu de la scène ou presque, et qui riaient tout de même parce que

Cormier était là et que le nom de Cormier, la présence de Cormier suffisaient à déclencher le rire. Devant la marmite où il avait plongé les découpes de volaille, le cuisinier hilare tendait maintenant au-dessus d'un bouillon gigantesque les bras raides d'un chef d'orchestre réclamant un tutti à ses musiciens. Il était inspiré par l'arrivée de Cormier, par les instructions que les célibataires avaient données à cette occasion, ou encore par Descorches, cordon-bleu que Poncey admirait. Il n'était pas pressé de s'installer dehors sur une natte au milieu des mégots.

Cormier, qui s'était assis, m'avait salué en remplissant de bière un verre où reposait un fond de whisky. Il ne dit rien, ne demanda rien. Le nez dans son verre ou dans l'assiette que le boy avait fait doucement glisser devant lui, il était paisible comme le chien savant qui a rejoint son enclos après dix sauts périlleux sur une scène. Peut-être attendait-il de moi les premières paroles mais je ne voulais pas parler tant que Bibi, Descorches et Maurel, qui connaissaient Cormier depuis dix ou vingt ans, n'avaient pas posé les premières questions. Et je fis bien car, indifférents à moi comme ils étaient indifférents au cuisinier qui passait derrière la table avec sa marmite, les hommes parlaient de Poncey. Cormier, qui avait croisé Roudier, le directeur du secteur Afrique, au sommet de l'immeuble de la Compagnie avant de s'envoler pour Tassiga, confia que Poncey avait des ennemis à Chevilly et que le conseil d'administration surveillait de près le chantier actuel. A mon tour, je ne pus m'empêcher de déclarer que j'avais été reçu au sommet de l'immeuble de Chevilly et que j'avais mangé avec Roudier à la cafétéria. Tous les visages portèrent dans ma direction le regard que les adultes attablés ont pour l'enfant sage qui demande un peu plus de gâteau ou un doigt de champagne. La conversation reprit aussitôt et Cormier, soucieux de montrer qu'il n'était pas seulement un vieil ami de Poncey mais qu'il avait été muté à Tassiga avec le titre de directeur financier, annonça que le budget du chantier allait être englouti bien avant la fin des travaux. Mais les convives, qui avaient regardé les pitreries de Cormier, n'écoutèrent plus les révélations de ce dernier quand les chiffres supplantèrent les mots. Tout le monde avait beaucoup bu, buvait encore car il fallait éteindre les épices contenues dans le repas et Maurel, qui se moquait des chiffres plus que tout le monde, s'adressa subitement à moi pour me faire répéter les banalités que j'avais prononcées pendant le discours de Cormier. Ce fut inutile. Tous les autres avaient bien retenu que j'avais été convoqué à Chevilly et s'accordèrent pour affirmer que, dans ce cas, j'avais inévitablement croisé Béatrice, la secrétaire de Roudier. Tous s'accordèrent pour dire que cette jeune femme était une déesse, et de vanter les lignes d'un corps qu'ils étreignaient probablement la nuit dans le désert de leur insomnie. Je ne savais, répondis-je quand le silence se fit, si j'avais croisé Béatrice mais j'avais vu une déesse, en effet, et ce jour-là la déesse était dans une robe en lainage mauve qui la moulait comme un drap mouillé. Elle passait et repassait dans un couloir et les traits tendus de son visage dédaigneux étaient une invitation à suivre la savante ondulation poussant les courbes de son corps vers le feu que les yeux, les mains, la peau des hommes présents avaient allumé dans l'air qui l'entourait. Gilbert entra à ce moment-là et les rires qui l'accueillirent ressemblaient à ceux que Cormier avait déclenchés en mimant l'amour sur un pan de mur. Gilbert revenait de plus en plus tard et ses relevés le conduisaient de plus en plus loin. Il avait habituellement si faim qu'il se mettait à table avant de prendre sa douche. Ce soir-là, il était blanc comme un meunier. Il déposa devant lui un immense sac de toile qu'il ouvrit sans répondre aux convives qui voulaient nettoyer sa figure avec du whisky, qui lui demandaient dans quel grenier il s'était vautré et avec qui. Depuis plusieurs semaines, Gilbert était à l'avant du chantier avec trois ou quatre terrassiers qui portaient ses instruments de mesure et suivait le trajet que Poncey avait dessiné pour lui sur les cartes. Le topographe affirmait avec fierté qu'il était le seul Blanc du pays au-delà du 10e degré de longitude est. A la fin de ses journées, il prenait à son bord des paysans égarés, il s'arrêtait dans une buvette de village et achetait pour trois fois rien de la viande et des fruits. Un des hommes de son équipe, qu'il raccompagnait habituellement chez lui, le pria ce jour-là de faire un détour par une colline pelée et clôturée où couraient des poules. Depuis peu, un paysan payait l'ouvrier de la Compagnie pour rassembler celles-ci dans un hangar, à la tombée de la nuit, pour ramasser les œufs qui avaient glissé du pondoir, pour nettoyer le cloaque, alimenter le petit moteur électrogène qui faisait briller une ampoule. Il dormait là et eût volontiers remplacé le paysan dans la besogne des journées si celui-ci l'avait aussi bien payé que la Compagnie. Il vola les premiers œufs pour les donner à Gilbert qui avait insisté pour visiter l'élevage, qui insista encore pour payer les œufs et qui revint avec ce volumineux sac de toile. Les poules pondaient beaucoup, nous dit-il, et le propriétaire de l'élevage cherchait des clients. Le cuisinier attrapa le sac entrouvert et fit glisser doucement sur le sol de gros œufs blancs et propres qui s'échappèrent d'un papier journal dont on les avait hâtivement entourés et roulèrent sans se casser, sans même se fendre. Gilbert s'était assis sans regarder le butin que les boys empilaient dans des saladiers. Il ne se mêlait pas aux bavardages et mangeait avec application. La blancheur de farine qui enveloppait son visage quelques minutes plus tôt avait disparu et de grands traits de bière emportaient les morceaux de volaille dans son ventre. Lui seul mangeait encore et manger occupait tous les organes, tous les muscles de son corps. Il s'interrompait parfois pour laisser au cuisinier l'accès à son assiette et ne parlait pas. Autour de lui la conversation avait décru et l'on entendait dans la grande cuisine aux trois frigos le cliquetis des couverts qui retombaient l'un après l'autre sur les assiettes vides et le souffle fort des hommes repus.

4

Poncey revint de France de très mauvaise humeur. A Chevilly, il avait cherché en vain les vieux camarades promus, Roudier et tous les paperassiers qu'il saluait à peine d'ordinaire. Les immeubles de la Compagnie étaient vides, ou presque. Pour le recevoir, le conseil d'administration avait désigné cinq ou six cadres qui ne fêtaient pas Noël ni le jour de l'an. Les cadres, qui connaissaient à la perfection les chiffres du chantier de Tassiga, refusèrent d'emblée la rallonge demandée par Poncey et, sans s'attarder sur les crédits que la Compagnie avait révisés, ils déroulèrent des plans et évoquèrent les sites de carrières que cherchait le directeur et sans lesquels un second chantier ne pouvait être envisagé. Poncey s'emporta, soucieux d'initier ses nouveaux interlocuteurs aux fameux coups de gueule avec lesquels il obtenait habituellement le ralliement de son public, mais les cadres rejetèrent le buste en arrière comme si un train avait surgi devant eux et reprirent l'ordre du jour sans lever le ton. Poncey fut ainsi convoqué deux jours de suite et, le second jour, se montra courtois et réservé. Il fit ensuite de rapides visites à des membres de sa famille et rentra à Tassiga avec son frère Richard, un gaillard rougeaud, souriant et coureur, à qui il donna une villa, un pick-up et une équipe de terrassiers, sans se soucier que Richard fût à l'image des frères de rois, médiocre et consumé de vices et qu'il ne servît à rien.

A son retour, Poncey décréta une demi-journée supplémentaire de travail par semaine pour tous les expatriés. Il voulait atteindre l'éperon rocheux du km 100 avant la saison des pluies et il fallait bien, disait-il, que tout le monde en mette un coup. Lui-même reprit sans attendre le Land Cruiser et s'aventura sur de mauvaises pistes pour rencontrer Gilbert qu'il trouva dressé sur un talus, au milieu de ses instruments. Le topo révéla à son patron que le virage de la piste où était garé le Land Cruiser se trouvait exactement au terminus de l'actuel chantier. Poncey s'agitait beaucoup. Il dessinait une courbe avec le bras, il recherchait le tracé idéal. Il faisait des dizaines de routes dans le ciel clair et refusait de voir le point dérisoire et obscur où s'interrompait la première tranche des travaux. Le chantier ne pouvait s'arrêter car le paysage exigeait une route, car la route était dans le mouvement ample que dessinait son bras, elle passait au-delà du lac Tchad, franchissait la ligne d'horizon... Les ouvriers de Gilbert pliaient les instruments. Ils étaient nerveux, agités. Ils ne comprenaient pas les paroles de Poncey et les gestes dans la direction du lointain les effrayaient. Poncey se tourna vers eux et les pria de partir dans le pick-up parce qu'il avait à faire avec Gilbert. Quand celui-ci arriva au début de la nuit dans la cuisine aux trois frigos, il raconta dans le détail Poncey debout sur le talus, scrutant l'horizon, dessinant des soleils avec ses mains, les ouvriers inquiets qui démarraient en faisant louvoyer le pick-up sur le sable de la piste. En réalité, Poncey avait embarqué Gilbert dans le Land Cruiser pour faire une halte à hauteur du pondoir. Mais les deux hommes se perdirent dans la nuit et décidèrent de rentrer à Tassiga. Quand le Land Cruiser approcha du km 45, Poncey fit une brusque embardée, avança lentement au milieu des barrières et s'engagea sur le tronçon de route goudronné. Là, en glissant sur la couche de surface intacte, en doublant les rares engins au-devant desquels se portaient quelques mécaniciens attardés et armés de lampes, Poncey expliqua à Gilbert que, puisqu'il y avait sur cette colline des poules par dizaines, il voulait simplement qu'il en fût des œufs, introuvables à l'état de fraîcheur sur le marché de Tassiga, comme il en était de l'eau des réservoirs : toutes les familles de la Compagnie devaient avoir leur part. Et, nous apprit Gilbert, Poncey se mit à jurer gaiement. Il était heureux de sa journée. Des œufs ! s'exclamait-il en poussant la main dans sa barbe et en faisant rouler ses épaules sur le dossier du siège, des œufs, bon Dieu, on peut rêver !

Poncey oublia vite son séjour en France. Il était heureux à Tassiga où il était un roi hirsute, un roi des débuts de la royauté, un Mérovingien. Il s'était montré assez désagréable avec les correspondants de la Compagnie à Niamey pour décourager ces derniers de lui rendre visite à Tassiga et il n'était pas pressé de voir débouler Roudier qui avait un voyage prévu avant la saison des pluies. Il sortit beaucoup et accepta de nombreuses invitations. Son couvert était mis chez les Descorches et chez nous. Il dîna chez des mécaniciens et chez des chefs d'équipe. Quand il apprit que Boisson-Mourre avait obtenu pour moi une autorisation de photographier, il fit savoir qu'il ne pouvait refuser de dîner chez le représentant officiel de son pays. Le monarque goûtait à la diplomatie. Il était devenu très fort ou très fragile... Pourtant, il n'avait pas renoncé aux règlements de compte. Les remontrances, les reproches partaient n'importe quand : au bureau, sur le chantier, à table ou encore devant une bouteille de whisky. Personne, fût-ce Marcillat, Lenoncourt, Descorches, Cormier ou des doux rêveurs comme Maurel, n'échappait à sa rancune. Le vieux fauve se laissait toutefois approcher. Il suffisait de choisir un de ces matins migraineux qui suivaient les soirées de beuverie pour entrer dans son bureau sans bruit et parler à voix basse. La gueule de bois était en effet le sésame providentiel auquel certains téméraires faisaient appel pour obtenir une faveur, pour effacer une injustice. Poncey parlait en premier, et pour se plaindre, car il avait une migraine épouvantable. Le visiteur répliquait en regrettant son intrusion. Il proposait de venir plus tard. Il s'en voulait d'avoir choisi le moment d'une malencontreuse indisposition pour présenter une requête sans intérêt. Il faisait mine de partir. Le mouvement brusque que Poncey amorçait afin de retenir son visiteur envoyait alors tout le sang de son corps dans la tête. Poncey restait un instant sans savoir s'il allait plonger dans le coma, être paralysé ou s'il allait mourir. Mais il retombait finalement dans son fauteuil et le sang qui devait faire éclater son crâne rejoignait docilement les chairs de son corps. Pendant les minutes qui suivaient, mais pendant quelques minutes seulement, Poncey avait la certitude qu'il avait échappé à une attaque ou qu'il était resté en état de mort cérébrale, qu'il venait en fait de ressusciter et, les yeux presque clos, les lèvres sèches, il disait amen à tout.

Peu de temps après le retour de Poncey, le programmeur connut avec son ordinateur des succès qu'il hésita à révéler car il voulait quitter Tassiga et ne savait s'il fallait pour cela réussir dans sa mission, ou échouer. Pour Cormier, puisque le chantier disposait d'un ordinateur, d'un programmeur, Poncey avait tout intérêt à faire fonctionner l'un et à ne pas se séparer de l'autre. Les deux réunis pouvaient éventuellement rendre service. A une condition… Et Poncey, indisposé par de courtes et inexplicables coupures de courant provoquées par Van Beck, le responsable de la centrale, la veille de son départ, courut chez le préfet. Il payait, dit-il, de prodigieuses factures pour avoir de l'électricité et non du vent ou du silence. Le préfet s'efforça d'expliquer à son interlocuteur que l'électricité était à Tassiga depuis vingt ans à peine et que la centrale à fuel qui fournissait la ville était capricieuse comme un animal de bât. Poncey laissa parler le préfet. Il n'avait rien contre la centrale à fuel, grosse machine archaïque et malade qui faisait plus de fumée que d'électricité mais Van Beck était odieux et les coupures nocturnes qu'il imposait au quartier de la base étaient un jeu sinistre et gratuit. Ensuite, il demanda clairement le renvoi du Belge. Le préfet ne répondit pas. Poncey répéta sa proposition et offrit de verser un dédommagement. Le préfet mâchait ses lèvres. Quand il décida enfin de répondre, il apprit à Poncey que Van Beck ne pouvait être renvoyé parce que la centrale était à lui. Van Beck possédait la centrale à fuel de Tassiga et il jouait avec elle comme un enfant. Poncey quitta le bureau du préfet en retenant sa colère. Il ne pouvait pas prendre une masse et cogner sur la centrale, cogner sur Van Beck. Pour la première fois depuis qu'il dirigeait un chantier, Poncey se heurtait à des obstacles que les coups, les menaces et les ruses ne pouvaient abattre.

Van Beck avait construit cette usine autrefois en y mettant toute la force, tout l'argent que la fuite et le bannissement avaient épargnés. Personne, à Tassiga, pas même Paradis, le boucher, n'avait une histoire aussi sombre. Van Beck, que l'on voyait errer au volant de sa voiture dans un bleu de travail graissé de cambouis et de crasse, avait autrefois jeté dans la boue d'un fossé son uniforme d'officier SS. Lui seul, bien sûr, savait les crimes qu'il avait commis, les crimes qu'il avait ordonnés, les crimes qu'il n'avait pas empêchés, lui seul savait si les nuits de gel, de faim, de détresse qui ne l'avaient pas tué sur le front russe, affleuraient encore dans les nuits sans sommeil de Tassiga. Quand vint le moment d'échapper aux décombres de l'Allemagne, il usa peut-être de sa force pour prendre des habits sur le dos des survivants avant de renier sa force comme il avait renié son nom et le nom de ses chefs. Trouva-t-il un costume assez large pour entourer sa volumineuse carcasse ? La nuit dans laquelle il plongea fut-elle assez noire pour dissimuler ses cicatrices de reître ? Van Beck connut les prisons, les routes et, après quinze ans d'oubli et d'errance, il arriva à Tassiga à bord d'un pick-up Peugeot 403. Tassiga vivait les premières années de la décolonisation et les Européens qualifiés, les bâtisseurs, étaient les bienvenus. Van Beck se rappela le diplôme d'ingénieur obtenu à l'université de Liège, en 1938, qu'il ne montra jamais à personne et sur lequel était inscrit son véritable nom. Il engloutit un petit magot amassé pendant les années d'errance dans la construction d'une centrale à fuel qu'il fit fonctionner sans jamais demander la moindre compensation. Ce fut assez pour qu'on le laissât vivre à son aise et il vivait en seigneur, loin du quartier européen. Sans quitter Tassiga, il se consacra au commerce de l'arachide et du coton, au trafic du sel, de l'or et de l'étain et refit lentement fortune. Il fonda une famille pour l'accroissement de laquelle, à l'encontre de Paradis, un seul homme œuvra : lui, engrossant épouse, belles-sœurs et ses propres filles. Les Européens qui vécurent à Tassiga eussent volontiers oublié la 28e division de la Waffen SS Wallonie, le bleu de travail et l'inusable Peugeot 403 s'il n'y avait eu cette famille monstrueuse sur laquelle Van Beck exerçait encore, à près de soixante-dix ans et dédaigneux de la pureté d'une race pour laquelle il s'était battu, une terreur féconde. La bière et l'éléphantiasis avaient fait de lui un personnage énorme, adipeux et lent qui ressemblait aux méchants des livres d'enfants. Il charriait à l'arrière de sa voiture des gamins du quartier qu'il déposait à la préfecture, au marché ou devant les entrepôts de la coopérative. Il suivait ensuite un circuit dans la ville et passait reprendre ses commissionnaires qui attendaient avec des papiers ou des caisses. Il ne descendait qu'en dernière extrémité, devant l'esplanade du cinéma, tout près du Continental, du marché et de la base de la Compagnie, à un endroit où le préfet, le sultan, Boisson-Mourre ou encore Poncey le voyaient obligatoirement s'ils se rendaient quelque part. La désincarcération de Van Beck attirait toujours un public de curieux car l'ingénieur était vu comme une sorte de monarque époumoné, gros et impotent. Le monarque achetait des noix de cola ou des cigarettes au détail et rejoignait son volant en refusant de l'aide. Les seuls hurlements du moteur ne suffisant pas à arracher la voiture du sol, les gamins se postaient à l'arrière du pick-up, poussaient et montaient en marche.

Van Beck méprisait les Noirs et haïssait les Blancs. Il n'avait pas honte de son passé ni de son présent, et ne respectait personne. Le militaire avait jeté son uniforme de la SS dans un fossé mais l'ancien étudiant avait toujours un caillou dans la main pour casser une vitre. Il était vieux, invalide, et constamment prêt à se faire des ennemis. Il connaissait les démarches de Poncey auprès du préfet. A ses yeux, le directeur du chantier était un intrigant, un frère trois-points qui méritait ensemble la haine et le mépris et, à défaut de pouvoir toucher Poncey avec ses mains, sa salive et ses mots, Van Beck déclenchait d'incessants orages muets dans les nuits de la Compagnie. Pourtant, les coupures s'interrompirent en janvier. Poncey ne put savoir si le jeu avait lassé Van Beck ou si le préfet avait convoqué celui-ci pour lui faire la leçon. Poncey renonça à acheter le petit groupe électrogène que le programmeur avait réclamé et oublia Van Beck. La route, sa route, sur laquelle ni Van Beck, ni les paperassiers de Chevilly, ni personne ne pouvaient l'atteindre l'occupa bientôt exclusivement. Pour l'instant, il attendait Terraz, le responsable du bureau de contrôle. La présence d'un contrôleur était la règle dans les chantiers d'importance et Poncey avait fait à Roudier, à l'occasion d'une conversation téléphonique, la promesse de réserver à celui-là le meilleur accueil.

Peu avant l'arrivée de Terraz, Poncey avait dîné chez Boisson-Mourre, le diplomate lilliputien qui vivait désormais dans l'angoisse de la prochaine élection présidentielle, et découvert en Mme Boisson-Mourre un fantôme de femme qui ne bougeait pas, ne mangeait pas et buvait juste l'eau nécessaire à l'absorption de tranquillisants. L'agent consulaire avait parlé du climat des îles Seychelles, qui devait moins à la douceur des vents alizés qu'à la corruption des hommes. Le couple aimait moins encore celui de Tassiga, qui eût tué Mme Boisson-Mourre si le mari n'avait choisi la réclusion pour l'en préserver. Poncey acquiesçait d'un léger signe de tête. Chez les femmes des TP, pensait-il néanmoins avec soulagement, la réclusion donnait des ragoûts, des conserves, des tapis aux fenêtres, des cuirs d'enfants étrillés et des grossesses. Poncey avait accepté l'invitation de Boisson-Mourre parce que la fameuse autorisation de photographier qu'il avait demandée pour moi était une aubaine pour lui, qui fabriquait au loin une route que personne n'avait encore vue. Il avait besoin de mes services pour faire des clichés du chantier qu'il voulait envoyer à Chevilly et besoin du labo du centre culturel pour les développer. Cette faveur annonçait un échange de bons procédés et les ouvriers de la Compagnie, qui avaient refait le court de tennis du club, pouvaient aisément entrer dans l'enceinte du centre culturel afin de terrasser un mur ou d'ajouter de la terre au jardin. Mme Boisson-Mourre se leva et, prétextant une indisposition, quitta la table. L'agent consulaire demanda au boy le café et les liqueurs et conduisit son hôte au salon. Là, il prit la requête de Poncey comme un enfant prend un hanneton dans sa main et joua longuement avec elle. Il n'y avait aucun inconvénient, disait-il, à utiliser un local dans lequel son prédécesseur avait accumulé sans prendre le soin de le déballer un matériel payé avec les crédits du gouvernement français. D'ailleurs, le centre culturel était à l'image du labo photo, un désert, une cave, vingt ans de perdus. Ah oui ! Si la crainte de déchoir motivait ses décisions, affirmait Boisson-Mourre, jamais il ne fût venu se perdre à Tassiga... Mais il n'était plus à un âge où l'on fait carrière et tout le monde, au Quai, savait qu'il avait sacrifié ses lauriers à l'intérêt général. Engoncé dans son fauteuil, Poncey tenait une tasse en porcelaine remplie à ras bord, une entrave supplémentaire que Boisson-Mourre avait confiée à son hôte pour l'empêcher de partir. Il s'asseyait habituellement sur des chaises, goûtait fort peu le café dans une tasse et redoutait le contact de la porcelaine sur ses lèvres. Il n'aimait pas la comédie que le couple jouait pour donner l'illusion que la santé de la femme commandait la carrière du mari. Mais il tenait à cette autorisation du préfet et il ne voulait pas que le bout de papier dérisoire sur lequel on allait écrire mon nom, un nom qui appartenait à la Compagnie et à elle seule, servît à d'autres. Boisson-Mourre parlait, parlait encore et Poncey avait compris que l'agent consulaire, qui se moquait de l'art photographique, de la Compagnie, du chantier et qui eût ouvert le labo au premier venu, entendait en réglementer l'accès dès lors que lui, Poncey, faisait le projet d'y installer un des siens.

Le lendemain, dans la cour de la base, Poncey parla de l'agent consulaire comme d'un raté aux mains moites. La description de Mme Boisson-Mourre amusa tout le monde. Les chauffeurs et les magasiniers que l'attroupement avait attirés se tenaient en arrière et riaient en renversant la tête. Les mécaniciens qui allaient vers l'atelier regardaient dans la direction du bruit et se passaient gaiement la main sur la figure quand ils reconnurent la voix de Poncey, quand ils aperçurent Hébert, au milieu du groupe, front luisant et lèvres humides, hilare. Le rire de Hébert, c'était pour eux une matinée sans la moindre engueulade, sans une clé jetée dans une flaque d'huile… Tout en blaguant, Poncey avait son chantier en tête. L'agent consulaire, l'épouse de celui-ci, le dîner de la veille étaient peu de chose au regard de la foule qui l'entourait, des pick-up arrêtés devant la pompe, des moteurs dépecés sous le hangar… L'inspecteur du travail, les cols blancs de Chevilly, les membres du bureau de contrôle n'étaient guère plus… Des ombres, des bavardages…

Poncey pensait au chantier, à son chantier. Gilbert était au km 100, sur un arrogant nœud de rochers, et une équipe dirigée par Lenoncourt roulait plus loin, au-delà des limites de la route en construction. Sans la découverte d'une nouvelle carrière dans les confins du pays, le projet d'un nouveau chantier serait abandonné. Poncey ne pouvait fabriquer une route avec des broussailles et des ossements de bêtes, avec des promesses faites aux administrateurs de Chevilly. Lenoncourt et ses hommes avaient pour mission de trouver une montagne que les explorateurs, les cartographes avaient oubliée, négligée. Ils devaient trouver des forages, des villages, des campements de nomades, des pistes. Peut-être devaient-ils aussi se battre avec des rebelles que l'on savait dissimulés au pied des tassilis, aller sur les traces d'un troupeau d'éléphants parqués à la frontière dans les papyrus du lac Tchad. Poncey leur avait donné son chauffeur et le Land Cruiser et ils étaient partis sans feuille de route. Lui-même roula une semaine dans sa Peugeot 504. Deux ou trois fois, il passa chez nous pour prendre Bibi. Les deux hommes allaient dîner chez Descorches, et Bibi, qui rentrait du chantier, s'attardait dans la salle de bains.

Un soir, Poncey attendait dans la cuisine avec Maurel. Le cuisinier découpait de la viande dans un coin et moi, j'empilais des cahiers sur un bout de table. Il n'y avait pas de pire endroit pour corriger le travail des élèves car la hache du boy tombait bruyamment sur la planche, faisant jaillir des éclats d'os que les chats errants emportaient en rampant sur le sol. Bercé par les bruits de la cuisine, par le tremblement intermittent des canalisations, Poncey regardait les cahiers qui allaient lentement d'un bord à l'autre de la table. La journée de travail de mes élèves passait entre mes mains et à aucun moment le père ne fit un effort pour lire le nom de son fils, c'est-à-dire son propre nom, sur la couverture rouge, pour interrompre le curieux mouvement chaloupé que j'imprimais aux cahiers, pour me poser une question. En attendant que les réservoirs eussent vidé toute leur eau sur Bibi, il buvait une bière et bavardait. La conversation s'était mise doucement en route quand Cormier entra. Depuis quelques jours, celui-ci avait perdu sa bonne humeur à cause de l'inspecteur du travail qui évoquait un passe-droit et voulait le pousser dans un avion, le renvoyer en France. Trois comptables africains s'étaient présentés devant

Poncey qui les avait éconduits. En passant la main sur sa barbe, le directeur du chantier avoua qu'il ne pensait pas à l'inspecteur du travail. Un appel d'offres était en cours pour la suite des travaux et il s'efforçait de boucler son dossier avant le printemps. Il répéta le mot “printemps”, sourit, remplit son verre. Ce serait vraiment le bout du monde, si on ne trouvait pas une montagne… Bon Dieu, mais qu'est-ce qu'il fout, reprit-il en regardant vers le couloir. Gilbert était arrivé à son tour et s'était assis à côté de Poncey. Il compta les convives. Puis, quand il entendit le grondement des canalisations, Gilbert se servit un grand verre de bière qu'il but d'un trait. Il était persuadé d'avoir laissé Bibi derrière lui. Il ne savait pas que Bibi, avec la bénédiction de Poncey, s'aventurait en fin de journée sur le goudron lisse de la route, entre le km 50 et le km 0, et qu'ils étaient deux, tout au plus, Poncey et lui, à rouler ainsi sur la route neuve. Poncey révéla ensuite que, quand il eut affaire à Bibi pour la première fois, sur les fondations de la voie du TGV, Bibi était dans la caillasse et le sable. Il jurait au milieu des hommes, poussait plus fort que les autres et Poncey, qui ne se rappelait plus ce que l'équipe pouvait arracher du sol à cet endroit, se rappelait Bibi, la tête dressée au-dessus de la mêlée, sourd aux ordres que lui-même donnait à cet instant-là. Poncey prit le chef d'équipe dans ses chantiers en France mais il échoua à le faire venir au Nigeria. Bibi ne voulait pas quitter la maison immense qu'il essayait de payer en cassant les cailloux de Bourgogne. Il ne voulait pas quitter sa femme, le jardin et ses balcons cerclés de fer forgé mais il songea à partir pour Tassiga quand il sut que les primes d'expatriation doublaient son salaire et partit pour de bon quand Poncey obtint pour lui les galons de conducteur de travaux. Pendant les premiers mois du chantier, Bibi travailla avec tant d'ardeur que Poncey lui paya le voyage pour passer les fêtes de Noël avec les siens. Quand il revint de France début janvier, bien rasé, bien peigné, bien habillé, poupée docile que sa femme avait tripotée avec précaution, Bibi était fragile, pâle comme il l'était ce soir-là en entrant enfin dans la cuisine aux trois frigos...

Le cuisinier commença son service. Poncey, qui s'était interrompu pour finir son verre, refusa l'assiette que le cuisinier lui tendit, jura contre Descorches qui n'arrivait pas et se resservit à boire. La fumée des cigarettes collait au plafond. Il y avait dans la pièce une chaleur de tanière et les frigos que le cuisinier ouvrait à tout moment poussaient des odeurs grasses d'entrepôts. Nous mangions avec entrain parce que nous avions faim, parce que le cuisinier était heureux de nous servir, parce que le brusque silence de Poncey était une invitation à manger. Puis Cormier croisa couteau et fourchette dans son assiette et évoqua la femme d'un directeur, chez Dompierre & Brosses, qui suivait son mari sur le chantier et commandait aux ouvriers. Poncey livra le nom de l'homme, le surnom de la femme et il s'apprêtait à donner des détails quand Descorches entra. Avant de quitter le chantier, Descorches avait eu des nouvelles de Lenoncourt. Le topo et son équipe avaient découvert des falaises de sable et de graves que la Providence avait posées au bout d'une piste sur laquelle Poncey n'avait pu se risquer, début septembre, à cause de la boue et des ornières détrempées. Poncey ne disait rien. Descorches n'avait pas repoussé la porte derrière lui. Kaï et Bon Prix se tenaient là, discrètement. Les deux marchands, qui traînaient le soir dans les rues du quartier, pénétraient parfois dans l'intérieur des maisons à la suite d'un visiteur en faisant glisser derrière eux le grand sac de jute qui renfermait leurs trésors. Ils étaient heureux d'avoir trompé la vigilance des boys devant la maison, de n'avoir pas été mis dehors. Poncey avait fait le vide devant lui en frottant le Formica de la table avec le revers du bras et jouait avec des morceaux de pain et des miettes. Les sites de carrières, affirma-t-il subitement, ne manquaient pas… S'il avait lancé dix équipes il eût trouvé vingt falaises et les falaises importaient peu… De toute façon, pour continuer la route vers l'est, il était prêt à gratter le sol afin d'extraire des granulats. Mais il était heureux quand même, c'était un joli coup qui allait clouer le bec aux récalcitrants de la Compagnie. Le marché de la nouvelle route était dans la poche. Il fallait maintenant envoyer un dossier complet à Chevilly… Il voulait des photos. Ses yeux cherchèrent mon visage. Au regard qui s'attarda sur moi pendant de longues secondes, je compris que Poncey me voyait réellement pour la première fois. Le mobile home, les cahiers, la poussière de craie dans lesquels j'avais enveloppé son fils, le fils lui-même, étaient mon domaine, pas le sien. Poncey n'était pas seulement heureux d'apprendre la découverte d'un site pour ses carrières, il était heureux que la nouvelle le surprît ici, parmi les siens. Il simulait des montagnes avec des morceaux de pain, la frontière avec un couteau et ses doigts allaient d'un pays à l'autre, marquant le tracé du chantier, le cours des rivières. Il y a le lac Tchad et, mieux que le lac, deux rivières, deux vraies rivières avec de l'eau qui coule, affirmait-il sans sourire. Et quand l'eau ne coulera plus, nous irons la chercher dans les profondeurs. Le lac Tchad est un lac souterrain. L'eau de surface s'évapore, elle s'infiltre aussi… Poncey désigna des pistes sur lesquelles il avait roulé cinq mois plus tôt, des villages qu'il avait visités, des campements qui n'avaient peut-être pas bougé. Il posait des miettes de pain un peu partout et il collait son nez sur le paysage. Il donnait l'impression de chercher quelque chose dans le barbouillage minutieux imprimé sur le Formica. Vingt expat', pas un de plus, reprit-il, moins de cinquante personnes si on compte les femmes et les enfants. Pas question d'habiter un village avec les ouvriers, au milieu de volailles sans plumes, surveillé par le chef de canton, par les taupes du préfet… Du bout de l'ongle il faisait avancer doucement une grosse miette. Il y avait cinquante personnes hissées sur le bout de pain et l'ongle poussait le bout de pain comme le vent pousse un radeau. Tout le monde se taisait. Là, non, ici c'est le mieux… le lac, la frontière, une piste, la carrière… Et ce fut à ce moment-là que j'entendis les mots "camp vie" pour la première fois. Poncey avait laissé le morceau de pain et, sans décrocher son nez du Formica couvert de miettes, il rappelait les erreurs du Nigeria, le camp de Bauchi avec ses sentinelles mélangées aux bandits, les voitures, les camions retrouvés sur cale au bord d'une piste, désossés, brûlants. Rien de tel sur l'espace infini que désignait son doigt appuyé sur le Formica et qu'il avait inlassablement fouillé cinq mois plus tôt. A cet endroit-là, des langues de sable échouaient dans le lit de fleuves morts, les criquets mangeaient les récoltes. Les seuls engins qui arrivaient si loin étaient les avions épandeurs de pesticides. Le bruit de leur moteur faisait peur aux paysans qui refusaient de quitter les champs. Certains de ces paysans, qui ne bougeaient pas quand le ventre des avions se frottait aux récoltes, fuyaient quand une voiture passait sur une piste. Il n'y avait jamais plus de deux ou trois voitures par an. Une route là-bas était aussi inutile qu'un téléphérique et, dans les projets que Poncey développa ensuite, sans se soucier de la faim qui le rongeait quelques minutes plus tôt, du cuissot qui attendait chez les Descorches, il n'était pas question d'une route mais d'un camp vie. Poncey avait balayé les morceaux de pain et les miettes d'un second mouvement de l'avant-bras. Là, une piste conduisant aux villages, une autre à Tassiga, une autre au chantier. La falaise et une première carrière. Et il perçait le carton d'une petite boîte d'allumettes qu'il posa à la verticale. Ici, le grand enclos d'une base en plein air et les cuves de carburant. A l'entrée du camp vie, les citernes d'eau, les groupes électrogènes puis une vingtaine de mobile homes d'habitation, deux ou trois de plus pour le logement des célibataires, des visiteurs, le mobile home de l'école – Poncey leva la tête et répéta le mot "école" en me regardant comme si, mettant au point une attaque à main armée avec une bande de malfaiteurs, il désignait la cible que je devais toucher –, des préfabriqués, enfin, que la petite colonie allait aménager pour les fêtes, les barbecues... Je pensai aussitôt aux villes-champignons du Far West qui remplissaient mes lectures d'enfant mais je n'avais aucun regret pour les troupeaux, pour les chevaux, pour les cowboys, qui ne passeraient jamais devant le hublot de mon école. Le camp vie n'était pas un repaire de chercheurs d'or, une future ville fantôme, un tas de planches que le soleil ou les hommes enflammeraient un jour... Il était le point ultime que Poncey avait découvert pour échapper à la tutelle des hommes et, si le directeur du chantier laissait derrière lui une route qui permettait de l'atteindre, il en construisait une autre, droit devant, indispensable à sa fuite. Il était pourtant sans crainte. Il ne croyait pas aux folies guerrières du président Kountché, aux rebelles du Tchad, à une croisade de Libyens exaltés. Les soldats attroupés aux frontières avaient abandonné leur treillis dans le sable des dunes ou dans les marécages et avaient disparu l'un après l'autre, enlevés par une caravane de nomades, ils avaient brûlé dans l'harmattan. Descorches, qui avait compris que Poncey ne quitterait pas son domaine de miettes et de Formica avant une bonne heure, prit dans une pile une assiette qu'il tendit au cuisinier. Il brisa un énorme morceau de pain avec lequel il poussa la viande et but de grands traits de vin. Bientôt, il fut imité par Poncey. Les deux hommes mangèrent de bon appétit. Ils étaient heureux comme deux frères. Cormier s'était mis debout. Il ressemblait au père de la mariée qui se lève pour porter un toast, à la fin d'un repas de noce. Il avait bu, buvait encore des bières que le cuisinier avait posées devant lui, et racontait des souvenirs de chantiers, la grande époque de Dompierre & Brosses, les travaux de l'autoroute A6, entre Paris et Lyon, quand Poncey et lui n'avaient pas trente ans. Il raconta enfin des histoires de femmes. Bon Prix et Kaï s'étaient assoupis tout près de la porte. Ils tenaient debout par la grâce de leurs épaules réunies. Deux frères eux aussi.

5

Poncey, qui n'avait pas oublié le bilan médiocre de son séjour en France à Noël, reprit contact avec Chevilly quand il sut que de vieux camarades, des fidèles qui avaient mangé leur taf de terre, étaient là pour lui répondre. Dans le même temps, Lenoncourt rentra de brousse. Poncey se procura des cartes et des relevés topographiques, refusa les visites, les rendez-vous et s'enferma dans son bureau. Il rejoignit enfin le chantier. Dressé sur la couche de surface du km 60, Poncey contemplait le bitume en se balançant d'un pied sur l'autre, comme font les ours. Il parlait, grommelait, jurait, et les hommes s'écartaient doucement. Ils redoutaient l'éclat de la voix, la brusquerie des gestes. Sans le nommer, Poncey vitupérait le responsable du goudron qui avait remplacé l'homme du noir. Il ajouta qu'il ne pouvait rester deux jours dans son bureau sans que quelqu'un se livrât à un jeu de massacre sur le chantier. Il convoqua les conducteurs de travaux, puis les chefs d'équipe locaux, les mécaniciens… Tout allait de travers, la température des liants, le calibre des graviers. Les hommes se défilaient et il y avait assez de monde pour que le directeur ne vît aucun visage, n'entendît aucune excuse. Seuls des anciens tels que Marcillat ou Cormier savaient que les colères de Poncey, violentes et souvent injustes, ne révélaient pas sa détresse, mais sa santé. Poncey était un homme complexe, arbitraire, qui usait pour communiquer avec ses hommes d'une grammaire paradoxale dont le déchiffrement était aisé pourvu que l'on n'y mêlât point les sentiments. Ainsi, de même que les lendemains de ribote, migraineux et austères, l'incitaient à l'indulgence, les bonnes nouvelles, les journées de grand beau fixe le rendaient impatient et hargneux. Il pouvait se rendre à un dîner le ventre vide et ne pas toucher à son assiette, frapper à la porte des célibataires et faire des chicanes pour une hauteur de remblai à Bibi qui venait de s'endormir, bercé par des compliments reçus une heure plus tôt. Par la suite, j'eus l'occasion de rouler avec lui sur le site encore vierge du camp vie, deux heures sur la route achevée, trois heures sur les pistes, cinq heures de silence. Pas un mot pour son fils de dix ans. S'adressant à des tiers, Poncey parlait de l'école comme d'un hochet conçu pour occuper les enseignants, pas les élèves, de son fils comme du futur ingénieur qui ferait un jour des routes à sa place et des diplômes comme d'une simple formalité. Les sacrifices qu'il avait endurés, précisait-il, les échecs qu'il avait surmontés représentaient assez de besogne pour exonérer sa postérité de sacrifices et d'échecs pendant trois générations au moins.

Une barbe dure, des yeux immobiles, des réactions imprévisibles, les jurons, enfin, avaient dessiné sur

Poncey une cuirasse de guerrier. En réalité, il était beaucoup plus qu'un roi. Il ne régnait pas seulement sur ses hommes, sur la petite colonie des expatriés, puissant au point de briser une carrière ou un couple, il régnait aussi sur la tenue des grains, l'écoulement des bitumes, la vitesse des compacteurs. Il connaissait une bonne partie des mille huit cent quarante écrous référencés chez Caterpillar, les capacités de production en eau des forages de brousse, la nature et la quantité des produits de contrebande que le chauffeur togolais du camion vert déposait à Maradi, les paroles de duperie que Hébert prononçait dans son dos. Il vivait depuis trente ans dans le voisinage des pierres et des engins et il eût fait ses chantiers sans le secours des hommes s'il avait pu. Il avait construit des routes, des autoroutes, des ponts, des voies ferrées. Avec lui Dompierre & Brosses et la Compagnie avaient également gagné et gaspillé de l'argent. A plusieurs reprises, Poncey avait usé de ses poings et les coups étaient partis, sans discernement, sur un directeur, sur un mécanicien. En vain, les grandes boîtes de TP lui avaient offert des fortunes pour l'attirer chez elles mais le jeu des enchères ne l'amusait pas. Il aimait pourtant jouer…

Dans les jours qui suivirent le retour de Lenoncourt, circula une liste de noms retenus pour le camp vie. Je ne fus pas étonné par ma présence sur cette liste car je savais que Poncey, qui voulait une école et n'avait aucune expérience des enseignants, m'avait inscrit d'office, mais par la simple mention de mon prénom. En me désignant ainsi, par mon seul prénom,

Poncey dévoilait dans le même temps son estime pour moi, sa confiance et le peu de considération qu'il avait pour les fonctionnaires, réduits au rang de maîtres d'hôtel ou de précepteurs. Mes élèves ne savaient encore rien des projets de Poncey, mais leurs parents, les pensionnaires de la maison des célibataires, tous les curieux qui m'adressaient la parole – qu'ils fussent retenus pour le camp vie ou non – affirmaient que "j'étais des TP" désormais, et pour de bon. Je reçus quelques invitations à dîner. Hébert vint à deux reprises au mobile home pour s'assurer que je ne manquais de rien. A défaut d'être sur la liste de Poncey, le chef de la base se faisait fort de s'y voir inscrit bientôt. Pour l'instant, il affichait son indifférence, il n'était pas pressé de manger des sardines en boîte à tous les repas et laissait volontiers aux autres les fabuleuses primes d'expatriation que Poncey se chargeait de négocier avec Chevilly. Bibi, qui avait des enfants en France, et Descorches, qui occupait les siens avec des cours par correspondance, commençaient à me parler, mais timidement, comme si j'avais échappé à une maladie grave. Je pensais à mon arrivée à Tassiga, au décompte des pièces Caterpillar, à mes premières nuits au Dam, aux repas chez Boris, au cheval…

Ceux qui avaient leur nom écrit sur la liste du camp vie affirmaient qu'on n'allait pas les garder de force et que Poncey, plus capricieux qu'un enfant, pouvait, après deux ans à Tassiga, solliciter une direction régionale en France ou un poste au siège central. Dans l'attente de se voir désignés, les autres déclaraient volontiers, en s'inspirant de Hébert, qu'ils n'étaient pas fâchés de rentrer chez eux et que, si Descorches était un maître dans la découpe des phacochères, leur charcutier faisait du boudin ou des rillettes de porc comme personne. Cependant, le mal était fait. Un jour, en grimpant dans le minibus, les femmes découvrirent Mme Hébert installée pour la première fois à l'arrière, solitaire et droite, comparable à une sibylle rendant l'oracle. Peu après le démarrage, alors que le chauffeur faisait des manœuvres habiles pour éviter un piéton, une chèvre ou encore les trous de la chaussée, Mme Hébert confessa d'une voix monotone que Mme Lenoncourt, dont le mari occupait une des premières places sur la liste du camp vie, était quelques années plus tôt serveuse dans un routier de la nationale 10 et qu'elle "montait" pour cent francs. Les rares femmes qui osèrent regarder virent le masque de cuir rouge recouvrant habituellement le visage de Mme Hébert, il était immobile, raide, comme si aucun mouvement, aucun souffle, aucune parole ne l'avait animé. Il n'y eut pas d'incident, Mme Lenoncourt n'avait rien su de l'affaire et son mari n'avait rien voulu en savoir. Les femmes étaient fatiguées par six mois de poussière, de blattes, de marchandages stupides et les hommes revenaient fourbus et taciturnes. Ils travaillaient le samedi, désormais, et ceux qui avaient été avec Poncey à Bauchi parlaient de la saison chaude qui allait arriver comme d'un enfer.

Les préférences que Poncey affichait pour Bibi ou pour d'autres, le passé des gens que Mme Hébert révélait de la même façon qu'elle eût révélé leur avenir, agitaient un peu la colonie des expatriés mais les rancœurs et les envies commençaient à se heurter à la fatigue, aux habitudes prises. Dans le minibus, les femmes parlaient moins de la maison laissée en France, des enfants de vingt ans abandonnés à eux-mêmes, des parents vieillissants et malades que des œufs pourris du marché, des plaquettes de beurre que Poncey faisait venir d'Autriche, rance et immangeable, des améliorations apportées à sa boutique par le boucher Paradis. Celui-ci était en cheville avec le chauffeur togolais du camion vert et revendait aux gens de la Compagnie des journaux qui avaient traîné à l'aéroport de Niamey, du vin d'Espagne, du Martini, de la charcuterie. Paradis n'avait pas de stock car les approvisionnements étaient aléatoires. Il faisait ses prix à la tête de la cliente mais, après le déchargement, la cote de certaines denrées grimpait brusquement et il y eut des disputes pour un magazine et des tablettes de chocolat entre des femmes de la Compagnie que les ukases de Poncey ou les insinuations de Mme Hébert n'avaient pu brouiller. Les femmes n'étaient pas plus fragiles que les hommes, elles étaient engourdies par la chaleur, les sucreries, le vent presque liquide des climatiseurs, le corps des hommes quasi morts posé contre elles, la nuit, comme le pan d'une montagne écroulée. Elles restaient en vie par la grâce d'une recette de cuisine découpée dans un journal vieux d'un mois, de l'odeur familière d'un shampoing, d'un jeu d'épingles à cheveux pincées sur un bout de carton. Les traces retrouvées de leur passé arrivaient à Tassiga, altérées par un voyage interminable, souillées par le courtage honteux que prélevaient le Togolais et Paradis, et elles étaient présentes dans la vie des femmes comme les blocs de Tonimalt étaient présents dans le bol de mon petit déjeuner, agglomérés et racornis.

Poncey savait que le commerce en Afrique obéissait à des lois particulières auxquelles lui-même se soumettait parfois, mais il lui était insupportable de voir les épouses de ses hommes payer un magazine ou un flacon de parfum quatre fois son prix quand le camion vert qu'il avait acheté, le chauffeur qu'il payait tous les mois, roulaient pour la Compagnie et pour elle seule. Il avait aussi beaucoup de peine à admettre que l'on pût manger, boire, s'amuser en employant des victuailles, des boissons, des jeux qu'il n'avait pas choisis, qu'il n'avait pas payés. Poncey, dont les camions de brousse remplissaient toujours les réservoirs perchés sur le toit des maisons, fit le projet d'ajouter à l'eau de ses forages les œufs que Gilbert ramassait dans le pondoir de son ouvrier. De l'eau, des œufs en abondance, sans souillure, comme si les matrices découvertes par la Compagnie quelque part en brousse et datant de la naissance du monde donnaient, après des siècles de silence et de torpeur, la vie pour la première fois.

Pour la distribution des œufs aux familles, Poncey eut l'idée de remplacer les ouvriers du chantier qui remplissaient les réservoirs des villas avec l'eau des forages par Gilbert lui-même, qui était "l'inventeur" du fameux pondoir comme il eût été l'inventeur d'un gisement archéologique, et Gilbert accepta à la condition que, pour distribuer des œufs par douzaines dans le dédale du quartier des Européens, il ne fût pas seul. Il demanda à Maurel de l'accompagner et ce furent tous les occupants de la maison des célibataires qui s'entassèrent dans le pick-up, un samedi en fin d'après-midi. Poncey fut si heureux de voir une véritable délégation se présenter chez lui qu'il déboucha une bouteille de champagne. Il nous libéra à regret mais assez vite car nous avions une dizaine de palettes à livrer et, nous voyant hésiter, il donna un nom, celui d'un mécanicien qui avait "fait une belle semaine". Tous les expatriés de la Compagnie avaient travaillé dur mais quelques-uns avaient eu l'idée de s'arrêter pour dépanner un engin, de faire demi-tour pour embarquer une équipe. Ils devaient être récompensés par une palette d'œufs, celle qui trônait sur l'édifice que nous promenions à l'arrière du pick-up de Gilbert. La voiture quitta la maison de Poncey peu avant la tombée de la nuit. Je m'étais accroché au rebord de l'habitacle où s'étaient serrés Cormier et Bibi et, sans un regard pour Maurel assis en face de moi sur le plateau du pick-up, occupé à ajouter aux œufs impeccables de la palette du dessus les œufs fêlés qui roulaient à ses pieds, je surveillais le mouvement des boys que les familles avaient dépêchés dans la rue, les femmes à leur fenêtre, les enfants debout devant le portail. De retour du chantier, les retardataires roulaient doucement, la tête collée au pare-brise. Les gardiens couchés sur leur natte se levaient pour nous voir et les amis qui buvaient le thé avec eux se levaient à leur tour et riaient.

Ortega vivait blotti avec sa femme et un bébé au milieu de quatre murs que surmontait une charpente et souhaitait moins des œufs qu'un toit. La nuit pénétrait chez lui comme un flot, comme une chair, avec des odeurs, des étoiles, avec les fumées échappées d'un village tout proche. Elle pénétrait malgré les rares tuiles, les bâches, les panneaux de granité qu'Ortega avait lui-même posés sur la charpente pour se protéger du soleil et de la poussière. Le mécanicien ne nous attendait pas. Il ignorait que Poncey avait inauguré cette première cérémonie des œufs avec du champagne et n'avait qu'un peu de bière tiède et un fond de Martini à nous offrir. Le couple possédait pourtant une cuisinière, un réfrigérateur, un congélateur, tous les appareils ménagers identiques à ceux de son domicile, en France, et il avait reçu le même mobilier épouvantable, à armature d'acier recouvert d'une garniture de faux velours grisâtre, à peine rembourrée, que l'on trouvait dans toutes les maisons de la Compagnie. Il avait acheté à Kaï et à Bon Prix des statuettes en bois d'ébène ou de cola, des batiks, des calebasses gravées, qui s'amoncelaient dans un couloir comme un butin. Ortega n'avait pas simplement été logé dans la villa la plus éloignée, il était aussi le seul mécanicien de piste poussé par Hébert tout à l'avant du chantier. S'il roulait beaucoup, son épouse se promenait fort peu par la faute de Mme Hébert, qui ne voulait pas prendre le risque de voir le minibus s'ensabler dans des rues éloignées pour embarquer des gens qui, de toute façon, n'avaient pas envie de sortir. La petite famille vivait sur les commissions faites par le mari en brousse ou au comptoir de la coopérative, de la sollicitude de lointaines voisines qui venaient à pied et qui interrompirent leurs visites, pendant la saison chaude, pendant la saison des pluies, à cause de l'air brûlant, d'abord, des rues couvertes de boue, ensuite. Cinq mois après l'arrivée du couple, le mari avait fait près de vingt mille kilomètres quand la femme n'avait pas bougé. En allant chez le mécanicien, ce samedi-là, pour lui donner, tel un prodigieux trophée, la palette d'œufs qui trônait à l'arrière du pick-up, je compris que la grande fraternité des TP, évoquée par Hébert à tout moment, n'existait pas. Ortega s'épuisait sur la route. Pendant des journées, il enfonçait la moitié de son corps sous un capot pour venir au secours d'une culasse éventrée et brûlante et ne pouvait s'arrêter à la base sans subir les remontrances de Hébert. Sa femme faisait la bouillie du bébé avec les gruaux extraordinaires qu'il glanait en brousse ou au fond d'un bazar. Le couple n'était pas malheureux car, pendant qu'il était à Tassiga, sa maison de Vigneux-sur-Seine s'élevait dans les airs sans le moindre incident. Les parents du mécanicien avaient écrit pour dire que le crépi extérieur était sec et que les tuiles avaient été posées. Bien sûr, ce n'était pas une maison immense et le jardin qui l'entourait était trop étroit pour que l'on pût s'y promener à deux de front, mais elle était à eux. Vingt-quatre mensualités devaient suffire à la payer, deux ans pendant lesquels les Ortega vivaient dans un des rares endroits au monde où l'on pouvait gagner beaucoup d'argent et en dépenser très peu. Ils étaient sans rancune pour Hébert qui les avait laissés sans toit comme ils étaient sans gratitude pour Poncey qui les honorait de la première palette d'œufs. En fait, les Ortega étaient heureux d'avoir une visite, de savoir que les cinq célibataires s'étaient entassés dans un pick-up pour venir jusque chez eux, ils ressemblaient à ces fermiers qui chassent le chat du fauteuil pour faire asseoir de lointains parents arrivés sans crier gare. Ils étaient souriants, affairés. Ils ne savaient où donner de la tête car le bébé qui régnait sur la maison, avec des cris assourdissants, avait étalé des jeux et des vêtements un peu partout et ils faisaient le ménage sans arrêter de s'excuser. Ortega était fatigué par une semaine de chantier. La douche, le savon, le gant avaient transformé la poussière et le cambouis en une pâte qu'ils avaient poussée vers la racine des cheveux, les oreilles, le menton où elle faisait une curieuse couronne grise. Au milieu, le visage était blanc, livide. Bien qu'elle n'allât pas plus loin que le minuscule terrain vague qui entourait la maison et où elle promenait le bébé, Mme Ortega avait un teint plus frais. En revanche, elle se tenait depuis si longtemps à l'abri des regards qu'elle avait perdu toute notion de coquetterie. Elle n'avait pas trente ans mais elle avait rassemblé sur son corps large et musculeux, malgré la chaleur, tous les oripeaux qu'une vieille femme vivant à l'écart du monde accumule en une vie et qu'elle garde sur elle de crainte d'en être dépouillée. Gilbert cherchait un endroit où poser ses œufs et commençait à tourner en rond. Enfin, Ortega prit la palette, la posa sur la table et nous fit asseoir autour. Sa femme poussa les assiettes, les pots, les biscuits et servit des Martini dans des verres gras et opaques où se lisaient des empreintes de doigts. Ortega but et parla. Je me rappelai Hébert heureux de m'offrir à boire, le jour du retour de brousse de Poncey, heureux de parler, d'être avec moi… Dans les TP, me disait-il, on ne se quitte pas sans avoir bu un coup ensemble… Se quitter… J'avais déjà eu cette impression d'être ici depuis longtemps… Le bébé apparut, bien droit dans les bras de sa mère, fixant sur nous de grands yeux rougis par les larmes. Il ne dormait pas à cause de la nuit trop présente, trop lourde qui l'étouffait et il hurlait tous les soirs, comme un animal. Il voulut ensuite échapper aux bras de sa mère par de violents moulinets de tous les membres. Il était prêt à se jeter sur la table, à nager jusqu'à nous dans les flaques d'œufs brisés, de sirop ou de compote où se dressaient nos verres. Le bébé avait faim. En réalité, manger était la seule chose qu'il faisait calmement, aussi le gavait-on moins pour le nourrir que pour ne pas l'entendre. Ortega alla prendre dans le couloir une chaise d'enfant qu'il avait bricolée avec des rebuts de l'atelier. Une fois assis, le bébé arrêta de bouger, de crier, de rire, de sourire. Sa mère tendit un boudoir que l'enfant porta à la bouche pour le ronger. Le bébé n'avait pas faim, il avait peur. Il était trop haut, trop loin mais il ne tombait pas parce qu'il avait soin de ne pas bouger, parce que l'édifice conçu par le père à l'aide de puissantes soudures était aussi solide qu'un mirador. Il nous regarda un long moment avant de s'endormir, replet comme un juge, le menton sur la poitrine. Gilbert refusa un autre verre car il était près de huit heures et nous avions à visiter ce samedi-là dix autres familles. Bibi, qui était sorti avant nous pour flâner dans la rue, nous attendait en bas de la maison. Il avait quelque chose à nous montrer et nous entraîna à sa suite…

Le quartier désert recevait les seules lumières de la maison des Ortega et du Dam, au loin. Des maisons abandonnées à l'état de mastabas faisaient un lotissement sans vie que pénétraient les premiers gaos de la brousse. Nous avions dépassé la voiture de Gilbert et nous avancions entre les murettes inachevées autour des maisons. Le sable avait recouvert les fondations de la rue et se déversait doucement comme la boue d'une rivière. Ortega marchait derrière nous, mais il n'osait pas nous rattraper. D'une voix à peine audible, il disait que sa maison était la dernière de la ville et que, pour trouver trace de vie au-delà, il fallait marcher longtemps dans la brousse avant d'atteindre un village. A hauteur d'un virage, Bibi s'arrêta brusquement pour désigner, perchée sur une prodigieuse langue de sable, une Peugeot 404 pick-up de la Compagnie. La voiture reposait sur son châssis, comme une bête assoupie et sans crainte, le ventre bien à plat sur le sable. Bibi allait tout autour, étirait un bras et faisait tourner une roue dans le vide. Ortega s'était ensablé un soir, peu avant Noël, et avait renoncé à sa voiture quand il sut que, pour l'extraire, il ne fallait pas uniquement des hommes et des machines, il fallait aussi la bénédiction de Hébert. Par bonheur, le chef de la base ne se perdait jamais dans les chemins vides et désolés et ne pouvait connaître l'ensablement du pick-up qu'au prix d'un aveu, ou d'une délation. Ortega attendait depuis Noël que le sable cédât sous le poids de la voiture et roulait dans un nouveau pick-up pris sur le parking de la base. Ortega était derrière nous. D'une voix faible, il parlait de Hébert qui ne savait pas compter et des voitures de la base qui étaient une multitude. Il y avait plus de deux mois qu'il roulait impunément dans un pick-up volé, mais il avait peur. Il avait peur de Hébert, de Poncey, du minibus qui pouvait se perdre un jour dans le quartier, avec la troupe des femmes au complet. Il nous expliqua que, aidé de son épouse, il avait tenté d'enlever la voiture une nuit, une de ces rares nuits pendant lesquelles le bébé dormait. En vain. La voiture n'était pas seulement collée au sable comme une nacre, elle grimpait d'une dizaine de centimètres chaque semaine, mue par des mystérieuses forces souterraines qui secouaient la dune et la hissaient au-dessus du lotissement désert. Désormais, quand il rentrait le soir en roulant au pas, en surveillant le moindre caillou, il voyait le petit point blanc du pick-up abandonné, brillant dans le ciel noir. Bibi, Cormier, Maurel et Gilbert tournaient autour de la voiture. Maurel et Cormier, qui "faisaient" l'Afrique depuis des années, affirmaient que de puissants fleuves de sable coulaient sous le sol et débordaient parfois. Ils regardaient avec curiosité le pick-up d'Ortega car, s'ils avaient vu des maisons, des camions, déplacés par des crues insoupçonnées, rompus, ensablés, enfouis, ils n'avaient encore jamais vu une voiture plantée au milieu du ciel. Bibi s'approcha d'Ortega. Il lui dit que de vieux renards tels que ses amis et lui avaient fait assez de conneries autrefois pour ne pas révéler les conneries des autres, et que le couple n'avait pas à craindre de bavardages de leur part. Il lui dit ensuite qu'on ne pouvait toucher à la voiture sans prendre le risque de l'endommager mais que l'on pouvait sans peine s'attaquer au sable qui la portait et il proposa de venir un soir avec son équipe. En moins de trois heures, ses hommes et lui allaient faire descendre le pick-up en douceur. Bibi fit une dernière fois le tour de la dune. Il enfonça une main dans le sable, agrippa l'autre au pare-chocs du pick-up et imprima à celui-ci un lent mouvement de roulis qu'il observa soigneusement. Avec la main, Ortega essayait de renvoyer sa femme et le bébé vers la maison. Il eut un regard pour chacun de nous, un regard pour moi, surtout. Ortega m'avait vu à la base, occupé au décompte des pièces Caterpillar. Il me trouvait bien jeune, bien nouveau. Sans détacher son regard de moi, il répétait le nom de Hébert. Il acceptait que Poncey lui-même connût l'histoire du pick-up ensablé, mais pas Hébert. Le mécanicien détestait Tassiga, la brousse, les engins harassés et le cambouis brûlant. Il détestait Hébert plus que tout à cause de ces confins du monde sans cesse renouvelés où le chef de la base l'envoyait tous les jours, à cause de l'abri rudimentaire où sa femme, son fils et lui guettaient le feu de la saison chaude et les pluies de l'hivernage, il se moquait de vivre dans un brasier ou dans une baignoire, mais il refusait de perdre sa place.

La cérémonie des œufs nous obligea à suivre tous les samedis soir, dans le pick-up de Gilbert, le tracé dessiné par Poncey. Le promu de la semaine offrait le champagne, c'était la règle. Les autres, du vermouth, du whisky. Je découvris des maisons à l'écart et des familles inconnues. Certaines épouses voulaient nous garder pour le repas, d'autres ne se montraient pas ou, telle Mme Hébert, passaient devant nous, drapées dans un pagne, glissant sur le sol comme des statues que l'on déplace dans un musée. Quelques femmes attendaient notre visite pour faire des reproches à leur mari, pour parler de Tassiga. Le marché, le chauffeur du minibus, la poussière, les autres femmes, le courrier, le prix de la viande... La ville n'était pas un enfer mais une cage. Le camp vie lui-même, que Poncey affichait au bout de la route et auquel chacun avait rêvé, n'était plus un rêve... La fatigue des hommes commençait à gagner les femmes. Celles-ci n'avaient pas envie de vivre quatre ans de plus dans la bauge des phacochères pour se constituer un magot inutile, pour accéder à la petite cour de Poncey, pour transformer la fatigue en lassitude, les brouilles en haines. Elles n'aspiraient pas au bonheur mais au repos.

Le rituel des œufs fut pourtant un vrai succès. Les célibataires représentaient une famille particulière, originale, que l'on prenait en pitié car les célibataires ajoutaient à la disgrâce de vivre à Tassiga le malheur d'y vivre loin des leurs. Cormier et Maurel parlaient peu de leur vie sentimentale qui était un désastre ou un désert, mais Gilbert racontait volontiers le Morbihan où attendait sa fiancée et Bibi, sa femme, ses enfants, la maison qu'il payait avec la peine de son premier chantier outre-mer, l'entreprise de bâtiment qu'il allait créer au retour du camp vie, dans cinq bonnes années, avec l'appui de Poncey, de Descorches. Le grand mystère, c'était moi. On ne comprenait pas comment j'avais pu faire six mille kilomètres pour gagner deux cent mille francs CFA par mois. Certains savaient que j'étais venu à Tassiga pour échapper à la conscription et que, si j'avais décidé d'accomplir le service national ailleurs que sous les drapeaux, je n'avais choisi ni Tassiga ni Poncey. J'avais récité deux ou trois fois mon histoire le dimanche à midi et je la récitais désormais le samedi, avec beaucoup de verve ou beaucoup de maladresse, à cause des liquides qui roulaient dans mon ventre, lourds, capiteux comme des fruits blets. Nos hôtes me regardaient, postés derrière les œufs géométriquement disposés sur la palette, derrière les verres rendus opaques par le sucre des boissons, par la trace des doigts, ils se moquaient bien de ce que j'étais avant Tassiga, un fonctionnaire débutant qui vivait au bout du Massif central, à douze heures de train de Paris, dans l'ignorance des matériaux granulaires et des remblais. Ils souhaitaient simplement suivre avec moi les ruisseaux à truites, faire craquer les bogues de châtaignes sous leurs pieds, atteindre des hameaux perdus, entendre les hurlements d'un chien étouffés par la nuit d'une cave, sentir le feu des cheminées. Les Bretons, les Parisiens ne savaient pas que les hivers descendaient si bas, qu'il y avait de la neige à une heure de route de la mer, à deux heures de la Costa Brava. Les expatriés avaient envie d'oublier les histoires de coffrages explosés, de bitume répandu dans un fossé, envie d'oublier Mme Hébert qui voulait congédier le chauffeur du minibus, oublier les frasques de la femme de Paradis, le passé de Mme Lenoncourt. La brousse, le chantier ou encore Tassiga et ses marchands, ses pannes d'électricité et ses blattes grosses comme des boutons de porte étaient devenus le quotidien de tous. La moindre histoire ancienne, la moindre anecdote de chasse racontées dans le minibus par une femme ou devant un verre par Descorches faisaient les délices de la petite colonie. A plusieurs reprises, on me demanda comment j'avais pu faire trois fois le tour de la caserne de Rueil-Malmaison sans voir une porte. La caserne de Rueil-Malmaison était une péripétie négligeable, posée entre ma vie en France et ma vie à Tassiga, que j'évoquais après tous les autres, vers neuf heures du soir, quand nous livrions les dernières palettes d'œufs aux dernières familles et que la boisson entrait dans nos corps au prix de savantes contorsions.

J'avais été convoqué à Rueil-Malmaison pour être déclaré apte au service outre-mer, mais, si je savais aller d'un arrondissement de Paris à un autre par le métro, les lignes de bus qui me permettaient de gagner la banlieue étaient un lacis inextricable dans lequel je m'étais égaré. Avant d'arriver à Rueil-Malmaison, j'avais connu deux longues heures d'errance, accroché à la manche d'un conducteur, bousculé par de vieilles femmes en bigoudis, par des vagabonds qui dissimulaient un petit chien sous leur veste. Le bus stoppa au milieu d'une rue déserte. La caserne était là, me dit le conducteur en désignant le mur. Il y avait un mur immense que je suivis et je marchais, je m'arrêtais, je marchais, je tournais... Je devais être bien ridicule ce jour-là, en déserteur repenti, parti à la recherche d'une porte qui s'ouvrit enfin, comme si, pour en libérer la gâche, j'avais dû accomplir trois fois le tour de la caserne. De celle-ci, je ne vis rien car le document que je présentai ne faisait pas de moi un soldat ni même un visiteur mais un intrus que l'on poussa dans un sous-sol. Là, des commis blafards apposaient un tampon sur la couverture d'un dossier. Ils étaient presque aussi nombreux que les enseignants, les ingénieurs, les médecins volontaires pour enseigner le français à Sumatra, construire une ligne téléphonique en République dominicaine, travailler dans un dispensaire de Madagascar. Les employés n'étaient pas des militaires mais des fonctionnaires civils de l'armée. Chacun d'eux avait un bureau minuscule surmonté d'une lampe, un tampon dans les doigts et des lunettes sur le bout du nez. Les destinations les plus exotiques, les missions les plus extravagantes retenaient peu leur attention. Placés depuis longtemps dans cette vaste salle inaccessible à la lumière du jour, ils étaient devenus affairés et noirs comme des insectes et, comme les insectes, aveugles à l'immensité du monde, à la lumière des pays lointains que nous allions atteindre. Ils écrasaient leur tampon au coin d'un dossier, ils avaient vu des jeunes gens s'en aller par dizaines et occupaient le reste de leur temps aux mots croisés ou à la rêverie. Ils vivaient ici toute l'année et il y avait probablement, sous le petit tapis où reposait leur bureau, une trappe et un escalier qui menaient à un réduit où ils passaient les nuits et faisaient leur popote. Par ailleurs, s'ils s'intéressaient fort peu aux rêves de voyages que libérait leur tampon, ils n'étaient pas sans curiosité. Avant de se disperser un peu partout à la surface du globe, les vingt volontaires avaient, tout comme moi, quitté une lointaine province. Patientant derrière un garçon de Mont-de-Marsan, je vis s'éclairer le visage du fonctionnaire qui ouvrait un dossier. Les pages roulaient l'une après l'autre et, avant de faire tomber le tampon, le fonctionnaire s'adressa au jeune homme en usant de la langue que l'on parlait dans la ferme des Landes où lui-même avait grandi. Suivit un court dialogue pendant lequel le fonctionnaire écouta à peine son interlocuteur, se contentant du patois que le jeune homme avait retrouvé dans les replis de sa mémoire, de quelques noms de villages où tous deux étaient allés, de personnages qu'ils avaient rencontrés. Et le fonctionnaire appliquait son tampon sur le dossier de son compatriote en ajoutant un lent mouvement circulaire. Le jeune homme pouvait s'envoler pour les extrémités du monde, s'exprimer désormais en bengali ou en tagal, il partait avec un peu de terre collée sous les ongles ou la semelle des chaussures, il n'avait pas oublié toute son histoire, il n'avait pas renié les pierres, il n'était pas perdu pour les siens…

Les œufs de Gilbert étaient lisses, blancs, lourds, de vraies pierres. Ils n'avaient pas le goût des marigots. Ils n'avaient pas été oubliés une semaine dans la tiédeur des sacs plastique comme les œufs couvis et fêlés que l'on achetait à l'entrée du marché et qui faisaient une glaire noire et nauséabonde au fond des saladiers. Ce n'était pas seulement la colline lointaine d'où ils venaient qui donnait du prix aux œufs, c'étaient aussi les imitations de Cormier, les grands pardons de Bretagne racontés par Gilbert, l'évocation de fougères, de sentiers et d'enfants que je mêlais aux anecdotes de vaccins, de visites médicales et de banlieues lointaines. Les gens de la Compagnie, qui attendaient nos blagues et nos histoires, savaient que nous pouvions également nous taire, les laisser parler, écouter leurs litanies, leurs regrets…

Seuls les Descorches avaient ancré leur vie dans Tassiga sans donner la moindre prise aux souvenirs. Le samedi, nous arrivions le plus souvent chez eux en fin de soirée. Emergeant d'un territoire touffu et arboré où se risquaient des chèvres, un singe accroché à une corde accueillait les visiteurs. Sa joie de voir du monde était si grande qu'il courait autour de son pieu, rétrécissant malgré lui l'étendue de son domaine. Des poules trottaient aussi, mais plus loin, car elles craignaient les chèvres qui elles-mêmes craignaient le singe adossé à son pieu et ficelé. En fait le singe remplaçait le gardien, comme Descorches remplaçait le cuisinier. Les Descorches, qui ne voulaient aucun domestique chez eux, étaient heureux à Tassiga parce que leur maison de Seine-et-Marne était payée depuis longtemps, parce que leurs parents avaient été soignés, choyés et enterrés, parce que leurs enfants étaient avec eux. Pour avoir toute sa famille, Descorches avait soustrait sa fille et son fils, âgés de dix-sept et quinze ans, du collège où ils ne faisaient pas grand-chose pour les enfermer dans cette vaste maison où ils ne faisaient rien. Les cours par correspondance arrivaient ponctuellement mais ni le garçon ni la fille n'ouvraient jamais les enveloppes. Pour s'animer un peu, ils avaient besoin d'un modèle placé sous leurs yeux et le père, qui travaillait énormément, sur le chantier où il obéissait aux ordres de Poncey, et chez lui où il accomplissait avant sept heures du matin la journée de corvée qui revenait à la mère, était un modèle parfait qu'ils ne regardaient pas. Conducteur de travaux irréprochable et bon père, excellent mari, Descorches, chantier après chantier, était devenu un authentique cordon-bleu. Sa femme, ses enfants, repus et satisfaits, acceptaient de s'installer quatre ans dans un camp vie, ou de finir leurs jours en enfer, pourvu que ce fût en sa compagnie. Poncey surveillait jalousement le conducteur de travaux depuis vingt ans, une quantité de directeurs ayant essayé de le lui prendre. En vain. Descorches était fidèle à un Poncey bougon et imprévisible comme il était fidèle à cette femme replète et sans attrait. Depuis son enfance, il traînait dans les recoins giboyeux et dans les fermes. Il avait appris auprès des femmes les rudiments de cuisine que les femmes n'enseignent jamais aux hommes et, plus tard, quand il fut dans le monde des TP, il trouva derrière les fourneaux une place que personne ne lui disputa. Descorches rencontra Poncey chez Dompierre & Brosses et ne le quitta plus. Il partit pour des chantiers lointains où il fut équarisseur, boucher, cuistot. Un jour, le hasard, le ciel, peut-être, procédèrent au fond d'une casserole à des échanges miraculeux dans l'infiniment petit des molécules, après que Descorches, ayant choisi d'obéir à son instinct plutôt qu'à sa raison, eut changé le dosage des ingrédients et les ingrédients eux-mêmes d'une recette à laquelle il se conformait depuis longtemps. Ce fut la première révolte de sa vie et, s'il y eut d'autres extravagances par la suite, ce furent moins des révoltes d'homme que des créations d'artiste. Poncey conduisit jusqu'au fief de Descorches, au creux des bois de Seine-et-Marne où couraient des cerfs, l'ancien directeur de Dompierre & Brosses, qui s'appelait Bartolomé et répondait au diminutif de "Bart". Bart était le seul homme qui fût aux yeux de Poncey ce que Poncey était aux yeux des autres, un modèle et un maître. Il était plus encore : son ami, le seul ami peut-être. Convalescent que les chirurgiens avaient découpé, opéré et recousu avant de le confier à Poncey, Bart demeura chez les Descorches deux semaines pendant lesquelles il alla doucement de son lit au jardin en marquant de longues pauses devant la table de la salle à manger sur laquelle le cuisinier empilait des chefs-d'œuvre. En faisant la conquête de Bart, celui-ci put prendre sa place dans le premier cercle, auprès des fidèles de Poncey, se tenir comme eux dans l'ombre et la lumière que leur chef étendait autour de lui, mais un peu en retrait, à un endroit où les flatteries et les récompenses ne l'atteignirent pas, les colères et les injustices non plus.

Le samedi soir, nous arrivions donc très tard chez Descorches. Celui-ci, après un premier service pour sa femme et ses enfants, dressait la table pour Bibi et pour lui seul. Bibi s'installait devant nous et commençait à dévorer. Les apéritifs et les amuse-gueule ne lui avaient pas coupé l'appétit. Il était éreinté par sa semaine de brousse, par les insomnies, mais il avait faim et attaquait le dîner sans penser que les repas de Descorches dissimulaient toujours quelque trouvaille gastronomique. Nous nous asseyions près de lui et, quand il avait charrié assez de plats, d'assiettes et de carafes de vin, Descorches s'asseyait aussi. Nous buvions le dernier coup de la soirée pendant que Bibi frottait un morceau de pain sur les bords de son assiette. Le fils et la fille avaient quitté le salon pour leur chambre et Mme Descorches se contorsionnait dans son fauteuil. Elle avait réparti les quinze heures de son sommeil quotidien entre le fauteuil et le lit conjugal. Elle dormait dans celui-ci quand son mari s'y trouvait déjà et dans celui-là quand il s'affairait dans la maison. Bientôt, la femme eut un sommeil si profond que Descorches, en montant se coucher, ne la réveilla plus et la laissa dans son fauteuil.

Un soir, alors que nous étions arrivés plus tard que d'habitude, les enfants étaient déjà dans leur chambre et la petite femme dormait sur des coussins. Elle ressemblait à ces naufragés gonflés par les eaux que le courant a poussés sur une berge. Descorches nous fit asseoir et courut jusqu'à l'entrée. La corde qui retenait le singe avait glissé le long de son pieu et l'animal attendait devant la porte-fenêtre. Quand il vit Descorches, le singe sauta brusquement contre la vitre en poussant des petits cris. Descorches ouvrit la porte et, renonçant à attraper la bête, attrapa la corde qu'il renoua au pieu. Le singe, disait-il, avait l'habitude de mordre. Descorches nous rejoignit, poussa fermement la porte comme s'il redoutait une averse et, sans cesser de regarder le singe qui faisait le tour du pieu, nous dit que l'ingénieur du bureau de contrôle était arrivé la veille. Il se tourna ensuite vers nous et, sur le ton de la confidence, ajouta que Poncey souffrait de la hanche, qu'il était rentré la veille allongé à l'arrière du Land Cruiser et que, à l'insu de tous, honteux et résigné, il venait de passer deux jours dans son lit.

6

Il fut aisé de faire croire à Terraz, l'ingénieur affecté au contrôle des travaux, que Poncey se trouvait à l'avant du chantier et qu'il dormait chez un chef de canton. Mais Terraz n'était pas pressé de rencontrer Poncey. Le jour même de son arrivée, il déposa cartons et paperasses dans son bureau et partit pour la carrière où régnait Alberto, un vieux complice de Poncey. Alberto reçut le chef de mission à l'entrée de son domaine et le promena au milieu des excavatrices et des concasseurs, le long d'un parcours que les deux hommes suivirent cinq fois, dix fois et sur lequel, à défaut d'oublier son visiteur dans les mâchoires d'un engin et sous une tonne de granulat, le responsable de la carrière était sûr de l'épuiser, de lui faire passer l'envie de revenir. Terraz revint pourtant et, avant de revenir, il se montra sur la route, à l'atelier. Poncey, qui avait rejoint son bureau après deux jours de silence et deux nuits de sommeil, le reçut avec les égards dus au chantier que le contrôleur avait autrefois dirigé dans les Alpes, avant de révéler à ses proches que, si Terraz avait effectivement tracé une route quelque part dans le massif du

Vercors, il avait négligé deux ou trois encorbellements qui s'effondrèrent ultérieurement. Poncey avait croisé nombre de contrôleurs issus des TP et avait de la sympathie pour ceux qui l'avaient surpris à ses débuts, dans une dèche terrible. Certains étaient des fonctionnaires zélés qui brassaient des cotes et des volumes, d'autres de redoutables inquisiteurs. Hautains, fiers et stupides, partis de France avec des résolutions, des regrets ou des rêves, tous galopaient sur les couches de base comme des autruches. Beaucoup d'entre eux finissaient le chantier dans un lit ou sur le bord d'une piscine, vaincus par une fièvre, par la boisson, la fatigue, les migraines, l'ennui.

Pour l'instant, Terraz fonçait sur les pistes et dormait dans sa voiture. Assis sur un rocher en hauteur, face à la route, il regardait tourner les pièces d'un coffrage au bout d'un câble de palan, faisait un croquis, se levait et rejoignait les mécaniciens, les ouvriers. Il leur parlait en se tenant à l'écart, pour laisser entre eux et lui l'espace suffisant à un mouvement du bras, au passage d'un outil. Le contrôleur ne pouvait faire un pas sans que Poncey en fût informé par Santareno. Poncey se montrait patient. Terraz était arrivé avec les grandes chaleurs. Sous peu, il allait plonger dans l'air frais de son petit bureau climatisé, envoyer des fax à Paris. Terraz n'était pas fait pour l'Afrique, il allait fuir Tassiga à bord d'un avion sanitaire. Poncey, qui exprimait habituellement la vérité en peu de mots, cachait ses erreurs sous une parlote assommante. Il savait fort bien que Terraz n'allait pas déserter au premier pneu crevé par la canicule, au premier accès de palu. Le contrôleur n'avait pas quitté l'Afrique depuis dix ans, il avait voyagé sur des fleuves en crue, s'était échoué au sommet d'un erg, avait échappé à des animaux sauvages. Homme de terrain et homme de dossiers, il était efficace, taciturne et courtois. Une bonne vingtaine d'experts des bureaux de contrôle étaient ainsi, aptes à dénouer les ficelles de vieux renards tels que Poncey, à se mêler à la petite colonie des chantiers, à vivre la réclusion dorée des expatriés. Terraz était cela, il était plus encore. A tout moment de sa vie quotidienne, il devait lutter contre une curieuse infirmité dont il ne souffrait pas tant qu'elle ne rencontrait pas le regard des autres. Tous les muscles de son corps étaient conformés de telle façon que celui-ci se déplaçait en courant et en courant seulement. Terraz ignorait la marche comme l'aveugle ignore la lumière. Il courait, courait depuis qu'il tenait sur ses jambes et si, parvenu à l'âge adulte, il marchait enfin, c'était grâce à sa volonté qui imposait un frein à la vigueur insolite de ses muscles. Le moindre de ses déplacements ressemblait à la performance d'un hercule de foire, au manège de l'astronaute quittant son vaisseau spatial pour la terre lourde d'une planète lointaine. Terraz employait presque toute l'énergie de son corps d'homme à accabler le corps d'enfant qui demeurait en lui. Il était mince, sportif et encore jeune. Ses efforts pour corriger la fougue de ses quarante ans s'interrompaient quand il se trouvait sur un court de tennis. Là, il était infatigable. Le meilleur des adversaires n'en venait jamais à bout car il renvoyait toutes les balles. Il allait de l'une à l'autre avec une régularité de métronome et sans faiblir un instant. Il ne gagnait pas parce qu'il était un habile joueur mais parce que ses jambes libérées le portaient longtemps à une vitesse spectaculaire. Peu de temps après son installation, Terraz fila au club, impatient de jouer sur le court restauré par la Compagnie et découvrit un tronçon de route que barraient un filet et des bandes. Le court était lisse et sans défaut mais il était noir. Ne pouvant rester plus d'une semaine sans libérer le ressort qui contraignait ses jambes, Terraz joua sans attendre, mais il fut battu par des joueurs médiocres dont les yeux étaient accoutumés au goudron épouvantable incrusté sur le sol par les ouvriers de la Compagnie. Jamais Terraz ne voulut s'abaisser à demander à Poncey un court de tennis conforme aux normes, à lui rappeler les couleurs réglementaires du revêtement. Pour devenir le meilleur joueur de la ville, il passa la fin de ses journées sur le court. S'il ne trouvait pas un partenaire pour faire un set, il courait une demi-heure, une heure, parfois davantage, moins pour habituer ses jambes au nivelé irréprochable du terrain que ses yeux à l'obscurité du revêtement, à la nuit, au vide.

Sans fard, sans coiffure, enfoncée dans un pantalon ridicule qui remontait au milieu du dos et flanquée d'un enfant pâle qu'elle tenait à l'abri des anophèles, des scorpions et des autres enfants, Mme Terraz arriva une semaine plus tard. Une nounou la suivait à travers l'Afrique de l'Ouest depuis la naissance du fils. En sa compagnie, elle recruta, non sans mal car en avril tous les boys de la ville étaient placés, les domestiques qui allaient la servir. Chez les Terraz, il y avait peu de dîners, peu de corvées, mais les boys étaient nombreux. A Tassiga, Mme Terraz ne reconstituait pas seulement le décor dans lequel elle vivait depuis dix ans avec son mari, elle ressuscitait le territoire de son enfance, qu'elle voyait grandiose bien que son père n'y fût jamais qu'un simple fonctionnaire colonial. Elle-même ne savait plus si, trente ans plus tôt, c'était son pays ou sa famille qui était considérable. Elle avait également oublié qu'en devenant contrôleur son mari avait perdu ses galons de directeur de chantier. Il était craint, probablement, mais il n'était pas obéi. A peine établie à Tassiga, Mme Terraz laissa chez elle son jardinier, son cuisinier, son valet de chambre et son gardien et courut au club. La maison était son bien, le reflet de son passé, la marque de la réussite de son mari, mais le club devait être son domaine. Le club de Tassiga, décréta-t-elle comme si, en y pénétrant pour la première fois, elle avait trouvé les mots et les intonations d'un seigneur découvrant son fief, d'un officier arrivant dans sa nouvelle garnison, le club de Tassiga, donc, était un terrain vague. Elle entendait y mettre de l'ordre et, à peine eut-elle payé la cotisation du couple, passa derrière le bar, entra dans les remises, fit le décompte des boissons, des fauteuils, des bidons de chlore pour la piscine. Elle ignorait le nom des boys de sa maison qu'elle connaissait déjà celui des boys du club. Les Petit allaient partir en juillet et Mme Terraz voulait succéder à M. Petit à la présidence. Il était d'usage, dans les villes comme Tassiga, que le club fût présidé par un important chef de mission et M. Petit, qui dirigeait la gare routière depuis deux ans et attendait sa nomination pour le Cameroun, eût volontiers laissé le club aux Terraz, mais sa femme et lui, qui passaient leur temps de loisir au club où pas une seule animation ne s'était faite sans eux, n'y étaient rien de plus que de simples adhérents. Peut-être les Petit dirent-ils la vérité à la nouvelle venue mais celle-ci n'écoutait pas. Mme Terraz avait annoncé que son mari allait rester dans la région cinq bonnes années car, pour les responsables du bureau de contrôle de Paris, le camp vie de Poncey n'était pas une chimère. Et elle regardait le terrain de pétanque derrière le bar, elle regardait la piscine, les terrasses et le petit jardin de flamboyants. Jamais Mme Terraz ne pourrait repeindre le court de tennis en vert, en ocre ou en violet, refaire à Tassiga les soirées espagnoles, italiennes, les bals masqués de Saint-Louis, de Bobo-Dioulasso ou de Bangui, car le club n'était pas une vague dépendance de l'ambassade de France, il était une propriété privée, un enclos de luxe qu'Edouard, le commerçant libanais, avait mis à disposition de la colonie française.

Paradis, Van Beck, Edouard, ou encore le préfet et l'inspecteur du travail, avaient posé sur Tassiga des verrous qui ne sautèrent pas quand s'installèrent

Poncey et, après lui, tous les gens liés au chantier. Edouard était plus puissant que Paradis ou que Van Beck parce que ce n'était pas lui qui était arrivé sans ressources à Tassiga, mais son père, parce que ce n'était pas lui qui allait dilapider la fortune lentement constituée par celui-ci, mais son fils. Aussi, ayant atteint un âge avancé, il pouvait contempler une vie passée entre le magasin de tissus que son père avait créé en 1930 et le terrain de boules du club. Les Libanais, marins et marchands réputés, avaient dû voyager longtemps et vendre beaucoup pour que l'on retrouvât un des leurs blotti au cœur d'un immense continent, à mille kilomètres du port le plus proche et à quatre mille de son berceau, presque infirme et empli d'alcool. Edouard avait soixante-quinze ans et son avenir consistait en quelques mois de sursis accordés par le médecin du dispensaire à la condition que le marchand consentît à renoncer au whisky, pendant les repas, pour le moins. Le vieil homme acquiesça par un grognement, une grimace et ne changea rien à son mode de vie. Un soir, il tomba à la renverse sur le terrain de boules et il fallut de longues minutes à ses amis penchés sur lui pour se rendre compte qu'il n'était pas mort. Sans doute la boisson baignait-elle le volume de son corps au point que tous les organes, en s'engourdissant, avaient fait du vieil homme une toupie qui s'écroula. Edouard n'était pas mort et ne mourut pas. L'alcool qui l'imprégnait depuis si longtemps le tua plus tard quand, ayant atteint le vertex après avoir noyé toutes les fibres du corps avec la régularité d'une eau d'infiltration, il fit du cerveau une relique atrophiée dans le formol de son bocal.

Habib, le fils d'Edouard, ne voulait pas attendre que celui-ci fût mort pour étaler sur la ville une partie de l'argent que retenait le vieil homme. Il s'ennuyait dans le magasin de drap et ne comprenait pas pourquoi Edouard, qui avait grossi la fortune héritée de son propre père par des opérations fructueuses auxquelles s'étaient associés les riches hadj de la ville ou le sulfureux Van Beck, se contentait désormais de cette boutique dérisoire et de quelques loyers. La prospérité de Paradis lui était insupportable. Habib ne pouvait admettre que le boucher prît tant d'argent dans la poche des Français de Tassiga pour le confier à une catin. En fait, tout le ressentiment de Habib ne portait pas sur la jeune Songhaï mais sur le mari. Habib, comme son père et son grand-père, était libanais. Mais la France était pour lui et pour les siens une terre promise dont il avait adopté la langue et les manières, la seule nation assez grande à ses yeux pour donner un géant de la taille du général de Gaulle. Et Paradis, debout dans sa boutique, avec ses balafres, son teint mat, ses compromissions passées, sa viande souillée, était une insulte au général de Gaulle. Habib ne pouvait tuer l'ancien déserteur à qui il louait la petite boutique, mais il pouvait l'expulser, le renvoyer dans son essaim de mouches, au fond du marché. Il pouvait aussi l'étouffer. A l'étroit derrière son étal de boucher, Paradis ne se méfiait pas. Il gagnait maintenant assez d'argent pour étendre ses activités et pour payer aux

Libanais un loyer extravagant en échange de la pièce vide au fond de laquelle se nichait son petit local.

Edouard avait envoyé autrefois Habib en France pour suivre des études en espérant qu'il revînt au moins avec des diplômes et au mieux avec une épouse, introuvable à Tassiga. S'il ne put rencontrer une Française, Habib réussit à séduire une Libanaise de Marseille, une fille de trente ans dotée d'un joli visage et d'un torse minuscule planté sur un bassin carré. Le couple se maria à Marseille et Edouard, qui fit le voyage pour l'occasion, le premier long voyage depuis son enfance, faillit mourir dans l'avion. Habib et sa femme débarquèrent sans attendre à Tassiga. Edouard désirait des petits-enfants que son fils s'efforça de concevoir et que sa belle-fille refusa de porter. Après deux ou trois fausses couches, la jeune femme demanda à rentrer en France. Elle en avait assez de la poussière, des climatiseurs déréglés, des parties de pétanque du club, de l'argent qui s'entassait et qu'il était impossible de dépenser. Edouard savait que sa belle-fille ne partirait pas. Cependant, pour plaire à celle-ci, il consentit à lui laisser la grande pièce que convoitait Paradis. Après son malaise au club, le vieil homme resta reclus plusieurs semaines pendant lesquelles Habib dépensa assez d'argent pour faire du local offert à sa femme un véritable magasin. En greffant celui-ci sur sa boucherie, les Libanais n'empêchaient pas seulement Paradis d'étendre ses activités, de devenir lui-même un authentique commerçant, ils le rendaient monstrueux. L'étal faisait un gouffre noir au fond du nouveau magasin, la viande sentait fort et l'épouse du boucher hurlait en se heurtant aux carcasses de bêtes. La femme de Habib, qui voulait mettre Paradis dehors, ne put se faire entendre de son mari. C'était trop tôt, répliquait celui-ci, les femmes de la Compagnie venaient encore pour la viande du boucher, pas pour les fanfreluches ni les articles de bazar. Edouard consentit à admirer l'ouvrage fait mais il regretta que son fils ne l'eût point consulté avant d'entreprendre les travaux. Habib tint tête à son père. Il avait trente-huit ans et, puisque le vieil homme avait décidé d'être éternel, il avait fait, lui, le projet d'être vivant. Habib se montra peu dans la boutique de sa femme. Il s'occupait des commandes, des approvisionnements. Il cherchait à éviter les combines du camion vert. Il se démarquait tout à fait de Paradis. Quelques jours après la résurrection d'Edouard, Habib reçut une Peugeot 504 beige, un modèle identique à la voiture de ville des Poncey. Mais sa famille, disait-il, avait assez d'argent pour rouler en Mercedes 350, comme le sultan. Les efforts du couple suffirent à prouver au vieil homme qu'il n'était pas indispensable de suspendre à son décès l'héritage que les enfants commençaient à entamer. Au club, Edouard reprit ses habitudes, conserva la présidence, mais il était trop fatigué pour compter l'argent des cotisations, pour éplucher les factures. Vaincu par un premier malaise et par la création du magasin de ses enfants, il négligea le fonctionnement du club, reprit les parties de pétanque et lança désormais les boules sans quitter sa chaise.

Mme Terraz, qui savait maintenant que les Libanais étaient les maîtres du club et entendaient le rester après le décès d'Edouard, se montra souvent dans la boutique de la femme de Habib. Celle-ci avait peut-être vécu en France mais la femme du contrôleur avait grandi en Afrique et courait de Dakar à Libreville avec son mari depuis dix ans. Elle n'avait encore jamais vu une ville telle que Tassiga, à l'écart des routes, peuplée de Haoussa dévots et calmes, où la colonie française était jusque-là incarnée par de rares enseignants, un agent consulaire somnolent flanqué d'une épouse seringuée, un boucher renégat. La présence des expatriés de la Compagnie était une chance que seuls trois ou quatre marchands de souvenirs, pitoyables et presque vagabonds, avaient saisie et que la femme de Habib devait saisir à son tour. Mme Terraz expliqua à sa nouvelle amie que la Compagnie n'était pas arrivée dans le pays pour dérouler cent soixante kilomètres de bitume au milieu des plantations de mil, d'arachide ou de coton, que son mari n'avait pas accepté la mission de Tassiga pour cette route ridicule et stupide. Visite après visite, Mme Terraz révéla le futur de Tassiga, ville étape sur une route joignant l'Atlantique à l'océan Indien. Habib et sa femme étaient encore jeunes, ils étaient riches et pouvaient devenir puissants. L'assaut dura deux ou trois semaines. Plusieurs fois dans la journée, Mme Terraz passait dans le magasin de la femme de Habib. Sans jamais cesser de répéter que la France était un grand pays, Mme Terraz disait que les Libanais valaient bien les Français et qu'ils pouvaient sans peine en remontrer à ceux de Tassiga, aux provinciaux étriqués de la Compagnie, avec leurs hommes rougis par le soleil et leurs épouses bedonnantes. La femme de Habib était la plus heureuse des femmes. Elle était jeune, jolie. Elle n'avait pas à ses pieds le boulet d'un enfant et il suffisait d'un verre de trop pour que son beau-père quittât le club les pieds devant pour ne pas y revenir. Le mari avait une silhouette de tonneau suiffeux et des mains aux doigts courts, tronqués par des bagues, aptes au seul décompte des billets d'une liasse, mais il était docile et amoureux. Mme Terraz fut si habile pour tenir le couple loin du club que la Libanaise ne sortit plus de sa boutique. Les leçons que celle-ci avait reçues de son amie avaient porté. Les Libanais étaient un peuple de commerçants et elle voulait se montrer digne de sa propre famille établie à Marseille dans le négoce du lin, du grand-père de son mari, assez fou pour s'enterrer au début du siècle dans ce trou paumé et vendre du tissu à des sauvages qui vivaient nus.

Bien qu'elle ne pût se prévaloir du moindre titre, Mme Terraz rejoignit le club et commença à faire régner la terreur sur les boys. A chacune des missions de son mari en Afrique, Mme Terraz prenait la présidence du club privé comme d'autres épouses prenaient un amant. Elle avait administré des endroits de rêve où l'on buvait tous les soirs du champagne français et fut étonnée de découvrir à Tassiga un refuge insalubre et rempli de blattes que les Libanais avaient, avant-guerre, transformé en club pour que quelques pionniers assoupis pussent boire leur Pernod.

Mme Terraz savait que M. Petit attendait sa nomination au Cameroun et qu'Edouard allait mourir. Rares étaient ceux, dans les anciennes colonies françaises, qui souhaitaient ajouter les corvées d'un club privé à la torpeur infinie de leurs jours de congé. Dans un premier temps, Mme Terraz réussit à convaincre le vieux Libanais de démissionner de son poste de président, s'appuyant sur une clause du règlement que personne n'avait songé à appliquer mais qu'elle avait lue et qui empêchait le propriétaire d'exercer les fonctions de président. Il fallut ensuite convoquer l'assemblée des adhérents afin de procéder à des élections. Mme Terraz fut si prompte à remplir toutes les formalités que les candidats potentiels n'eurent pas le temps de se déclarer. En revanche, la femme du contrôleur apprit que le collège des électeurs devait dépasser un certain quota sans lequel l'élection pouvait être reportée, ou annulée. Il manquait les familles de la Compagnie pour lesquelles Cormier avait, à son arrivée, payé les cotisations et que, par négligence, on n'avait pas encore comptabilisées. Chacun des expatriés de la Compagnie, devenu membre du club, devait émarger sur un registre. Poncey ne voyait pas d'inconvénient à ce que le registre circulât d'une maison à l'autre mais, lorsqu'il apprit que Mme Terraz avait commencé sa tournée des familles, il surgit dans le bureau du contrôleur et, usant du même ton et des mêmes mots dont il usait pour ses subordonnés, rappela à Terraz que les fonctions de contrôleur s'appliquaient à lui et à lui seul, et qu'il refusait de voir Mme Terraz mettre son nez dans les maisons de la Compagnie. Terraz écouta le message, fit toutes sortes de promesses et précisa que la candidature de son épouse était utile, puisque, devenue présidente du club, celle-ci pouvait sans peine réviser à la baisse les cotisations dues par la Compagnie. Poncey fit mine d'approuver distraitement et, se rappelant que j'étais le trésorier adjoint, proposa au contrôleur de dépêcher Mme Terraz, armée de son registre, auprès de moi. En s'efforçant de tenir Mme Terraz à l'écart des familles, Poncey croyait pouvoir tenir les familles à l'écart du club. Il redoutait une surenchère de fêtes, de douceurs. Il rechignait à voir les siens se mêler aux joueurs de pétanque, aux enseignants, aux rêveurs. Mais le projet du fameux camp vie que Terraz évoquait désormais comme une évidence rendait inoffensif à ses yeux les distractions insignifiantes que les Français, les Libanais ou encore le diable lui-même avaient inventées pour rendre la vie à Tassiga moins ennuyeuse.

Mme Terraz se posta devant la maison des célibataires, contempla notre gardien assis en tailleur sur sa natte, le cuisinier qui remisait des bouteilles vides contre un mur, le boy qui arrosait l'herbe éparse de notre jardin. Quand je la vis accompagnée de son fils, je crus tout d'abord que, prévenue en ma faveur par Poncey, elle me demandait d'inscrire l'enfant dans ma classe ou de lui donner des leçons particulières. Mais celui-ci était trop petit et la mère ne le lâchait pas. Tous deux avaient tissé tant de liens qu'une nacre soudait la main de l'un à la main de l'autre, que l'ombre de la mère couvrait l'ombre de l'enfant, que la voix de la mère prononçait les paroles de l'enfant. Mme Terraz se présenta, me tendit le registre du club et me suivit. Je ne sus comment faire asseoir mes deux visiteurs au milieu de tous les exemplaires d'*Ouest-France* encore sous bande que Gilbert avait éparpillés sur les fauteuils, sur le canapé, sur le sol, mais Mme Terraz se souciait peu du désordre, des odeurs de transpiration et de cuisine, lourdes et fortes comme un moût. Notre maison l'amusait. Avant Tassiga, elle avait suivi son mari dans des villes plus grandes et moins isolées. Les familles avaient des maisons, mais les célibataires logeaient à l'hôtel, à l'instar du programmeur de la Compagnie. Chez nous, il y avait une bonne dizaine de climatiseurs, trois réfrigérateurs et un poste de télévision. Nous habitions l'unique maison du quartier qui n'avait pas un échafaudage collé à l'un de ses murs ou des bâches tendues sur le toit. Nous avions un jardin ou, plus exactement, du gazon planté entre le mur de la cuisine et un grand tas de bouteilles vides et que le boy inondait tous les soirs. Mme Terraz voulut savoir combien de personnes vivaient ici et fut étonnée d'apprendre qu'il n'y avait pas de disputes et que les boys n'eussent pas donné leur place pour servir chez Poncey ou chez Boisson-Mourre. L'enfant avait rassemblé les journaux de Gilbert un par un et commençait un savant jeu de construction. Il ne disait rien. Depuis sa naissance, sa mère le menait de visite en visite et l'enfant était habitué aux têtes nouvelles. Il n'avait encore jamais rien appris mais, tout ignorant qu'il fût, il s'emparait du moindre objet et fabriquait un monde avec. Il était prêt à construire des routes, des tunnels, des ponts, comme son père. Mme Terraz me confia le registre des adhérents que je fis signer le samedi suivant pendant la cérémonie des œufs et que le boy du club emporta deux jours plus tard sur sa Mobylette. A cette occasion, quelques expatriés de la Compagnie, tels que les Ortega, apprirent l'existence du club. D'autres s'y rendirent une première fois, le dimanche 5 avril, jour du vote. Pour fêter son élection, Mme Terraz offrit, sur ses deniers, un dîner libanais le dimanche suivant. Par la suite, tous les dimanches, les dîners à thème remplacèrent le traditionnel barbecue des Petit. Tout le monde, à commencer par Edouard, son fils, sa belle-fille, Terraz et Poncey, se réjouit des nouvelles fonctions de Mme Terraz. Celle-ci avait obtenu ce qu'elle voulait. Toujours flanquée de son fils, la femme du contrôleur passait ses journées au club. Ceux qui avaient cru que l'empressement de la nouvelle élue dissimulait le besoin de se poser, immobile, oisive, sur un transat ouvert devant la piscine, s'étaient trompés. Mme Terraz avait trouvé un domaine à sa mesure. Le club s'étendait sur trois paliers, au bas d'une immense caserne. Contenu par la façade de celle-ci, il y avait le terrain de boules, puis un long jardin planté d'acacias et de plantes grasses, la piscine en contrebas et son péristyle, le court de tennis enfin, sans ombre et tout près de la route de l'aérodrome. Mme Terraz fit l'inventaire des arbustes sans vie, des tomettes brisées et des canalisations défectueuses. Elle entreprit l'exploration des bâtiments qui prolongeaient le bar, dans un méandre infini de couloirs, de placards clos. Elle rendit le jour à de grandes pièces où s'entassaient des coupes, des vases, des plantes racornies, des portraits de souverains déchus, de présidents de la République en habit, un haut-de-forme à la main, le buste du roi Léopold III de Belgique, des lampions poussiéreux, des livres par centaines, des disques. Tout au bout, dans un renfoncement qui communiquait avec le parking, les boys de service avaient établi des familles entières chargées d'enfants que l'on faisait taire avec des ice-creams. A l'imitation de ces domestiques de la Belle Epoque, qui avaient quitté la Bretagne ou l'Auvergne pour les beaux quartiers de Paris, les boys du club étaient venus de cantons éloignés, s'empilant dans des taxis-brousse avec leur famille avant de poser leur natte dans les couloirs d'un bâtiment où leurs frères, leurs cousins étaient enracinés malgré l'obscurité, les cafards, l'hostilité des autres. Ils ne bougèrent pas, Mme Terraz ayant compris que, en mettant dehors les familles blotties dans les profondeurs, elle allait se priver des boys qui officiaient dans la lumière.

Mme Terraz eut encore l'idée de passer des commandes d'épicerie à la femme de Habib, d'organiser un concours de pétanque, un tournoi de bridge. Pour la soirée du 10 mai, pendant laquelle les convives allaient attendre les résultats de l'élection présidentielle, Mme Terraz, qui croyait à la victoire du candidat de droite, et la souhaitait, voulait que ce dimanche-là au moins, la colonie française de Tassiga mangeât français. Mais elle vivait depuis si longtemps outre-mer et avait imaginé, dans les clubs privés par où elle était passée, tant de réjouissances arrosées par le chianti, la sangria ou le punch qu'elle était incapable de mettre en scène une daube ou un cassoulet. Elle fit alors le projet d'amener Descorches devant les fourneaux et, pour ce faire, se présenta un soir chez le conducteur de travaux. Mais, arrivée sur le sombre terrain vague qui servait de jardin aux Descorches, elle eut la maladresse de confondre le singe qui attendait, accroupi devant son pieu, avec un enfant ou un chien. En tendant la main vers lui, elle se fit mordre au poignet et hurla si fort que la bête parvint à s'enfuir et à se percher sur un arbre. Mme Terraz eut deux tendons endommagés que le médecin militaire rattrapa quelques heures plus tard dans son cabinet de l'hôpital, en collant presque son visage sur la plaie, à cause de l'éclairage déficient. Terraz réclama à Poncey la peau de l'animal mais celui-ci ne reparut point. Poncey, qui pensait peu au club mais beaucoup à la prochaine échéance électorale, déterminante pour les affaires de la Compagnie, se fit l'ambassadeur de Mme Terraz auprès de Descorches et obtint le concours de ce dernier. Il souhaitait que, pour la soirée des élections, toute la Compagnie fût au club mais il était incapable de dire pourquoi, comme il était incapable de dire le nom du candidat que l'on soutenait à Chevilly.

Petit se montrait méfiant, amer. La prise du pouvoir réussie par Mme Terraz l'avait peut-être touché car il était depuis deux ans à Tassiga, passait au club ses soirées, ses dimanches, et le minuscule ronronnement que Mme Terraz perçut à son arrivée et grâce auquel le club vivait toujours, était son œuvre. Petit qui, comme Mme Terraz et comme la grande majorité des Français de l'étranger, votait à droite, avait l'intention de voter le 10 mai prochain et, pour voter, attendait les procurations. Il soupçonnait Boisson-Mourre de refuser la distribution de celles-ci aux ressortissants immatriculés au consulat. L'agent consulaire avait peut-être quelques convictions politiques qu'il affichait à peine et qu'il négligeait de défendre mais il avait surtout une carrière à protéger, autant dire un résidu de fièvre, l'épave d'une vie, rien. Petit réfléchissait au courrier qu'il s'apprêtait à envoyer à Paris – que le candidat de droite emportât ou non l'élection – pour dire la couardise de l'agent consulaire, son incurie, quand, par une mystérieuse connivence, l'ancien président Diori Hamani, qui, après le coup d'état du lieutenant-colonel Kountché, avait sauvé sa peau mais pas sa liberté, fut emprisonné à Tassiga. Petit apprit d'abord auprès de ses employés que l'illustre condamné se trouvait dans la caserne voisine du club avant de voir apparaître un carré de lumière à l'extrémité du mur qui projetait une ombre géante sur ses parties de pétanque quotidiennes. En faisant quelques pas en arrière, il découvrit une ampoule nue pendue au plafond. L'ampoule brilla dans le jour violent de la saison chaude, elle brilla plus tard dans le ciel noir de l'hivernage, elle brilla encore quand Petit quitta Tassiga pour le Cameroun trois mois plus tard, formant dans l'encadrement de la fenêtre un halo sur lequel se heurtaient les regards. Le président déchu vivait avec des sentinelles dans une pièce vide. Parfois, Petit restait sur le terrain de boules après la partie, dans la chaleur que le sol et les murs avaient prise au jour et jetaient doucement sur lui, comme un souffle. Il commençait à se lasser du monde mais la moindre lumière, pourvu qu'elle fût dense et drue comme des blés, pouvait encore le tenir en éveil, l'élever au-dessus des adhérents du club, des piliers de bar qui tenaient à peine droit, des champions de pétanque ployés. Il imaginait la journée vide du président, avec sa promenade du matin, sa promenade du soir, sa gamelle remplie trois fois avec le même gruau, sa ration de tabac, l'essoufflement, les courbatures, les migraines, tous les petits naufrages de l'âge mûr. Il regardait fixement la lumière et attendait la silhouette qui passait devant la fenêtre tous les soirs à la même heure, éclipsant l'ampoule. On avait assuré à Petit que le président déchu se postait pour voir quelqu'un dressé dans la chair sèche des oponces. Petit se sentait inoffensif et ridicule dans son parterre de cailloux peints. Comme les Terraz, comme les enseignants, il allait de ville en ville depuis des années. Au temps des guerres perdues, des empires défaits, il avait été militaire et si, depuis quinze ans, il faisait rouler de vieux bus sur des pistes défoncées, en parlant à ses chauffeurs, à ses mécanos comme il parlait aux enfants de troupe et aux chiens, s'il jurait qu'il était français et que sa famille, dont le patronyme original était Maupetit ou Maupétry, remontait à Du Guesclin ou aux Croisades, il vivait dans les anciennes colonies et ne voulait pas vivre ailleurs. Il dédaignait les deux mois de congés auxquels il avait droit tous les ans et, quand il quittait son poste pour une nouvelle mission, il ne rentrait pas en France, sa femme et lui partaient à bord de leur voiture personnelle, un break qui roulait seulement pour les grandes migrations, et tous deux traversaient sans dommage des contrées étonnantes malgré les bandits embusqués, les animaux sauvages et les mercenaires dépenaillés.

7

Le matin de ma première sortie en brousse, Poncey m'avait donné rendez-vous devant les bureaux de la base. J'avais posé à mes pieds un sac contenant le matériel photo et un autre contenant le pique-nique de midi et j'attendais. Lenoncourt, Descorches et Marcillat quittèrent la base l'un après l'autre à bord de leur quatre-quatre dont le moteur tournait rond. Avant de franchir le médiocre monticule qui menait à la rue centrale, chacun d'eux m'apostropha pour me souhaiter une bonne matinée. C'était mon premier jour de brousse et j'avais de la chance, me disait-on, le Vieux était de bonne humeur. Moussa, qui m'avait rejoint sur le terre-plein, m'avoua qu'il n'y avait pas de quoi. Quelques jours plus tôt, des ouvriers de l'atelier avaient malencontreusement vidé le gazole du camion-citerne dans la cuve de l'essence ordinaire. Alertés par la fumée et les pétarades des trente pick-up, les chefs d'équipe et les mécanos de piste demandèrent à Hébert de faire procéder à la vidange des cuves, des réservoirs et de les remplir à nouveau avec les carburants spécifiques qui convenaient. Hébert se risqua à laisser partir les voitures encore un jour ou deux, “pour voir”. Après avoir chiffré le coût de la vidange des cuves et des réservoirs, Hébert affirma qu’il était plus simple et plus économique de réduire le mélange en refaisant régulièrement le plein avec de l’essence ordinaire jusqu’à ce que celle-ci remplît tout à fait cuves et réservoirs. Et cette décision, la pire que l’on pût trouver, redonna tout son panache au petit homme qui vanta subitement les mérites d’une bonne purge. Les pick-up toussaient, s’étouffaient, crachaient de l’huile… Ils pouvaient avoir de la pituite comme un vieil ivrogne, tout allait pour le mieux et, quand le premier moteur cassa, Hébert souriait encore… Moussa se tut car Hébert était arrivé sur le parterre de ciment qui dominait l’esplanade gorgée de graisse où s’accumulaient les pick-up. Ceux-ci franchissaient un par un et dans un vacarme extraordinaire le monticule de sortie. Les mécaniciens, les chefs d’équipe baissaient la vitre à la demande de Hébert qui donnait des instructions pour le passage des vitesses ou la montée en régime, comme si les hommes se trouvaient aux commandes d’un bolide de course. Hébert donnait aussi des renseignements sur les proportions de gazole qui demeuraient dans les réservoirs, sur la température des moteurs après deux heures de piste dans la canicule. Il détachait enfin la moitié de cigarette qui commençait à brûler le feuillage hirsute de sa moustache et disait amicalement à tous ceux qui conduisaient, aux expatriés comme aux indigènes, que ça allait bien, que tout rentrait dans l’ordre. Pour ne pas voir la grimace des hommes, il se postait à l’avant des voitures et, tapant du poing sur la tôle des pick-up, affirmait que c'était de la bonne camelote. Quand il resta seulement sur la base les trois premiers pick-up pour lesquels Hébert avait ordonné la dépose des moteurs, capot ouvert sur un ventre sans entrailles et sous lequel deux ou trois aides-mécaniciens décrochaient une dernière Durit, le chauffeur de Poncey avança le Land Cruiser et s'arrêta à hauteur de Hébert qui s'éloigna. Poncey sortit, suivi d'un garçon de bureau à qui il avait confié une glacière et un carton rempli de papiers. Le chauffeur descendit et ouvrit le coffre. Poncey venait d'appeler Chevilly, il était de très bonne humeur et, pour me saluer, il lança simplement "qu'est-ce tu dis ?" avant de s'installer au volant.

Le jour choisi par Poncey pour ma première sortie était celui de la foire annuelle de Myrriah, le village où notre cuisinier nous conduisait le dimanche matin. Pour s'y rendre, les gens s'étaient entassés dans un taxi, ils avaient pris leur Mobylette ou leur vélo ou ils allaient à pied en suivant dans les gaos un sentier parallèle à la route. Une foule disparate s'effilochait sur une dizaine de kilomètres, marchant d'un pas rapide, doublant les taxis-brousse pris dans des ornières, les Mobylette bruyantes comme des tronçonneuses. Le km 0 se trouvait après Myrriah. La route débutait par un impeccable ruban de bitume déroulé sur un empilage de couches apparent et coloré que le Land Cruiser contourna pour se hisser sur la portion de route goudronnée. J'avais oublié que l'on pouvait rouler sans être promené sur son siège, sans être secoué de haut en bas par le flottement incessant des amortisseurs. Parfois, Poncey s'arrêtait au milieu de la route et me demandait de prendre des photos. Le tronçon de route asphalté était interdit à la circulation des voitures et des camions mais tous les paysans que la foire de Myrriah avait détachés des villages lointains glissaient dessus en riant. Certains avançaient le long du talus, assis sur la croupe de leur âne, d'autres allaient à pied et le grand parapluie noir qui les soustrayait à la chaleur faisait briller leur costume. Tous saluaient. Poncey reconnaissait des ouvriers que la foire de Myrriah avait enlevés au chantier pour la journée et qui s'approchaient pour nous serrer la main. Un petit attroupement se formait dans lequel Poncey distinguait deux ou trois paysans qu'il appelait par leur nom et sur le dos de qui il donnait de solides bourrades. Poncey m'encourageait à les joindre à mes prises de vue. Il voulait qu'à Chevilly on ne vît pas une route mais un boulevard. Pour lui, cette foire était une aubaine. Pour moi, un mystère. Comment tous ces gens avaient-ils pu arriver jusqu'à la route, après une si longue marche dans les buissons, sans afficher la moindre poussière, la moindre éraflure ? Comment Poncey, qui envoyait ses chefs d'équipe, ses topos, ses conducteurs de travaux sur le chantier le samedi et se préparait à les y conduire le dimanche, qui se mettait en colère pour des broutilles, des papiers dispersés, des échantillons perdus, parlait-il avec autant d'insouciance à ces hommes endimanchés et paisibles qui lui volaient des journées ? Pourquoi y avait-il tant de monde à cet endroit du pays qui dessinait un blanc sur toutes les cartes ? Pourquoi, enfin, Poncey m'emmenait-il avec lui quand il pouvait confier un appareil à Gilbert, à Lenoncourt ou à n'importe qui, quand des Polaroid agrafés sur des feuilles suffisaient à calmer la curiosité des gens de Chevilly ? Je n'étais pas le seul membre de son équipe qui remplissait des tâches étrangères aux TP. En s'acharnant depuis des mois sur l'ordinateur, le programmeur échappait lui aussi à tout contrôle. Mais Poncey, qui avait fait le projet de doter le futur camp vie d'une école, pas d'un ordinateur, voulait savoir si les six mois passés dans le mobile home ne m'avaient pas rendu fragile et muet comme un poisson rouge, si je pouvais vivre une journée en brousse sans m'effondrer à l'arrière du Land Cruiser, les cheveux en nage et l'estomac dans les poumons…

Le bitume des premiers kilomètres laissa ensuite la place à la couche de surface, lisse et jaunâtre, sur laquelle ne marchait personne. Des retardataires qui poussaient un âne ou un vélo sur une piste parallèle avançaient sans aucun secours. La foire de Myrriah avait vidé les derniers villages que nous traversions. Seules la troupe du chantier et de rares marchandes de noix de cola se risquaient au-delà, dans les espaces infinis de la brousse. A mesure que nous avancions, la route étalait couches de base et couches de surface comme si elle n'était pas en train de se faire mais de se défaire. Les ouvriers formaient une multitude de petites équipes entre lesquelles couraient les expatriés de la Compagnie. Poncey fit de nombreuses haltes pour demander la cote à un contremaître, pour me réclamer des photos avant d'engager le Land Cruiser sur des pistes qui passaient au milieu des gaos, des herbes, des greniers à mil, des paysans juchés sur des ânes. Des femmes échappées d'un village de paille et de banco traversaient pour aller chercher l'eau des puits. Elles détalaient en riant et riaient encore quand elles grimpaient sur un talus, l'une derrière l'autre. Poncey arrêtait le Land Cruiser au milieu des ânes rassemblés devant un puits. Les paysans fermaient leurs cruches avec de curieuses poignées d'herbe tressée pendant que Poncey, pour s'adresser à eux, prélevait dans sa mémoire quelques mots haoussa qu'il greffait à tout hasard sur un peu de français. Les paysans riaient et les enfants qui pataugeaient dans la boue riaient aussi. Tout le monde, à l'est de Tassiga, connaissait le Land Cruiser bleu à carrosserie panachée de blanc qui abordait les villages, les champs et les puits en roulant de longues minutes sur une crête. Aucun chef d'Etat, aucun ministre, aucun préfet ne s'était jamais enfoncé aussi loin dans le pays et aucun d'entre eux n'eût accepté de se mêler aux phacochères et aux scorpions comme Poncey s'apprêtait à le faire. Car le projet d'un camp vie avait été rendu public dans les coins de brousse où Poncey se rendait de plus en plus souvent. Celui-ci savait que le prestige dont il commençait à jouir au-delà de Tassiga pouvait servir la cause du camp vie mais, s'il faisait volontiers des détours pour que les paysans qui connaissaient le Land Cruiser connussent aussi son visage ou sa voix, il s'arrêtait moins longtemps parce qu'il allait désormais de plus en plus loin.

La trace du chantier et les silhouettes des paysans disparurent ensuite dans un paysage monotone et gris au bout duquel je découvris une immense cuvette couverte de rochers et de tamariniers, des collines tapissées d'herbe, des baobabs brillant sous le feu vertical du soleil. Poncey avait appris la présence d'un gradériste nommé Détroyat dans un de ces petits chantiers de brousse qui reliaient deux villages perdus. Un gradériste est un artisan qui procède au réglage des couches et Détroyat, au dire de Poncey, était un artiste méticuleux, précis dans l'ajustement de la poutre, dans l'orientation de la lame et qui avait acquis une réputation exceptionnelle. Les directeurs de chantier le courtisaient comme une femme et Poncey avait du mal à croire que Détroyat eût quitté la France pour s'enterrer ici. Descorches, Marcillat, qui l'avaient instruit de la présence du gradériste, avaient simplement prononcé son nom. Eux-mêmes savaient peu de chose : l'arrivée d'un Européen à la tête d'un de ces chantiers que l'Etat créait avec des subventions internationales et qui progressaient de quelques kilomètres, quand les cultures ou les intempéries ne retenaient pas les hommes ailleurs. Détroyat était là depuis peu de temps, aucun expatrié de la Compagnie ne l'avait encore croisé et son nom, mâché, altéré par les bavardages, désignait peut-être quelqu'un d'autre. Les chantiers de brousse avaient pour mission de faire naître au monde des villages qu'aucune voiture n'avait jamais atteints. Dans un premier temps, le chef de canton désignait dans une troupe d'anciens ouvriers un patron que les hommes rejetaient quand la tyrannie s'ajoutait aux pierres, puis un autre, avant de laisser le préfet de Tassiga, quand les émeutes ou les désertions avaient mis fin aux travaux, le soin de réclamer à Niamey un professionnel venu d'Europe. Le plus souvent, c'était un vieux renard des TP à qui l'administration versait un salaire comparable à celui des professeurs sous contrat local. Poncey aidait discrètement les chantiers de brousse en livrant des pièces détachées, des pneumatiques, du carburant, en envoyant un engin qui faisait un remblai, un autre qui réglait une couche. Pour l'instant, il ignorait l'existence du chantier auquel était accolé le nom de Détroyat et il avançait dans une végétation courte et épaisse, en suivant un tracé parallèle à son propre chantier.

En entrant dans l'ombre des flamboyants, Poncey ralentit et répéta Détroyat, Détroyat, sans desserrer les dents, comme s'il s'efforçait de contenir le nom du gradériste dans une cage. Et je pensai à tous ces noms que mes camarades de la maison des célibataires prononçaient le soir quand nous restions un long moment dans la cuisine après le dîner. Etaient évoqués de fins orfèvres tels que Détroyat, passés maîtres dans l'art du concassage ou du déroctage, des individus d'apparence insignifiante en qui brûlait une flamme insoupçonnée, des colosses impétueux, des ingénieurs encombrés de diplômes, tous poussés dans des âtres brûlants, des gouffres noirs par un drame qui les avait autrefois mis à terre et les avait arrachés à leur poste, à leur chantier, aux TP, enfin. Certains avaient eu un accident ou en avaient causé un, d'autres avaient fait des erreurs. Mais les erreurs, les accidents étaient le lot de tous les chantiers et de grands patrons tels que Poncey, qui paya d'une légère claudication une chute due à une imprudence, s'étaient montrés insoucieux et téméraires. Ils avaient pourtant pris leurs galons et finissaient leur carrière sur des chantiers prestigieux, leur vie dans des maisons cossues. Ils étaient une majorité. Les autres avaient laissé les erreurs, les fautes, les plaies pénétrer leur chair, leur vie, et s'étaient adonnés à la mélancolie, à la boisson. Les brouilles et les ressentiments qui atteignaient les familles poussaient les malheureux dans l'errance et l'oubli. Ceux qui ne finissaient pas dans un hôpital ou dans une maison de repos rejoignaient des villes telles que Tassiga. Pourvu qu'ils eussent deux ou trois papiers en règle, ils prenaient la direction d'un chantier local qui fabriquait vingt kilomètres de latérite à côté des champs de mil…

Poncey allait au pas car il redoutait les paysans à vélo et les ânes accumulés autour des ornières. Dans un attroupement posté au milieu d'un virage, il guetta l'émergence d'un Blanc de haute stature, hurlant, vociférant comme il hurlait lui-même parfois quand des badauds se mêlaient aux ouvriers. Au bout de quelques kilomètres, la piste grimpa brusquement au-dessus des herbes, des arbustes qui l'étouffaient.

Des hommes assis au pied d'un talus cueillaient des têtes de poissons et des noix de cola sur un plateau de fer blanc émaillé. Poncey s'arrêta près d'un petit compacteur à pneumatique enfoncé dans le sable, inamovible et rouillé, qu'il regarda longuement avant de descendre du Land Cruiser. Un homme jeune coiffé d'une casquette bleue à visière de plastique au-dessus de laquelle était cousue une ancre marine dorée sortit d'une cabane sans fenêtre et nous rejoignit près du compacteur. Le jeune homme expliqua qu'il avait été posté ici par la préfecture après le départ du directeur de chantier. Il répéta avec application le nom de Détroyat que Poncey avait prononcé sur le ton d'une question et précisa qu'il ignorait où le Français avait filé. Le jeune homme avait été embauché pour surveiller des ouvriers peu nombreux, sans arrogance, sans révolte, qui n'avaient pas bougé depuis la fuite de leur patron et ne songeaient pas à partir car l'administration les payait à ne rien faire jusqu'aux semailles. Il remplissait des fiches à longueur de journée. Ni le geôlier ni ses détenus, qui avaient jeté leurs pioches et attendaient les premières pluies pour couper à travers champs, ne se souciaient de la piste enfouie sous l'ombre noire d'arbres enchevêtrés. Pour l'instant, ils avaient une vie de tapis, de chandelles et d'insomnies, une vie sans femme, sans famille, sans histoire. Peu leur importait que la piste fût recousue comme une toile, par leurs propres soins ou qu'elle fût défoncée et ouverte par endroits sur les profondeurs de la terre, que l'on déroulât une véritable route à moins de dix kilomètres, puisqu'ils étaient sur leur talus, enveloppés dans le tissu tiède et monotone des bavardages, des odeurs, immobiles, heureux, vides.

Déçu, irrité par un long trajet qui l'avait conduit si loin, par une conversation qui ne lui avait livré aucun indice, Poncey décida de visiter un point de forage tout proche. Pour s'y rendre avant la nuit, il roula sans la moindre précaution, malgré les nids-de-poule, les ornières. Le soleil déclinait. Les arbres, les collines, les paysans assis en travers de leur âne projetaient une ombre interminable et le ciel était tendu comme la bâche d'un chapiteau, enduit d'une gouache d'un bleu dense que perçaient la lune et les premières étoiles de la nuit. Au passage du Land Cruiser, d'inamovibles paysans accrochés à la corde d'un puits se redressaient brusquement pour saluer et les enfants couraient dans notre sillage en jetant des poignées de sable sur le nuage de poussière que le quatre-quatre laissait derrière nous. Pendant que le Land Cruiser lancé à toute vitesse ouvrait une piste au milieu des champs de mil en friche, Poncey désignait les espaces infinis en pointant un doigt sur le pare-brise. A Bauchi, tous les soirs à la même heure, me confia-t-il, un exode infini couvrait les campagnes. Les gens étaient dix fois plus nombreux qu'ici et il y avait régulièrement les injonctions d'un marabout ou l'approche d'une troupe de soldats débandée qui les poussaient dehors et les éparpillaient dans la nature. La nuit était leur seul refuge et on ne pouvait savoir au pied de quel arbre ils s'avachissaient, dans quel fossé ils s'assoupissaient pour se soustraire au danger mais, quand ils finissaient par se lever pour rejoindre leur village dans l'obscurité, ils suivaient la route, ou plus exactement les couches de sable et de granulats que ses hommes et lui avaient appliquées dans la journée. Ils marchaient avec assurance en faisant du bruit et de la poussière pendant que la route les reconduisait jusque chez eux... La route, répétait-il en brossant le pare-brise d'un nouveau revers de la main. Quand le désert sera partout, car dans vingt ans, dans cinquante ans, il sera ici, il sera à Bauchi et au-delà peut-être, la route restera, et si le sable la recouvre par endroits il y aura toujours un sabot d'âne assez dur pour la révéler.

La nuit avait enseveli le paysage et le Land Cruiser avançait en se fiant à l'écran traversé d'herbes et d'ornières que les phares poussaient devant nous. Poncey avait trouvé la piste qui menait à un forage et il pressait l'allure parce qu'il cherchait le camion-citerne qui approvisionnait les villas des expatriés. Je ne pus savoir quels comptes il allait demander au chauffeur du camion mais, grâce aux grimaces que, au hasard d'un reflet, je découvris sur son visage, grâce aux marmonnements qui avaient remplacé l'évocation des souvenirs ou les prophéties, je compris que Poncey rencontrait une difficulté, qu'il y avait, quelque part sur le chantier, un homme prêt à le tromper, à lui mentir, à lui échapper. Nous abordâmes un gardien solitaire, trop vieux, trop malade pour travailler sur les pistes, et que la Compagnie avait affecté à la surveillance d'un forage. Le jour, des gamins des villages venaient lui lancer des pierres et des bouts de bois et la nuit, les esprits, les démons échappés de son sommeil le faisaient tourner en rond. Le camion avait quitté le forage une heure plus tôt, nous dit le gardien en se mettant au garde-à-vous comme un soldat. Poncey se dirigea vers la vanne pour interrompre l'écoulement qui nourrissait une large flaque. Il marchait en bougonnant, sans se soucier de la boue qui collait à ses semelles. Le gardien s'était efforcé de le suivre mais il n'avait osé aller sur la flaque et il trottinait autour à la façon d'un chien qui surveille depuis le rivage son maître parti pour le bain. Il n'avait pas peur de l'eau qui sourdait abondamment comme au plus fort de l'hivernage, ni des pluies qui allaient tomber bientôt, plus noires que la nuit, mais des tubes, des conduites, des colonnes que l'on avait enfouis sous ses yeux et qui, pensait-il, pouvaient tuer la terre. Poncey s'était penché et buvait avec soin, la tête perpendiculaire au filet d'eau. En fait, il me fut impossible de voir s'il buvait vraiment, s'il réglait des leviers et des manettes, s'il se recueillait ou s'il faisait tout cela dans le même temps. En creusant des forages, Poncey avait annexé les immensités souterraines du pays. Il savait que l'eau était inépuisable ou presque, qu'elle était fidèle comme un soleil, qu'elle était le soleil lui-même, lumineuse, vive malgré la nuit qui l'emprisonnait. Il la puisait, il la transportait, il mesurait l'ampleur des nappes, la fréquence des livraisons. Il offrait cette eau à chacun des ménages de la Compagnie et à de rares élus que son cœur, plus que sa raison, avait désignés. L'eau n'était pas encore sa consolation mais elle était sa fierté. Bien sûr, il avait assez d'argent pour organiser des fêtes, et il en organisa plus tard quand l'eau des réservoirs devint trouble, quand les dîners du dimanche au club, la cérémonie des œufs et les films de série B du cinéma en plein air n'amusèrent plus personne. Mais l'eau était plus précieuse que les bouteilles de Mumm Cordon Rouge, parce qu'il ne suffisait pas d'être riche pour en disposer mais parce qu'il fallait être puissant et personne, entre Tassiga et la frontière du pays, n'était aussi puissant que Poncey.

Sur le trajet du retour, Poncey se montra tendu, silencieux. Je ne savais pas s'il était impatient de rentrer pour lire les fax de Paris, pour retrouver Marcillat, Lenoncourt et Bibi chez les Descorches ou pour se coucher… Le tronçon de route asphalté recevait pour seule lumière les phares du Land Cruiser lancé à toute vitesse. Poncey ne voyait pas les pick-up arrêtés sur les pistes en contrebas, capot ouvert, ni les employés de la Compagnie, Blancs ou indigènes, qui avaient fait un pas en avant à la vue d'une voiture et qui restaient figés dans un salut ridicule. Les derniers pick-up roulaient encore, répandant une odeur d'huile brûlée, de culasse chauffée à blanc, et faisaient un vacarme effrayant. Leur moteur, tué par les mélanges hasardeux que Hébert avait prescrits, attendait l'arrivée à la base, ou une panne sur cette même route, le lendemain ou le surlendemain, pour se taire complètement, pour opposer aux mains nerveusement agrippées à la clé de contact un lent soulèvement de bête à l'agonie, un cliquetis presque inaudible. Poncey cherchait une trace familière à proximité des puits, des villages que nous avions doublés le matin. Pour éviter de m'assoupir, j'avais baissé la vitre. Je contemplai le ciel gonflé des pluies de l'hivernage imminent et, dans le vent étouffant qui entra, je reconnus les relents de marécage qui s'étaient échappés de la flaque, près du forage, ces relents que l'on retrouvait partout dans le monde pourvu que l'eau d'un torrent ou d'un orage fût assez dense, assez violente pour exprimer les odeurs de la terre. Poncey ne regardait ni le ciel ni les ouvriers qui avaient abandonné leur pick-up en panne contre un talus et prenaient place à l'arrière d'un autre pick-up et il voyait à peine la route. En réalité, il cherchait le camion-citerne sur la piste qui desservait les villages. Il redoutait les petits attroupements nocturnes pendant lesquels le camion perdait un bon tiers de son eau. A plusieurs reprises, alerté par des lumières, par un mouvement de badauds ou de véhicules, il ralentit. Enfin, quand il vit le camion arrêté à un croisement et une silhouette dressée sur la citerne, il coupa brusquement par le bas-côté et reprit la piste en roulant sur le travers du talus. Les paysans qui rejoignaient l'attroupement et avaient reconnu le Land Cruiser revinrent sur leurs pas en attrapant d'un geste vif l'encolure de leur âne. Ceux qui se trouvaient près du camion avec leurs bidons et leurs cruches décampèrent à leur tour et le chauffeur resta seul, debout sur l'acier glissant de la citerne, les mains flottant dans le vide à la recherche d'un appui. Un instant, je crus que Poncey allait s'arrêter, qu'il allait se précipiter vers les paysans en fuite, grimper sur la citerne comme il grimpait sur les coffrages et proférer des hurlements de vieux fauve. Mais Poncey ne voulait pas se mettre en colère pour quelques litres d'eau chapardés. Il était pressé de rentrer à Tassiga. Il fit une embardée pour gagner le talus, se hissa sur le goudron lisse de la route et lança le Land Cruiser à toute vitesse. Il était raide comme une proie abandonnée et il avait envie d'être seul. Ses mains se crispaient sur le volant, une grimace ouvrait sa barbe, les sourcils froncés barraient son regard, ses mâchoires serrées retenaient des insultes, des cris, des jurons. Il eut pour l'appareil photo serré entre mes genoux le regard hostile qu'il avait eu pour le camion-citerne. Rien ne subsistait de la bonne humeur que j'avais décelée sur son visage le matin même, de la familiarité qu'il avait témoignée pendant la journée aux ouvriers, aux paysans. Devant nous, le paysage était réduit au parterre de lumière blanche que dévoilaient les phares et la nuit s'étendait autour, profonde et noire comme les abysses qui accompagnent la plongée d'un bathyscaphe. Au milieu de cette immensité que nous traversions, à l'exception de l'appareil photo, à l'exception des clichés que j'avais pris pour servir la gloire du chantier sur les prescriptions de Poncey et des clichés que j'avais volés à ce dernier comme le chauffeur et les paysans lui volaient son eau, rien ne m'appartenait. Je ne ressentais ni soif, ni faim, ni fatigue, mais j'avais un peu froid et je m'efforçais de ne pas bouger, de ne pas faire un bruit. Dans le silence d'une nuit aussi noire, seul Poncey était encore en vie, accroché au volant, sourd au crépitement des graviers, aveugle à la lumière des phares, Poncey et ses rêves d'homme sans sommeil.

8

Malgré la mort soudaine de son vieux cheval, malgré les premières pluies de l'hivernage, Boris, l'instituteur du cours La Fontaine, n'avait pas renoncé aux expéditions lointaines. Il voulait dormir au creux des cavernes, débusquer des fauves. Les éléphants, surtout, le fascinaient. Deux troupeaux vivaient encore dans le pays, l'un dans une boucle du fleuve, à mille kilomètres de Tassiga, et l'autre aux abords du lac Tchad, mais tous deux avaient certainement découvert dans les flancs de la terre des brèches assez vastes pour les tenir dans le secret car aucun explorateur ne les vit jamais. Je compris bientôt que l'Afrique, imaginée avant mon départ comme un vaste marécage dans lequel s'enfonçaient Brazza et ses porteurs, était aux yeux de Boris un déballage de dunes que piétinaient les infatigables éléphants du poème de Leconte de Lisle. Depuis un siècle, les professeurs tenaient leurs élèves ensevelis sous le marbre impeccable de ce poème et, depuis un siècle, les éléphants allaient d'un pas lourd, répandant l'encre de leur ombre sur les cahiers d'écolier. Boris avait répété à ses élèves le fameux poème qu'il savait par cœur et dont il avait retenu les éléphants, mais aussi le sable, les figuiers, les fleuves, la poussière et les nuées d'insectes, tout un univers qui formait l'imagerie élémentaire d'une Afrique que d'autres inventaient avec les chasses de Tartarin ou les hurlements de Tarzan. Boris allait à la rencontre des bêtes et dormait sous les étoiles quand je devais aux seuls caprices de Poncey mes excursions hors de Tassiga, à bord d'un quatre-quatre que je ne conduisais pas. Boris avait appris que, à la fin de l'année scolaire, les enseignants quittant Tassiga mettaient aux enchères appareils ménagers et meubles et vendaient leur voiture aux collègues qui restaient. En achetant un quatre-quatre, il pouvait partir loin et longtemps et, s'il y avait dans le département un vétérinaire que l'on appelait pour achever les bêtes et non pour les soigner, les mécaniciens étaient assez nombreux et assez habiles pour que l'un d'entre eux, au moins, pût remettre à flot un véhicule malmené par le remous des pistes.

Afin de faire un choix, Boris fut de toutes les sorties que les propriétaires de quatre-quatre organisèrent pendant les mois précédant leur départ. On le vit, assis au bord de la banquette arrière, le corps tendu comme celui d'un animal à l'affût, à l'écoute des bruits, des grincements qui remplissaient l'habitacle. Il demandait au conducteur d'aller moins vite, de contourner les bosses et les ornières. Il enfonçait ses ongles dans la garniture des sièges et proposait de prendre le volant. Il rechignait à payer sa part de carburant. Les futurs vendeurs eurent assez de patience pour ne pas se brouiller avec lui ; ils savaient que Boris mettait chaque mois de côté une bonne partie de son traitement et qu'il était prêt à payer très cher un quatre-quatre presque aussi usé qu'un taxi de Tassiga. Puis les pluies vinrent au secours des voitures et de leurs propriétaires. Pendant l'hivernage, les coopérants, qui se donnaient rendez-vous au club, se réfugiaient dans la piscine où ils se tenaient droits comme des sentinelles, les bras collés au corps, le menton dressé et, fussent-ils dotés de somptueux véhicules, n'avaient plus aucune envie de quitter la ville.

Les orages étaient parfois d'une violence extrême. Trois ou quatre fois par semaine, au milieu de l'après-midi, les nuages descendaient sur Tassiga, portés par un vent tenace et lent comme une charrue. En déversant leur pluie, ils étendaient une nuit difforme et grise où se perdaient les vélos, les camions et les Land Rover de l'armée. Les gens cherchaient un abri et filaient dans l'air chaud en se frottant au banco des maisons, le visage dans le creux de leur poitrine et les coudes projetés au-dessus des épaules. Pendant quelques minutes, la ville devenait un souterrain géant où s'écoulaient les voitures, la silhouette courbe des hommes, la boue des fossés et les chèvres dépareillées. Quand toute la pluie s'était effondrée, les nuages essorés comme des draps passaient sur la ville, rendus en brumes. Les phares des voitures, les lumières à l'entrée des boutiques restaient allumés et les branches des gaos, nues et torses, brillaient comme des câbles sous les lueurs fragiles du jour restauré. La saison des pluies durait environ trois mois et, si la ville, durant cette période, gardait des aspects de bourgade de province, avec ses relents de terre tiède, ses badauds nonchalants et ses commerçants boudinés et las, la pluie des hivernages donnait la vie aux territoires infinis qui entouraient Tassiga, une vie miraculeuse que les paysans ne se lassaient pas de contempler. De nombreux ouvriers de la Compagnie couraient sur la latérite des pistes que les pluies avaient enduite d'un vernis rouge sombre. Ils s'enfonçaient dans la campagne et partaient à la recherche des lopins de terre sur lesquels leur famille cultivait le mil depuis toujours. Ils allaient par groupes de deux ou trois, frères ou cousins. Ils semaient pour la première fois de l'année et redoutaient les pluies insuffisantes et les pluies trop fortes, les unes et les autres les obligeant à semer de nouveau, ou encore les oiseaux, les avions épandeurs de pesticides, les troupeaux de zébus… Aussi s'éloignaient-ils rarement, ajoutant à la culture du mil qui les faisait vivre toute l'année des potagers dressés sur un tertre, des enclos à l'intérieur desquels ils contenaient des bêtes dociles. La pêche les occupait aussi. La saison des pluies libérait, à l'état de poissons, les alevins enfouis pendant un an dans des anfractuosités mystérieuses et humides et qui se tordaient dans les filets déposés par les paysans sur l'herbe neuve des marécages. Les paysans repartaient pour le chantier et défonçaient des pistes, s'asseyaient sur les machines, remplissaient des coffrages de béton sans se demander à quoi servaient cette fièvre, ce désordre. Le salaire qu'ils touchaient en échange n'avait pas changé leur vie, c'était à la fois peu d'argent et beaucoup trop, ils le conservaient au fond d'une jarre ou sous une pierre. Avant tout, la saison des pluies, hostile et violente, était le sang obscur qui les tenait en vie. Ils attendaient son début, surveillaient ses écarts, redoutaient ses excès, sa fin. Peu importait que le déluge vînt du ciel ou des abîmes en charriant des pêches miraculeuses et des brassées d'épis, il suffisait que les greniers fussent ronds et tendus comme des ventres d'ânes, que les ânes menés sur le bord des pistes fussent courbés sous le faix et qu'on ne manquât de rien.

Pourtant, la saison des pluies était promue au rang des reliques et des souvenirs, car Tassiga était entré dans le camp du soleil depuis des années, des siècles. Autrefois, avant le temps des hommes, avant les semailles incertaines et les récoltes rongées par les criquets, des crocodiles archaïques et rendus en pierre croupissaient au fond des marécages. Le soleil était alors trop faible dans un ciel de nuages, il était trop loin pour disputer à l'eau un domaine que les saisons ne gouvernaient pas, un paradis, assurément, dans lequel les hommes furent longs à naître. Par la suite, le soleil brûla de plus en plus fort dans un zénith de plus en plus large mais l'hivernage donnait toujours un peu d'eau comme si le ciel et la terre gardaient le souvenir d'un temps où le soleil ne se mêlait pas de leurs querelles. Fragiles, irrégulières, restant à la surface, les pluies suffisaient à la survie des cultures et à la renaissance inespérée d'un prodigieux fretin. Chaque année, les hommes observaient le cheminement des premières pluies dans le ciel noir. Ils pensaient avec raison qu'il allait en être ainsi pour les siècles à venir. Seul Poncey avait compris que Tassiga était un point d'argile oublié dans un brûlis. L'eau de ses forages était une eau ancienne. Avec ses outils, ses engins, il pouvait l'arracher du sol comme une racine, la faire briller comme un fer. Il avait fait de l'eau une arme et la route n'était pas son œuvre mais sa guerre.

Des pluies torrentielles s'abattirent pendant cinq jours consécutifs à la fin du mois d'avril et fabriquèrent au km 95 un petit torrent qu'il fallut détourner pour continuer les travaux. On détacha en renfort de nouvelles équipes mais l'acheminement des hommes prit du retard car de nombreux pick-up étaient encore retenus à la base pour un échange de moteur. Au même moment, les falaises de sable et de graves que Lenoncourt avait découvertes furent emportées par un orage. Poncey apprenait les détails de tous les incidents, de toutes les catastrophes parce qu'il se déplaçait sans cesse, parce que Santareno venait tous les soirs au rapport, parce que les hommes fatigués parlaient à leur tour, après une tournée de bières au bar du Continental. L'ordinateur broyait toujours des chiffres sans faire le moindre calcul et le programmeur passait les nuits à ses côtés. Il travaillait en fait très peu et s'assoupissait pendant la journée. Il suffisait d'un ordre de la Compagnie pour que Poncey fût débarrassé de cet importun, mais le programmeur ne faisait pas de bruit, il n'avait plus aucun caprice et Poncey ne voulait pas s'occuper de lui. Le directeur du chantier se montrait sur tous les fronts, dans les ateliers, devant les coffrages, à l'avant de la route où couraient les topos. Il saluait ses hommes avec un "qu'est-ce tu dis ?" et le visage des hommes s'éclairait subitement. Tous, indigènes ou Européens, savaient par ces quelques mots que Poncey, malgré la pluie et l'adversité, ou grâce à elles, était de bonne humeur. A vrai dire, la présence du chef auprès de ses troupes, les saluts, les compliments, les familiarités, les promesses n'avaient plus l'attrait des premières semaines. Au début de la saison des pluies, les hommes étaient fatigués et, s'ils souriaient encore quand Poncey se présentait à eux avec ses "qu'est-ce tu dis ?", ils souriaient de bon cœur puisque le patron prescrivait dans le même temps des pauses et des journées de récupération. Poncey n'était pas fou. Les hommes avaient beaucoup souffert et l'incident des cuves d'essence avait ralenti la marche du chantier. Tous les pick-up, à l'exception de celui d'Ortega que Bibi et les siens avaient décroché de son erg et qui filait sans un bruit, s'étaient arrêtés l'un après l'autre, sur la piste ou dans la petite montée qui séparait la base de la rue. L'erreur de Hébert avait tué les moteurs après des agonies qui s'effilochaient sur le bord des pistes, à la vue de tous. Pourtant, les voitures avaient tourné longtemps grâce aux mécanos qui enfonçaient à tout moment un tournevis dans l'acier meurtri des carburateurs. Irrité par le vacarme et la fumée, Poncey, qui avait refusé de donner des ordres à Hébert quand le gazole fut versé dans la cuve d'essence ordinaire, prit tardivement la décision de procéder à l'échange standard des moteurs. Il redoutait plus que tout les pannes qui survenaient au loin. En réalité, il souhaitait tout contrôler à nouveau. Aussi n'hésitait-il pas à interrompre l'ouvrage d'un terrassier qui flottait dans une flaque, à renvoyer dans leur village des paysans assis sur un talus, à entasser dans son Land Cruiser des mécanos pris dans l'entrelacs de pistes détrempées. Il surveillait les engins, les granulats, les plans, les chiffres et le ciel. Il savait tout, il était partout.

Quand on lui signala un éboulis dans le détachement de rochers du km 100 où travaillaient Bibi et une équipe de terrassiers, Poncey fonça. Il grimpa dans les cailloux malgré la poussière brûlante et découvrit, pâle et presque muet, Bibi qui avait vieilli de dix ans et tenait droit par la seule force des hommes debout autour de lui. Il conduisit aussitôt son protégé chez un chef de canton et l'y assigna à résidence. Il ne voulait plus voir Bibi dans les rues de Tassiga, chez les Descorches ou encore dans sa chambre de la maison des célibataires. Et il n'avait pas tort. Bibi se levait au petit matin pour être à son poste avant huit heures et rentrait à la nuit pour filer dans sa chambre et s'effondrer sur son lit. Tout le monde savait que sa voiture tomberait un jour dans un fossé ou qu'elle s'écraserait dans un champ de mil et qu'on le trouverait contusionné, blessé peut-être, endormi encore. En effet, un sommeil lourd s'écroulait tous les soirs comme la hache d'un bourreau sur Bibi de retour à Tassiga. Bibi s'endormait, la bouche pleine, au milieu d'un repas, il s'endormait sous la douche et restait endormi tandis que Gilbert et Maurel l'empaquetaient dans un drap de bain et le déposaient sur son lit. Quand Poncey l'obligea à demeurer dans un village, à quelques kilomètres de son poste, Bibi gagna son nouveau lit sans dîner et s'endormit sous les yeux des épouses du chef de canton qui veillaient sur lui comme sur un enfant et qui déguerpirent, terrorisées, le croyant mort. Au bout d'une semaine, Bibi s'enfuit, c'est-à-dire qu'il reprit le chemin de Tassiga et, pour la première fois, le sommeil ne s'écroula pas sur lui comme la hache d'un bourreau. La peur de croiser le Land Cruiser le tint en éveil, le rendit nerveux, agité et, ce fut les yeux grands ouverts que, un soir d'averse, Bibi aux abois envoya malencontreusement son pick-up dans la terre molle, au creux des plants de mil juste éclos. Par chance, quelqu'un roulait derrière lui. Ce jour-là, la dernière voiture n'était pas celle de Gilbert mais celle d'Ortega. Celui-ci n'avait pas oublié le désensablement de son propre pick-up, mené en silence par Bibi et ses ouvriers. Ortega fut efficace et discret. Il remorqua aisément le pick-up jusqu'à la piste et, si Poncey connut l'histoire de l'accident, ce ne fut pas parce que, placé au-dessus de Hébert, il voyait des choses que le chef de la base ne pouvait pas voir ou encore parce qu'il avait des informateurs, mais parce que Bibi, s'étant précipité chez les Descorches, l'y trouva. Assis sur un fauteuil de la grande salle, Poncey, qui commençait à s'assoupir, repu, satisfait, bercé par le ronflement paisible de Mme Descorches couchée sur un autre fauteuil, écouta la relation de l'accident avec une curiosité de souverain impotent, un sourire sur ses lèvres luisantes et les yeux clos, avant de donner à Bibi l'ordre de rester trois jours dans les bureaux de Tassiga.

Les pluies de Tassiga n'étaient pas des pluies de mousson. Si elles étaient violentes et drues, elles ne duraient pas et la besogne reprit. Après avoir affirmé que le calendrier était respecté, que tout allait bien, Poncey annonça brusquement que le chantier avait pris du retard et qu'il n'était plus question de se reposer. La file des pick-up glissa de plus en plus tôt sur les pistes, dans un ronronnement délicieux de mécanique bien réglée. De nombreux expatriés travaillaient le samedi après-midi, désormais, et les plus zélés avaient laissé tomber le marché de Myrriah du dimanche matin pour la route. Poncey avait oublié le pied-à-terre de brousse qu'il avait en vain imposé à Bibi mais il pensait plus que jamais à son camp vie et croyait au succès de la prochaine adjudication. Il voulait faire sauter l'éperon qui barrait les travaux à hauteur du km 100 au mois de mai, juste après l'élection présidentielle, et offrir l'explosion en spectacle à un lot de privilégiés, tels que le préfet, certains hadj de Tassiga ou encore quelques personnalités de la colonie européenne. Poncey ne recherchait pas les repas en ville ni les réceptions et, s'il acceptait enfin de mettre en place des mondanités, fût-ce à grand renfort de bâtons de dynamite, ce n'était pas seulement parce que Roudier avait programmé une visite en mai, mais parce que Bart, l'ancien directeur de Dompierre & Brosses, avait accepté de venir à Tassiga au même moment. Bientôt, Poncey eut en tête le déroctage du km 100 et l'arrivée de son vieil ami et rien d'autre. Il n'écoutait pas Descorches, Marcillat et Lenoncourt, pour qui il était beaucoup plus facile de faire sauter le socle rocheux que de faire venir Bart à Tassiga. Le vieux lion de Dompierre & Brosses n'était pas convalescent, disaient-ils, il était mourant. Poncey n'écoutait pas. Pour l'instant, tout allait bien. Il avait commandé des cartons de dynamite et arrêté une date précise.

Au début de l'hivernage, les familles furent victimes de malaises et d'intoxications. Les rares femmes qui se risquaient dans le minibus prétendaient que les pluies, en s'abattant sur Tassiga, avaient exprimé toute la pestilence contenue dans le sol. Bientôt, presque tous les élèves tombèrent malades et le minibus se vida. La petite communauté, qui avait bien résisté à la saison sèche, à la saison chaude, aux premières calomnies, aux jalousies, aux envies, aux préférences affichées par Poncey, eut beaucoup à souffrir de la virulence des bactéries, de la voracité des anophèles. En fait, les premières infections, les premiers accès de paludisme furent moins violents que les commentaires dont on usa pour les qualifier. Les femmes et les enfants de mécaniciens furent touchés d'abord et Mme Hébert insinua que, en s'abattant sur les plus pauvres, la maladie "savait ce qu'elle faisait". Elle fut néanmoins étonnée d'apprendre que le fils de Poncey manqua l'école pendant plusieurs jours. A ceux qui lui annoncèrent l'absence de l'enfant, Mme Hébert répondit que le fils du directeur ne restait pas chez lui parce qu'il était malade mais parce que ses parents ne voulaient pas qu'il le fût. Les dix enfants qui manquèrent avec lui appartenaient à toutes les classes sociales de la petite communauté et je pus en déduire que les parents montraient le même dévouement pour leurs enfants, puisque les uns s'employaient à les tenir à l'écart de la contagion et les autres s'efforçaient de les soigner. Peu après, le chauffeur du minibus tomba malade à son tour et les rares enfants vinrent à l'école à pied, en passant au milieu des chèvres.

Les expatriés de la Compagnie surent bientôt que Poncey avait réglé toutes les cotisations et que, désormais, ils pouvaient aller au club sans la moindre crainte. Enfermée dans son bureau avec son fils, Mme Terraz passait des commandes de chianti, de safran ou de choucroute pour le dîner à thème du dimanche. Les boys à qui elle avait donné des corvées s'étaient enfuis. Ils entassaient des bouteilles vides qu'ils revendaient sur le marché ou s'endormaient sur le tas des reliques. Edouard et ses amis arrivaient pour leur partie de boules et jouaient une bonne heure sans réclamer à boire. Les professeurs français sous contrat local les avaient précédés. Ils usaient d'un passage discret qui les conduisait à la piscine. Ils se tenaient debout dans l'eau et, sans se préoccuper des clapotis qui battaient sous leurs aisselles, ils corrigeaient les copies d'élèves entassées sur le bord. Ils protégeaient leur tête du soleil avec un vieux bob qu'ils trempaient régulièrement et, à la première averse, recouvraient d'une serviette la pile des copies. Trop pauvres pour se payer des consommations et contraints de justifier par un quelconque talent de société leur présence au club, ils apprirent à jouer au tennis et au bridge, dans l'art desquels certains d'entre eux excellèrent. Terraz rejoignait sa femme tous les soirs et, s'il ne passait pas chez lui, il s'arrêtait toujours chez un professeur de ses amis ou chez le médecin militaire pour lui proposer de faire quelques balles.

Dès qu'elle voyait apparaître la voiture de son mari, Mme Terraz descendait le talus conduisant au court de tennis et, soucieuse de réserver celui-ci à son mari et à lui seul, agitait vigoureusement les bras au-dessus d'elle pour mettre en fuite les professeurs français sous contrat local. Ces derniers remontaient docilement et se mêlaient aux premiers consommateurs du bar. Mme Terraz, qui admettait certains d'entre eux à sa table de bridge quand elle s'y trouvait et sur le court de tennis quand son mari en était absent, n'aimait pas les professeurs sous contrat local. Non seulement elle reprochait à ceux-ci de laisser aux professeurs sous contrat de coopération le soin de régler leur cotisation annuelle, mais elle leur reprochait encore d'être pauvres – d'une pauvreté atroce, disait-elle curieusement. Elle attendait le moindre incident pour mettre ces intrus à la porte. En réalité, elle était heureuse de découvrir des silhouettes dans la piscine ou sur le court de tennis à une heure où le reste de la colonie européenne était au travail ou à la sieste, de voir quelqu'un s'asseoir à la table de bridge pour faire le quatrième.

En qualité de trésorier adjoint, je consultais assez souvent le registre pour savoir que Poncey, après avoir pourtant beaucoup discuté, avait payé très cher les adhésions de ses expatriés. Grâce à la Compagnie, le chiffre total des cotisations doubla subitement. Si elle ne regretta pas d'avoir soutiré autant d'argent à un vieux requin tel que Poncey, Mme Terraz regretta cependant les encouragements qu'elle avait formulés pour que les gens de la Compagnie vinssent au club sans attendre. Ceux-ci n'avaient pas les manières des militaires et des fonctionnaires qu'elle côtoyait depuis l'enfance. Les gens de la Compagnie ne savaient pas jouer au bridge ni au tennis, ils ne pouvaient faire une longueur de piscine sans grogner comme des vieux chiens, s'allonger sur une serviette sans étaler autour d'eux la graisse de leur ventre. Quand elle les voyait entrer prudemment dans la piscine après avoir abandonné la masse grotesque et odorante de leurs habits sur ses transats, elle se consolait en faisant le décompte précis des cotisations récemment payées par Poncey. Avec ce pactole, pensait-elle, elle allait pouvoir changer la faïence de sa piscine, la toile de ses transats ou encore les frigos de l'office et une partie de la toiture.

9

Les dîners à thème du club avaient assez d'éclat pour que les expatriés de la Compagnie ne fissent désormais qu'un vrai repas par dimanche. Poncey s'emporta contre les familles quand il sut que les célibataires, qui consacraient leur soirée du samedi à la distribution des œufs, ne recevaient plus d'invitation pour le déjeuner du lendemain. Tous les dimanches, comme les autres maisons de la colonie européenne, la nôtre perdait ses boys et si, ailleurs, de bon ou de mauvais gré, les femmes se remettaient à la cuisine pour un déjeuner qui devint sommaire quand les dîners du club furent copieux, aucun célibataire ne se risqua derrière des fourneaux où notre cuisinier faisait des merveilles. Il nous était facile d'ouvrir l'un des frigos où s'entassaient les restes des ripailles de la semaine mais notre appétit était médiocre. Le samedi soir, pendant la cérémonie des œufs, les gens qui ne nous invitaient plus à déjeuner le dimanche nous gavaient de charcuterie ou de biscuits salés. Nous mangions beaucoup et buvions plus encore. Nous rentrions souvent à pied en abandonnant le pick-up dans le sable d'une rue lointaine. Gilbert, le topo, quittait son poste si tard pendant la semaine qu'il lui suffisait, pour ne pas mécontenter Poncey, de passer aux bureaux de la base le dimanche en fin de matinée. Il se levait tôt et revenait sur les traces de notre périple de la veille pour reprendre le pick-up. Si celui-ci était bien ensablé, Gilbert appelait à l'aide quelqu'un du voisinage et Ortega, qui se hissait tous les dimanches matin sur la charpente de sa maison pour mettre des planches et des bâches entre l'hivernage et sa famille, descendait, mais, avant de descendre, il restait un instant sur un mur ou sur une poutre, les bras dressés vers le ciel, et poussait des cris pour amuser son fils, que Mme Ortega avait posé sur le sol. A son retour, Gilbert préparait le café pour tout le monde, un café de vieux garçon dont les relents glissaient le long du couloir comme un serpent. Les pensionnaires sortaient de leur chambre l'un après l'autre en répandant dans la maison des odeurs de Martini, de viande en sauce, de transpiration ou de savonnette bon marché. Des briscards éméchés et chancelants, tels que Cormier et Maurel, que j'avais vus la veille au soir debout sur le capot d'un pick-up, haranguant une foule imaginaire, brandissant une bouteille vide ou jetant des palettes d'œufs dans les broussailles, s'asseyaient sagement devant leur bol et buvaient le café amer de Gilbert sans faire une grimace. Gilbert, qui avait déjeuné depuis longtemps expliquait comment, avec le secours d'Ortega, il avait arraché le pick-up de l'ornière dans laquelle ses amis bambocheurs et lui-même l'avaient oublié quelques heures plus tôt.

Il proposait de faire un peu plus de café et il était prêt à se rendre en ville pour acheter du pain ou des cigarettes. Gilbert filait ensuite dans la salle de séjour déserte et, avec les gestes lents et laborieux d'un gros chien poussé dans les vagues, il se vautrait dans les pages des *Ouest-France* arrivés pendant la semaine. Les journaux étaient restés ligotés par leur bande et leur masse eût été modeste, en définitive, si la lecture du dimanche avait poussé dans la poubelle les journaux des semaines passées. Mais ceux-ci, ouverts, lus, annotés, froissés ou découpés pendant les autres dimanches, formaient sous les meubles ou sur les coussins des fauteuils et du canapé une prodigieuse moraine de papier que les boys n'avaient jamais osé toucher et à l'écart de laquelle Poncey lui-même posait prudemment ses fesses. Gilbert restait une bonne heure enseveli sous les journaux, s'emparant des pages locales, partant à la recherche du minuscule village du Morbihan où il était né et où ses parents vivaient encore. De temps à autre, il interrompait sa lecture pour s'assurer qu'il était seul dans la salle de séjour et reprenait en psalmodiant le nom des camarades retrouvés, des marins pêcheurs portés disparus, des recteurs morts pendant l'office du dimanche, des chevaux de haute lignée conduits à la saillie. Un monde fabuleux s'échappait de ces journaux dont l'empilement dessinait pendant la semaine une masse rebutante et grise comme l'était la masse des encyclopédies oubliées dans un couloir de l'aérium et grâce auxquelles j'avais pu, deux ou trois mois avant mon départ, contempler le spectacle d'une Afrique diluvienne. Mais il me fut impossible de savoir si Gilbert, fidèle à la Bretagne comme il eût été fidèle à une femme, consacrait une heure de sa vie, tous les dimanches, à prononcer le nom insolite des gens ou des lieux de son enfance afin de tenir une promesse de dévot faite avant de partir à ses parents ou si, par la seule lecture de ces journaux rassemblés autour de lui et tendus par une force mystérieuse, il était l'objet d'un rapt qui l'emportait au-delà des limites de notre monde et où il respirait de prodigieux éthers. Le courrier qu'il écrivait ensuite, de guingois sur une pile de journaux dont il avait fait un pupitre de fortune, l'occupait jusqu'à son départ pour la ville. Pendant ce temps, les autres pensionnaires, qui sortaient de la salle de bains ou attendaient leur tour, allaient de la chambre à la cuisine, entortillés dans une serviette. Ils traversaient le couloir avec une tasse de café ou un verre de jus de goyave. La fatigue de la semaine, la chaleur, l'humidité, la cérémonie des œufs de la veille ajoutaient de la lassitude à leur pas. Chacun se tenait en équilibre entre la nuit et le jour, son lit et la cuisine, la nudité et le vêtement, le sommeil et l'action, et si la salle de séjour était le domaine de Gilbert, la chambre était pour tous le refuge où personne n'eût osé se risquer. Douché, habillé avant les autres, Cormier s'enfermait quand Gilbert défaisait la bande des premiers journaux et, à peine avait-il poussé sa porte sur ses camarades en procession que retentissait, aiguë et sonore comme une scène de ménage, la voix d'Edith Piaf. Mais, de même que Poncey et l'homme du noir ne pouvaient boire un verre de whisky sans boire la bouteille entière, de même que Gilbert ne lisait pas le journal de son pays natal sans plonger dans un long ressac de papier pour une apnée qui durait une heure, Cormier n'écoutait pas une chanson de Piaf en fredonnant un refrain, il faisait tourner en boucle une vieille cassette mal enregistrée et, réglé à son volume maximum, l'appareil libérait un amoncellement de timbres stridents qui avait sur Cormier les effets d'un alcool fort et que les autres occupants de la maison enduraient sans dire mot.

En allant de ma chambre à la cuisine ou en me dirigeant vers la terrasse où Maurel faisait les cent pas loin d'Edith Piaf, je croisais Bibi, je regardais Gilbert. L'un portait des lunettes, l'autre fumait la pipe, mais tous deux m'apparaissaient ainsi comme si les lunettes et la pipe, qu'ils affichaient le dimanche et seulement le dimanche, étaient les attributs ordinaires de leur vie quotidienne. Je compris que, à l'exemple des naufragés de *L'Île mystérieuse* qui apprivoisaient un singe, dépeçaient une baleine sans rien oublier de leur vie d'hommes libres et civilisés dans l'Illinois ou dans le Massachusetts, les expatriés de la maison des célibataires conservaient intacts les insignes d'une vie ancienne et avaient convenu ensemble, à l'occasion d'une réunion à laquelle je n'avais pas été convié, que le dimanche matin était le moment choisi pour arborer ces insignes à la façon d'un drapeau. En réalité, si tous avaient grandi dans un village ou un quartier, si les traces de leur enfance étaient lisibles sur chacun de leurs gestes, s'ils s'étaient mariés ou avaient fait le projet de se marier un jour, un seul – Maurel – avait rompu tous les liens qui l'attachaient à son passé. Maurel avait perdu très tôt ses parents, il avait eu des femmes et avait même vécu avec certaines d'entre elles, mais ses unions avaient donné des brouilles, des ruptures et pas d'enfants, aussi n'était-il pas pressé de rentrer en France où personne ne l'attendait. Lui restait toutefois un frère de dix ans son aîné qui vendait du matériel de guerre au Moyen-Orient et dont il parlait en mettant les mains à plat sur ses hanches, prêt à dégainer. Et ce frère était Buffalo Bill en personne. Un parfait salaud, ajoutait-il avec sincérité.

Pacifique et solitaire, Maurel contemplait les jeux de guerre médiévale que mes élèves inventaient sur les murettes entourant le mobile home. Quand il venait me prendre à la fin des classes, il se garait à distance et ne descendait pas de son pick-up. Petit à petit, avait-il remarqué, les enfants des mécanos avaient pris le pouvoir, ils étaient seigneurs ou belles dames et le fils Poncey, qui jouait le messager entre deux donjons, recevait des pluies de flèches. Selon Maurel, à l'école comme à la maison, le fils Poncey était l'enfant de trop. Aux quatre filles faites à l'image de la mère, Poncey pouvait à l'avenir associer sans peine quatre solides gaillards pris dans les TP, quatre gendres élus par lui qui eussent avantageusement remplacé l'enfant rêveur et sans hargne jouant les messagers ou les sentinelles débonnaires pendant les récréations. Le chantier allait de plus en plus mal, déclarait Maurel, comme si la vue du fils Poncey, titubant, la poitrine transpercée, annonçait la chute du père. Maurel parlait à son aise car il était le seul à ne pas subir la tyrannie de Poncey. A longueur de journée, il soumettait à la torture de ses acides les échantillons de granulats que lui faisait parvenir Alberto, le responsable de la carrière, et, s'il allait rarement sur le chantier ou à la carrière, il traînait volontiers en ville au volant de son pick-up. Maurel avait rapporté d'un séjour de quinze ans au Québec un passeport canadien qui, ajouté à son passeport français, faisait de lui, disait-il, un homme plus libre que les autres. Les expatriés de la Compagnie, qui tenaient à la nationalité française comme à un trésor depuis qu'ils n'étaient plus en France, avaient du mal à admettre que l'on pût avoir deux passeports et que l'on fût deux fois plus libre avec. Ils ne comprenaient pas davantage qu'un des leurs échappât à la tutelle de Poncey. Aussi regardaient-ils Maurel de travers ou lui parlaient-ils à peine. Bibi, Gilbert et Cormier, qui écoutaient avec le sourire les sinistres prophéties sur le chantier, reprochaient à leur camarade d'avoir de la rancune pour un homme qui ne lui faisait en définitive aucun tort. Maurel se défendait en affirmant que, loin d'éprouver la moindre rancune, il se contentait d'exprimer des certitudes. Poncey allait tomber. Il ne pouvait en être autrement. La Compagnie ne voulait pas s'enfoncer dans la brousse, poser des chemins sous la débâcle des rebelles, elle voulait dresser des ponts sur le fleuve Niger, allonger les pistes de l'aéroport de Niamey, construire le premier tronçon d'une voix ferrée. Elle savait que le continent n'avait pas besoin d'une route entre l'Atlantique et l'océan Indien et qu'aucune usine n'avait encore fabriqué la voiture, le camion qui pouvaient rouler de Saint-Louis à Djibouti sous le soleil et dans les vents de sable. Mais Poncey continuait à téléphoner à Chevilly, à envoyer des fax, à faire des colis avec mes photos. Il accordait peu d'importance au silence et à la discrétion de ses correspondants. Il allait se charger des négociations et se rendre à la Banque mondiale ou chez le président Kountché. Il devenait fou. Poncey n'avait pas des idées, il avait des rêves. Il n'avait pas des adversaires, il avait des cibles. Avec son labo, sa blouse, ses éprouvettes, Maurel, qui était arrivé par hasard sur le chantier de Tassiga, n'était rien, disait-on, aux yeux de Poncey. Il n'avait jamais travaillé pour la Compagnie et ignorait tout de Dompierre & Brosses, des manœuvres longues et fastidieuses qui avaient installé des gens comme Marcillat ou Lenoncourt aux côtés de Poncey, qui avaient poussé un Bibi chamarré de galons à l'avant du chantier. Il n'était qu'un intérimaire oublié à Tassiga. Son contrat était clair, précisait-il volontiers, il avait un statut d'intérimaire et pouvait s'en aller quand il voulait, rentrer en France ou revenir au Québec pour ramasser des cailloux sur les berges du Manicouagan.

Maurel avait le même âge que Poncey et au dire de ce dernier, en dépit d'anciens séjours en Afrique et de quinze années passées au Québec sur le plus grand chantier du monde, il n'avait jamais vraiment appartenu aux TP. Son nom n'avait pas été retenu pour figurer sur la liste des célibataires, dans le camp vie où une cinquantaine d'expatriés, choisis par Poncey, allaient se poser sagement dans un peu plus d'un an. Les deux hommes se connaissaient à peine et ne se fréquentaient pas. Jamais Poncey n'eut l'idée de frapper à la porte de la chambre de Maurel et jamais celui-ci n'osa entrer dans le bureau pour demander une faveur. Paresseux, solitaire et indocile, Maurel vivait en marge de la Compagnie. Pourtant, ceux qui ne donnaient pas cher de sa peau et disaient que Poncey, excédé, planterait un jour son poing dans sa figure, se trompaient. Car Maurel, qui avait l'air d'abattre peu de besogne et qui en abattait en effet très peu, pouvait, à l'imitation de ces peintres qui font des chefs-d'œuvre en volant un peu de temps dans une vie consacrée essentiellement à la contemplation ou à l'opium, découvrir des agrégats extraordinaires, appliquer au réglage des bitumes une température inusitée et faire gagner deux jours d'ouvrage au chantier. Inconsolable du départ de l'homme du noir, Poncey avait pu rattraper les erreurs du successeur en appliquant les consignes de malaxage des liants suggérées par Maurel. Aussi, ce dernier s'installait-il impunément à la vue de tous, devant son labo, occupé à fumer une cigarette quand Hébert retenait les mécanos de la base toute une matinée sous la carcasse d'un pick-up. Trois ou quatre fois par semaine, Maurel affirmait qu'il allait se barrer pour de bon et, de son côté, Poncey disait qu'il y avait place dans son camp vie pour les bosseurs et pour eux seuls, mais le chef de labo était toujours là et Poncey révélait que le réfractaire était un original qui travaillait en artiste et pouvait se lever la nuit pour reprendre à zéro un test de collage. Maurel ne vivait pas, ne travaillait pas comme les autres. Lui qui ne passait pas une semaine sans jurer qu'il allait foutre le camp, afin de rejoindre la civilisation, disait-il, se réjouissait de se trouver dans un chantier tel que le nôtre, avec de vraies maisons, une école, des familles au complet. Il était aussi le seul homme de la Compagnie à s'intéresser aux enfants, à leurs jeux. Si tous, à la maison des célibataires, avaient un jour ouvert les cahiers que je corrigeais sous leurs yeux et dans lesquels ils cherchaient en vain l'encre violette de leurs années d'écoliers, Maurel tournait lentement les pages comme les pages d'un beau livre. Il lisait les narrations, les énoncés de problèmes, refaisait les calculs, pointait du doigt les corrections marquées en rouge. Ce n'étaient pas les souvenirs de son enfance qui revenaient à son esprit mais les traces d'une enfance qui lui échappait, soit parce que ses parents, après on ne sait quel drame familial, quelles péripéties, l'avaient abandonné sur des plateaux cernés de précipices, soit parce que de longues années dans le tumulte des eaux contraintes, aux confins du Labrador, avaient érodé le territoire de son enfance comme une pierre.

Le dimanche matin, quand Cormier écoutait Edith Piaf dans sa chambre, quand Gilbert lisait *Ouest-France* ou écrivait son courrier, quand Bibi rentrait de la base ou du chantier et passait se changer avant d'aller déjeuner chez les Descorches, Maurel s'asseyait dans un vieux fauteuil d'osier, sur la terrasse, et attendait son coiffeur. Et, de même que ses camarades choisissaient cet instant-là pour fumer la pipe ou porter des lunettes, il prenait la pose inhabituelle d'un patricien vieillissant et laissait venir à lui les marchandes de noix de cola et tous les receleurs que Kaï ou Bon Prix retenaient en brousse avec des menaces, pendant la semaine. Il mangeait des fruits, glissait une cigarette dépareillée dans la poche de sa chemise et projetait au-dessus de lui, comme une flammerole, la gerbe bruyante des pièces de monnaie qu'il avait empilées sur un coin de table. Maurel avait une vocation de singe savant et, savant, il l'était sans aucun doute, car quelques mois seulement après son arrivée à Tassiga il parlait un haoussa très correct. Le vide se faisait autour de lui quand le coiffeur se présentait. De même qu'il était impossible de savoir à quel moment et avec quel professeur Maurel avait appris à parler dans la langue du pays, il était impossible de connaître les réseaux qui donnaient au chef de labo un coiffeur différent chaque semaine. Si le coiffeur était souvent un artisan des Champs-Elysées que l'on avait arraché pour une heure à son tonneau planté dans la terre humide, il était parfois un pèlerin que l'on avait arrêté sur le chemin de La Mecque et qui marchait depuis la Mauritanie, le Sénégal, le Mali ou encore la Haute-Volta en suivant la route que Mme Terraz avait, dans ses rêves, dessinée entre l'Atlantique et la mer Rouge. Les coiffeurs, comme les tailleurs, les cordonniers, accédaient au prestigieux statut de hadj après une course interminable debout sur le marchepied d'un taxi-brousse ou assis en cavalier-croupier à l'arrière d'un âne. Mais si, de retour au pays, ils devenaient, sans par ailleurs renoncer à leur métier, des personnages considérables, ils étaient pour l'instant des voyageurs fourbus et affamés qui faisaient la barbe aux gardes d'un chef de canton pour une gamelle de mil et voyaient en Maurel un véritable seigneur. Le coiffeur ajustait le fauteuil de son client dans la direction de l'orient. Maurel se laissait faire, à l'imitation d'un vieil infirme que l'on va conduire en promenade. Il ne bougeait pas, ne disait pas un mot quand les ciseaux du coiffeur s'abattaient sur sa tête, dans un incessant mouvement d'hélices. Et c'était le même mouvement d'hélices qui poussait le blaireau sur les joues de Maurel, la lame sur le cuir à rasoir, et si le chef du labo ne mourait pas égorgé dans la minute qui suivait, c'était simplement parce que, à l'imitation d'un violoniste qui déploie son archet sur une douce mélodie après de violents piqués sur les cordes de son instrument, le coiffeur se penchait sur le visage de son client avec l'intention de le caresser. Il le caressait en effet, comme si, après avoir imposé à son client le mâle contact de l'acier, il s'efforçait, au moment où il atteignait la peau du visage pour la rendre douce, d'ajouter des gestes de femme au fil de la lame. Sans jamais interrompre son ouvrage, le coiffeur se plaignait d'avoir pris la route si tard et regrettait que ses jambes ne fussent pas aussi agiles que ses doigts, que les pirogues remontant le fleuve ou encore les taxis-brousse, les bus, ne l'eussent porté que sur une moitié de trajet. Tassiga était la dernière ville avant les campements de nomades abandonnés, les villages détruits, les puits d'eau saumâtre. Les pèlerins y restaient quelques jours. Les plus aisés d'entre eux se reposaient et les autres, qui avaient trouvé un peu de travail, étaient devenus assez riches pour rejoindre l'aéroport de Kano où ils s'entassaient avec trois cents Nigérians dans la cabine sans fauteuils d'un DC-8 déclassé pour un vol de cinq heures à destination de Djeddah.

Le chantier ayant pris du retard à cause des pluies, Poncey demanda à ses hommes de rejoindre la brousse ou les bureaux le dimanche matin et le dimanche fut bientôt aussi éreintant qu'un jour de semaine. Il y eut des défections. Le samedi soir, les hommes s'effondraient sur leur lit, le corps rompu par les trajets et la besogne, et dormaient jusqu'au lendemain. Quand les femmes se levaient, ils dormaient encore, sur le dos et les bras en croix, le ventre proéminent mal recouvert par un vieux T-shirt moite sur lequel passait le vent froid d'un climatiseur. Ils se levaient trop tard pour aller aux bureaux de la base ou sur le chantier. Au début, ils s'efforcèrent d'y aller quand même. Ensuite, ils s'emportèrent contre les épouses qui ne les avaient pas tirés du lit. Ils n'étaient pas malades, ils étaient endoloris, courbatus, assommés par les bières tièdes et la Nivaquine. Ils étaient las d'obéir aux ordres stupides de Hébert, las de rouler de plus en plus loin, las des régions désolées et obscures, de la chaleur et des pluies. Ils avaient hâte de rentrer chez eux pour un mois ou pour toujours. Un dimanche matin, la femme d'un mécanicien se rendit à pied à la base, à l'insu de son mari qui dormait encore, et demanda à voir Poncey. Celui-ci ne voulut pas la recevoir. Il avait peur des femmes, il ne savait pas leur parler, mais, le lendemain, il créa la surprise en faisant savoir qu'il acceptait de revenir sur le principe des corvées du dimanche à la condition que, ce jour-là, à défaut d'être au travail, les hommes de la Compagnie fussent visibles quelque part. Le dimanche devint un jour d'affluence au marché de Myrriah où les expatriés se rendirent en couple ou en famille et où nous, les célibataires, allions depuis longtemps, en fin de matinée, entraînés moins par la tyrannie de Poncey que par celle de notre cuisinier. Ce dernier se faisait un chemin dans la troupe des marchands accroupis d'où émergeait un oncle, un frère ou un cousin à lui. Il emportait des salades ruisselantes aux feuilles dentelées et brunes, des mangues presque rondes. Il avançait dans les rangées, mû par les battements d'ailes du poulet qu'il tenait par le cou, se hissait à l'arrière de notre pick-up où il attendait notre retour dans un vent de plumes. Il était d'usage, pour les célibataires, de boire une Flag avec les autres hommes de la Compagnie avant de rentrer à Tassiga. Vers midi, nous étions à la buvette où Marcillat, Lenoncourt et Descorches nous rejoignaient. Ils avaient déposé femme et enfants à l'entrée du marché et cherchaient une place de parking. Ils passaient lentement sur l'esplanade pour qu'on les vît, endimanchés et souriants à la fenêtre de leur voiture, et il importait peu que la voiture ne fût pas le puissant quatre-quatre dans lequel je les avais vus six mois plus tôt à leur retour de brousse. Leur visage et leur nom étaient désormais connus de tous et il n'y avait pas un paysan, un marchand de légumes présents à Myrriah le dimanche qui n'eussent donné en semaine un coup de pioche à quelques mètres d'eux. Un jour, le cordon des pick-up se trouva augmenté d'un véhicule conduit par un homme qui ajoutait à ses saluts des battements de bras sur la tôle de la portière. Un visage rouge et familier, cerné d'une barbe, se montra ensuite à la fenêtre et me rappela que Poncey avait fait venir son frère Richard. Cormier, Gilbert et d'autres, qui connaissaient Poncey depuis longtemps, connaissaient également Richard. Le cadet appelait celui-ci après le début d'un chantier et lui trouvait une place sans peine, en débarquant un conducteur de travaux ou un chef de la base. L'arrivée de Richard faisait trembler des gens comme Hébert, et Bibi lui-même, bien que protégé par Poncey, vivait dans la hantise du frère. Mais tant de crainte était inutile à Tassiga où personne n'avait eu encore à supporter de la part de Poncey l'injustice d'une relégation ou d'un renvoi. Richard était introuvable à la base, sur la piste ou à l'avant du chantier parce que son frère l'avait envoyé à la tête d'une équipe sur le site du camp vie. On ne put savoir dans quel village inconnu il trouva le dispensaire délabré où il dormit, s'il trouva seulement un village dans les immensités. On ne sut pas davantage si Poncey avait envoyé Richard aussi loin pour faire de lui le pionnier de son camp vie, s'il lui avait donné des instructions pour dresser un campement de fortune, de l'argent pour acheter des sentinelles et des chevaux ou si, désireux de ne pas sacrifier pour son frère des gens dociles comme Hébert ou précieux comme Bibi, il l'occupait avec des chimères. Tous les week-ends, Richard retrouvait sa femme à Tassiga, passait une soirée chez son frère et, sur les prescriptions de ce dernier, organisait son dimanche, faisant un tour au marché de Myrriah, déjeunant chez un obscur mécanicien, dînant au club, bref, se montrant dans des endroits où Poncey se refusait à aller.

Richard s'était arrêté sur l'esplanade et, sans descendre de voiture, prenait des noix de cola sur un plateau qu'une petite marchande postée en contrebas faisait tenir sur sa tête. Richard était rouge comme un homard cuit et, de la carapace du homard, son épiderme avait imité le grain épais. Poussé par son frère à l'avant-poste de la route, absent toute la semaine, Richard retrouvait à Myrriah les camarades d'anciens chantiers qui, maintenant qu'ils n'avaient plus rien à craindre pour leur emploi, l'accueillaient avec chaleur et amitié. Ce fut bientôt la moitié du corps qui passa par la portière pour se mettre à la hauteur de quelques silhouettes. Le soin que Richard avait à ne pas descendre de voiture me fit penser un instant qu'il était retenu à celle-ci par un curieux processus d'induration, un ligament, un muscle monstrueux. Richard resta longtemps stationné sur l'esplanade, occupé à saluer des badauds et ce n'était plus lui que je regardais mais sa voiture. Richard ne pouvait rouler dans un simple pick-up parce que son champ d'action était trop large et les chemins qui y conduisaient, cahoteux et détrempés et parce que l'incident de la cuve avait laissé trop de voitures sur le carreau. Poncey avait acheté deux mois plus tôt à un hadj qui l'avait rapporté du Nigeria un pick-up de marque japonaise, doté de quatre roues motrices, et en avait aussitôt refusé l'accès à Hébert, qui voulait faire la vidange et procéder à des réglages. Poncey eut raison de ne pas laisser Hébert s'approcher, car le pick-up destiné à Richard n'était pas seulement unique à Tassiga ou ailleurs, il était un prototype oublié sur le port de Lagos par les représentants d'une firme japonaise. Comme ces nouveaux modèles que les ingénieurs font rouler sur un circuit à l'occasion d'ultimes vérifications, et pour la dissimulation desquels ils bricolent une carrosserie grossière, la voiture de Richard était difforme et très laide. En révélant sa robustesse, les premières sorties en brousse firent penser que les Japonais, ayant fait le projet de prendre à Peugeot le marché africain de l'automobile, avaient construit avec le plus grand soin et dans le meilleur acier des spécimens qu'ils avaient abandonnés, au hasard, sur les plages du continent. Ce n'était pas un hasard, en revanche, de voir associée cette voiture robuste et disgracieuse à ce conducteur rougi et cabossé par on ne savait quelle forge, de les voir avancer tous deux lentement dans une mise en scène ridicule de concours d'élégance. Richard promena son regard au-dessus de ses interlocuteurs, comme s'il recherchait quelqu'un dans la foule, puis il descendit de voiture en imitant sans le savoir les efforts que faisait Van Beck pour s'extraire de sa 403. Richard n'était pourtant ni gros ni ventripotent mais il était tortueux et contracté et ressemblait à un faune surgissant de sa caverne. Aussi fut-il long à déployer son corps, à étendre son regard au-delà du parterre sur lequel les marchands accroupis se contorsionnaient pour mieux le voir, à saluer le petit groupe des camarades qui lui faisaient des signes de ralliement depuis la buvette. Avant d'arriver jusqu'à nous, il traversa le marché, et l'attroupement qui se forma autour de lui, dans lequel on trouvait des membres de son équipe, des mécaniciens français, des marchandes de cigarettes et de noix de cola, des mendiants ou encore de simples badauds, le retint assez longtemps pour que, avant d'accueillir avec de rudes et fraternelles bourrades le frère de leur patron, Marcillat, Lenoncourt et Descorches eussent le temps de réciter la litanie des ressentiments et des reproches que les épouses soupçonneuses leur avaient soufflée. Un grand sourire en travers de la barbe, les yeux scintillant comme deux brindilles dans le pli des paupières, Richard Poncey avançait et, à chacun de ses pas, la troupe des flatteurs qui l'accompagnaient perdait une ou deux personnes. Richard était maintenant assez près de la buvette pour réclamer une bière, pour apostropher l'un d'entre nous, pour surprendre quelques bribes de ce qui se disait. Je ne sais si Richard entendit Cormier qui le désignait comme un "sacré queutard", ni si Cormier avait attendu le reflux des bavardages pour placer ces deux mots. En revanche, j'avais compris que Richard, indolent et paresseux comme peut l'être un prince de sang assuré de ne jamais accéder au trône, brillait par des qualités qui servaient moins le chantier et la Compagnie que le prestige des travaux publics et que, dans l'assemblée des hommes qui faisaient les TP, il importait de compter une recrue plus virile, plus rouge et plus velue que les autres, que l'on exonérait de toutes les corvées éreintantes et que l'on affichait comme une oriflamme.

Pendant les semaines qui précédèrent l'élection présidentielle, Poncey se montra affable et enjoué. Il avait des raisons pour se réjouir. Tout d'abord, Roudier, qui dirigeait le département Afrique et visitait habituellement tous les chantiers, avait repoussé de plusieurs mois le voyage à Tassiga prévu pour mai et Bart, qui n'avait rien à faire ici, avait confirmé sa venue pour le déroctage programmé en juin. Poncey apprit ensuite que, contrairement à ce qu'il avait imaginé, le président de la République élu par les Français dans les semaines à venir n'allait jouer aucun rôle dans l'adjudication de la prochaine route. En effet, le dossier n'était plus dans les mains des politiques mais dans celles des diplomates. Il se promenait entre Paris et Genève, New York et Washington. Il était pour l'instant sur le bureau d'un conciliateur à Copenhague. Poncey ne commentait pas les mécanismes complexes qui décidaient désormais de l'avenir des contrats et il ignorait lui-même comment un chantier au cœur de l'Afrique pouvait intéresser un fonctionnaire danois. Mais le dossier était son œuvre. Roudier et les cols blancs de Chevilly n'avaient touché à rien, disait-il. Tenant en grande estime les clichés que je faisais en sa compagnie et qui étaient joints au dossier, Poncey voulut faire un geste pour me remercier. Un soir, de retour de brousse où je l'avais accompagné, sur le long tracé monotone que dessinaient les quatre-vingts kilomètres de route asphaltée, il rompit le silence pour me demander l'usage que j'allais faire des grandes vacances. J'eus le tort d'avouer que j'avais imaginé de descendre vers le Togo en prenant le camion vert et de revenir à Tassiga par mes propres moyens. Poncey ne répondit pas mais, dans les jours qui suivirent, il fut soulagé d'apprendre, par un fax qui venait de Chevilly, que mon statut de volontaire du service national ne m'autorisait pas à jouer au globe-trotter, que la Compagnie n'était pas tenue de me renvoyer en France pour deux mois et qu'elle pouvait aussi suspendre mon traitement pendant cette période. Négligeant le mobile home de l'école où il lui eût été facile de me parler, de me donner le détail des projets qu'il avait conçus pour moi, Poncey se présenta à la maison des célibataires et, devant tout le monde, comme si la décision prise à mon endroit avait valeur d'adoubement, il annonça mon retour dans les magasins de la base pendant les mois de juillet et août.

10

A la fin du mois d'avril 1981, les quatre-vingt-dix premiers kilomètres de la route étaient goudronnés et la couche de fondation s'étendait au-delà sur une distance égale. La route allait être livrée dans les délais fixés mais les obstacles s'accumulaient. Lenoncourt n'avait toujours pas découvert le site d'une nouvelle carrière. Les camions d'Alberto roulaient de plus en plus loin et de plus en plus longtemps, dans un vacarme d'essieux enclins à rompre, et il y avait beaucoup de casse. Chaque semaine, des camions-bennes, des graders, des bulls rentraient à l'atelier. Le camion vert, qui allait à Niamey trois fois par semaine et que l'on chargeait sans la moindre précaution, avait été refait à neuf, pièce par pièce. Dans les couloirs de la base, Moussa poussait à longueur de journées des caisses de pièces Caterpillar. L'heure n'était plus aux inventaires et l'ordinateur, qui était l'instrument le plus fragile du chantier, était prêt à fonctionner. Van Beck ne déclenchait plus la moindre panne nocturne et le programmeur, qui avait renoncé à calculer par les moyens informatiques les profils et les tracés, le dosage des bitumes ou encore la quantité d'explosifs requise pour le fameux déroctage du km 100, avait adapté avec succès un logiciel élémentaire qui servait à la gestion des salaires. Il voulait le confier à Cormier avant de partir car il devait rejoindre la France avec les autres, en juillet, pour un mois de vacances, et ne cachait à personne qu'il avait fait le projet de ne pas revenir. De leur côté, les correspondants de la Compagnie à Niamey, que Poncey occupait avec des bricoles et qu'il avait en fait pratiquement oubliés, s'étant rappelé les difficultés créées par l'inspecteur du travail, s'employaient à obtenir la mutation de ce dernier. Il fallait un peu de temps et un peu d'argent car, si l'inspecteur du travail était incorruptible, ses supérieurs du ministère ne l'étaient pas. Peu après, les mêmes correspondants de Niamey firent savoir que le dossier du futur chantier avait quitté les bureaux de Chevilly pour les officines internationales. Poncey fut soulagé et la bonne humeur qu'il afficha gagna tout le monde. Assuré du succès de son camp vie, Poncey, qui avait quelques semaines plus tôt rendu publique une petite liste de noms, souhaitait maintenant déplacer toute la colonie. Il en avait les moyens, affirmait-il. Le directeur du chantier paya des bières au Continental et se montra aux dîners du club. Il se présenta chez des mécaniciens, chez des chefs d'équipe, découvrit des brèches sur les murs, des fenêtres sans vitres, des carrelages brisés et s'emporta contre les maçons, les artisans, contre les propriétaires à qui il payait des loyers extraordinaires. Il dressait des plans sur tous les coins de table avec des miettes, des paquets de cigarettes, des boîtes de sucre. Il avait envoyé Richard sur place, disait-il, – ce que personne n'ignorait sans que l'on sût où Richard se trouvait précisément, ni ce qu'il faisait – et il insistait sur les villages que son frère avait découverts, sur les nappes d'eau, les terres fertiles que lui-même avait négligées pendant sa virée, six mois plus tôt. Un jour il faisait le projet d'aligner des mobile homes à proximité d'un forage et le lendemain de construire des maisons de banco aux abords d'un village. Il parlait abondamment, buvait des bons coups et, les lendemains de beuverie, faisait des promesses aux solliciteurs audacieux qui venaient le voir dans le matin douloureux de ses gueules de bois, avant de partir pour la brousse en mettant son chauffeur au volant du Land Cruiser.

Boris n'avait pas attendu la vente aux enchères des enseignants, au mois de juin, pour s'acheter un quatre-quatre. Dans la masse des engins que les négociants promenaient dans tout le Nigeria, quelques véhicules arrivaient à la frontière et la franchissaient parfois, s'il y avait des acquéreurs au-delà, prêts à récompenser le silence des douaniers. Boris eut pour presque rien un vieux Land Rover à châssis court immatriculé au Ghana qui le ruina en procédures et en pièces détachées. Pour libérer de l'argent, il prit la résolution de congédier le boy, qui dépensait beaucoup et travaillait peu, et il n'avait encore rien dit à son employé quand, un dimanche soir, deux hommes se présentèrent au club et demandèrent à Boris de les suivre. Boris traversa la ville dans son

Land Rover à la suite des deux hommes serrés sur la selle d'une vieille Mobylette et, après avoir roulé au pas dans des ruelles où dormaient des chèvres, atteignit une maison ronde et obscure. En y pénétrant, il reconnut l'odeur familière de lessive, de transpiration et de poivron brûlé qui annonçait habituellement l'apparition de son boy. Le boy, qui avait eu un malaise en rentrant de son jardin, avait été secouru par les deux hommes de la Mobylette, conduit dans cette maison vide où, titubant, tremblant, piétinant la terre battue, il s'efforça de parler, échoua à dire son nom, prononça par bonheur celui de Boris et s'effondra, mort. D'abord, Boris crut à tort que les deux hommes étaient les frères du défunt et que les badauds attirés par l'arrivée du Land Rover dans une rue que n'avait jamais pénétré aucune voiture étaient sa famille. Mais la famille du boy nichait loin de Tassiga, dans un village de brousse que les routes ne desservaient pas. Les deux hommes proposèrent à Boris de mettre le corps dans le Land Rover et de l'apporter aux siens mais Boris, épouvanté, refusa. Il évoqua des règlements qui interdisaient le transport des cadavres, sans penser que le pays, affranchi de la tutelle française depuis vingt ans, avait peut-être dans son code des lois qui l'autorisaient. La place du boy était à la morgue et il refusa encore, pour les mêmes raisons, d'emporter la dépouille à l'hôpital. Il consentit néanmoins à partir pour le village et à ramener la famille du défunt mais il eut le tort de vouloir s'en aller seul et se perdit. Il roula longtemps sous les décombres de nuages que la nuit et l'orage avaient ramassés dans le désordre du ciel. Les cartes qu'il déplia pour trouver son chemin le conduisirent sur des pistes abandonnées que l'hivernage avait transformées en ruisseaux. Il regretta de s'être embarqué dans l'aventure sans la moindre assistance. Le boy borgne avec son œil gonflé comme une hernie eût fait un bon guide, rêva-t-il, sans penser que le boy était au même moment allongé sur la banquette arrière d'un taxi en route pour la morgue. Puis, tout près du village, le Land Rover fut pris dans une ornière qui endommagea un bras de suspension. En se mettant au cul du quatre-quatre pour l'arracher à la boue, il vit des paysans qui avaient surgi de trous plus profonds et plus noirs que ne l'était l'ornière et qui poussèrent avec lui, l'échine offerte à la pluie oblique, le visage ouvert par un rire. Après avoir remercié, Boris eût peut-être passé son chemin si les paysans hilares venus à son secours ne s'étaient adressés à lui en prononçant son nom. Ils savaient beaucoup de choses sur la vie du boy à Tassiga car, de temps en temps, celui-ci regagnait son village, accompagné d'ânes qui croulaient sous un chargement de boubous, de pagnes et de tissus. Avant de pouvoir dire à ses hôtes l'objet de sa visite, Boris apprit que son employé se livrait au commerce de la fripe, qu'il partait avec ses cartons pour les derniers villages et au-delà, à la croisée de pistes où Touareg et Peuls avaient établi des campements. Il tenait serré sous un élastique des billets de banque qu'il détachait soigneusement pour les distribuer à ses proches mais, depuis qu'il avait amassé une véritable fortune, il venait de moins en moins souvent, il n'avait plus le temps, il était fatigué, malade, peut-être…

Quelques jours après la mort du boy, le conseiller culturel de l'ambassade de France, haut fonctionnaire détaché de l'Education nationale qui avait le contrôle des écoles françaises de Niamey, Maradi et Tassiga, se rendit au cours La Fontaine. Il était arrivé par l'avion du matin et, ne voulant pas rater l'avion du soir, assista à une leçon donnée par Boris, collé à une fenêtre, le visage tendu vers le ciel et ses menaces d'orage, accordant un regard distrait à un cahier ouvert sur le pupitre le plus proche. Après l'inspection, il traversa la longue esplanade et s'arrêta à hauteur du mobile home de la Compagnie. Les petits Robinsons qui s'y trouvaient séquestrés avec moi attirèrent son attention. Après un instant d'hésitation, le conseiller culturel s'écarta de son chemin et vint se heurter à une première porte, que Hébert avait autrefois condamnée, s'obstina à pousser la seconde porte, qui s'ouvrait en fait vers l'extérieur, et entra. Le costume trois pièces augmenté des barrettes de plusieurs décorations ne désignait pas un familier des séjours exotiques. L'homme avait sans doute quitté avec précipitation son rectorat pour obliger un de ses amis du ministère, afin d'occuper à Niamey un poste que l'on attribuait habituellement à des déracinés en tissu sportswear et, une fois installé à Niamey, était parti à la rencontre des professeurs et des instituteurs que la malchance avait disséminés dans le reste du pays. Comme il était dans ses attributions d'ajouter un peu de paperasse à ses visites, il faisait pour chacun un rapport d'inspection dans lequel il certifiait que l'enseignant n'avait pas pris la fuite ou qu'il n'était pas mort. Tenu d'ajouter une note administrative, il appliquait un coefficient qui prenait moins en compte les compétences du coopérant que la distance séparant celui-ci de Niamey. Le mobile home posé sur des cales précaires était le point extrême de sa juridiction. Le conseiller culturel se demandait par quelle magie mes élèves et moi étions arrivés ici, pourquoi il ignorait tout du chantier de la Compagnie, du camp vie qui allait emporter le mobile home plus loin encore... Il s'assit à mon bureau, regarda sa montre, me posa des questions, griffonna quelques mots sur un morceau de papier et, avec le même ton qu'il eût employé pour m'adresser un reproche, me dit simplement son intention de rédiger un rapport qui pouvait m'être utile. Et le conseiller culturel mourut. Pas tout de suite, bien sûr, car dans un premier temps il s'échappa à bord d'un avion qui le promena trois heures dans la tourmente de vents noirs et de pluies acérées, il rentra à Niamey, y vécut un an avant de rejoindre sa femme en France. Mais il mourut moins de deux ans après et il en fut de sa mort comme de son rapport d'inspection, elle fut portée à ma connaissance beaucoup plus tard, alors que rien ne pouvait conduire le souvenir de cet homme, le nom même de cet homme, dans les replis bardés de ronces où je trouvai refuge à mon retour en France. Et ce fut là, pendant une inspection, précisément, que réapparut le conseiller culturel, ou plutôt le fantôme du conseiller culturel, que l'inspecteur assis à un pupitre d'écolier évoqua avec nostalgie, avec fierté, parce qu'il connaissait Paul Kettler et avait travaillé sous son autorité à Bordeaux ou à Dijon, parce que le rapport rédigé par M. Kettler quelques années plus tôt sur mon travail donnait par avance du lustre au rapport qu'il allait rédiger. Ainsi, M. Kettler, qui s'était déporté de son chemin pour me surprendre avec mes élèves dans ce mobile home abandonné au bout du monde et qui, au lieu de dévoiler des pans de sa science et de sa culture ou de s'intéresser à mon travail, s'était empressé de me délivrer un satisfecit, M. Kettler, me dit-on, était un homme de grand mérite, à l'image de ce Bart que vénéraient des esprits libres et solitaires comme Poncey.

Le directeur du chantier avait pris la décision de procéder au déroctage du km 100 et refusait d'écouter ceux qui voulaient faire sauter le rocher beaucoup plus tôt ou encore ceux qui avaient prescrit un tracé différent et ne voulaient rien faire sauter du tout. Pour l'instant, Poncey attendait Bart comme il eût attendu un homme d'Etat et, maintenant qu'il avait un spectacle à offrir à son invité, il cherchait une buvette sans prétention pour payer des coups à boire. Il téléphona au responsable du Dam, qui était à Niamey, pour lui proposer d'achever les travaux que les boys avaient commencés dans une aile de l'hôtel et dépêcha dans un petit local nu et obscur les ouvriers qui avaient recouvert de bitume le court de tennis du club. Une semaine plus tard, le local ressemblait à un bistrot de ville française et, après un arrangement entre Poncey et le responsable de l'hôtel, fut pour une période d'un mois le domaine de la Compagnie. Le bar ouvrit avant le déroctage du km 100 et réunit dès le premier soir une vingtaine d'hommes. Descorches y régna d'emblée, passant à tout moment derrière le comptoir pour servir ses amis, pour se servir lui-même, ouvrant les frigos, arrachant les bouteilles de Flag des mains d'un boy. Il se plantait au milieu de l'assemblée et, faisant aller le poids de son corps sur une jambe, puis sur une autre, tournant en rond sans un bruit, écartant ses amis d'un revers de bras, il inventait une clairière. Il y avait ensuite assez de silence pour qu'on entendît le craquement d'une branche ou la bramée d'un grand cerf. Descorches dessinait un fusil avec l'alignement de ses doigts, visait au hasard et tirait dans la direction de la porte, d'un convive ou d'un boy, en imitant le bruit de la détonation avec un violent claquement de ses lèvres pincées. Tout le monde riait de le voir aussi rouge. Descorches vidait une Flag en cherchant le visage de Poncey. Le plus souvent, quand il était présent au bar, le directeur du chantier approuvait en jurant gaiement et racontait à son tour des histoires. Pourtant, malgré les bières, malgré la présence exclusive de ses hommes, il n'était pas à l'aise, il paraissait engoncé et maladroit. Ne sachant que faire de ses mains, il tirait sur sa ceinture, se déhanchait légèrement afin d'ancrer le pantalon au zénith de son ventre, recommençait en bougonnant et se dirigeait péniblement vers une chaise devant laquelle les hommes se rassemblaient. Les plus anciens de ses compagnons, qui pensaient aux séquelles de l'accident du pont, finissaient par demander si tout allait bien et proposaient à tout hasard de le raccompagner chez lui. Ils savaient que Poncey boitait un peu quand la fatigue d'une journée pesait sur son pas et qu'il était le premier à s'asseoir si les tournées s'enchaînaient. Il n'était pas si fragile… Malgré les blessures et les années, il faisait toujours ce qu'il voulait de son corps, se hissait sur les coffrages, sur les talus, longeait les fossés d'un pas vif. Un an plus tard, avant la fin des travaux, alors que, rongé par les incertitudes, accablé par les épreuves, il avait ouvert le jardin de sa villa à la petite colonie européenne pour un cocktail avec musique et champagne, je le vis danser avec Mme Lenoncourt, une des rares femmes que le chantier n'avait pas laissée à l'état d'une momie ou d'une outre. Poncey, ce soir-là, était cambré, raide, et son ventre guerrier repoussait la jeune femme comme un adversaire…

Un soir, après quelques bières au bar du Dam, tandis que je rejoignais la maison des célibataires en marchant le long des remparts sombres qui bordaient le Dam, je fus arrêté par la voix d'un boy. Un coup de téléphone avait réveillé le réceptionniste. L'appel était pour moi, clamait le boy que je suivis jusqu'à la réception de l'hôtel. Quand j'entendis la voix de mon père au bout du fil, une voix lointaine, presque inconnue, je sus que je n'étais pas à Tassiga depuis six mois, mais depuis des années, des siècles. Je pensai à la nuit lourde comme une pluie qui devançait d'une heure ou deux la nuit claire de France, à mon père qui avait regardé sa montre pour être sûr que le modeste décalage horaire ne comptait pour rien dans cette nuit que nous avions en commun. Il ne suffisait pas que je fusse parti si loin, que le courrier fût aussi long à arriver, après des détours qui laissaient des empreintes ou des meurtrissures sur le papier des enveloppes et des colis, qu'il y eût dans les lettres des mises en garde contre le climat et dans les colis des victuailles, puisque, émigré en Afrique, j'étais forcément la proie des maladies ou de la disette, il fallait encore que le moment de nos retrouvailles, par le biais du téléphone de la réception, reçût le secours du silence et de l'obscurité. C'était absurde. Personne ne vivait mon absence comme un drame ou comme un manque et mon père, le premier, s'était réjoui de mon éloignement, lui que la guerre poussa au même âge que le mien vers des combats à l'extrême nord de l'Europe, tout d'abord, et dans le nord de la France, ensuite. En fait, mon père attendait habituellement la nuit pour donner des coups de téléphone à mes tantes et celles-ci faisaient de même, quand elles se trouvaient loin de lui, dans la mesure où les tarifs aux heures tardives chutaient de moitié. Mais, s'il avait pris l'habitude de dépenser peu pour appeler ses sœurs qui ne sortaient pas de France, il cherchait à dépenser moins encore pour parler à son fils expatrié dans une contrée lointaine où les conversations téléphoniques étaient hors de prix. Mon père avait prêté autrefois de l'argent à un maçon qui fit de mauvaises affaires, se sépara de sa femme, de son associé et qui, dans le tourbillon des embrouilles, trouva le moyen de rembourser le prêt à son créditeur qui ne lui demandait rien. Le maçon quitta la France pour les gisements de pétrole et les plates-formes de forage. Il rentra après plus de dix ans d'absence, se mit en ménage avec une employée des postes, opératrice de nuit, renoua dans le même temps avec mon père et donna à celui-ci l'idée de m'appeler. Mon père composa le numéro du Dam où je n'habitais plus depuis des semaines en espérant que la ville fût assez petite et les téléphones assez rares pour que, retentissant dans le calme impeccable de la nuit de Tassiga, la sonnerie ne retentît que pour moi. Il me fut impossible de savoir si mon père appelait de chez lui ou s'il s'était introduit par effraction dans un relais hertzien, mais la compagne de son ami était assurément à l'écoute quelque part, les doigts pincés sur les fiches de son tableau, car mon père s'exprimait avec d'infinies précautions de vocabulaire, lui qui désignait habituellement sous le nom de "poule" les concubines et les maîtresses de ses amis. Aussi dépensa-t-il stupidement le temps accordé par l'opératrice – trois minutes, avait-elle dit, pas une de plus – à révéler dans le détail la combine grâce à laquelle il me parlait et n'eut-il pas l'idée, quand le lancinant et coriace motif de tonalité se mit entre lui et moi, de refaire le numéro à ses frais. Quand je fus sur le gravier de la cour, je pensai à ce nom de Bénazech que mon père avait prononcé deux ou trois fois en ayant soin de dire M. Bénazech, et je tardai à reprendre le chemin du retour, à cause de la sonnerie du téléphone qui pouvait retentir à nouveau. Le téléphone du Dam ne sonna plus mais je revis, renvoyé une bonne quinzaine d'années en arrière, jeune et poussiéreux, le maçon qui établissait péniblement un petit ranch et un manège sur le causse. Debout dans l'ombre maigre des buis et empilant de solides rondins, M. Bénazech faisait un mur, en effet, mais un mur de trappeur, pas un mur de maçon. Et le mur amusa mon père, qui prêta de l'argent en affirmant qu'il faisait le plus mauvais des placements. Quelques semaines plus tard, notre famille au complet rejoignit la famille du maçon, celle de l'associé, les amis ameutés pour l'occasion, tous réunis dans une vaste cabane de rondins encore luisants de résine pour un déjeuner qui dura tout un dimanche. Dans l'après-midi, le maçon m'arracha à la chaise où je m'étais assoupi et me conduisit à un enclos où je découvris une jument baie sur le dos de laquelle il m'installa aussitôt. La jument partit tout droit et trotta doucement dans l'air chaud. Mes mains agrippaient de larges mèches dans la crinière pour éviter à mon corps minuscule de tomber ou de s'envoler. La jument se heurta ensuite à un mur de buissons, fit demi-tour et regagna son enclos en survolant le pré. Ce n'était plus un pré mais les herbes de la Prairie qui remplissaient les livres du capitaine Mayne Reid, et les silhouettes des convives, alignées sur la barrière, étaient encore trop loin pour que je visse les plumes à encoche plantées dans leurs cheveux, les charmes en ivoire qui pendaient à leur cou, la pipe sacrée qu'ils allaient me donner à fumer. J'étais un vrai cavalier, croyais-je, puisque je montais à cru comme un Indien. Je montai le dimanche qui suivit et les autres dimanches car, bien que le ranch fût enfin ouvert au public, aucun autre pionnier, aucun autre éclaireur ne l'atteignit jamais. La jument trottait sur le grand pré, contournait la petite forêt de buis et faisait demi-tour. Toujours le même parcours. Mes mains serraient la crinière très fort et mon corps commençait à creuser sa forme sur le dos large. Puis un jour, la jument resta plus longtemps que d'habitude de l'autre côté de la barrière des buis où l'ombre était obscure. La jument était nerveuse et ne répondait pas aux doux appels de mes pieds sur ses flancs, aux caresses de mes mains sur son encolure. Elle s'était blottie dans les feuillages et ses naseaux déposaient sur l'herbe l'écume de sa course. A l'autre bout du pré, mêlés au ciel blanc, noyés par la lumière, chauffés par la boisson, le maçon et son associé allaient ensemble le long de l'enclos, en s'attrapant par le col et en faisant de grands gestes. Sans le moindre doute, ils criaient aussi, mais je n'entendais rien, j'étais trop loin. La jument se dirigea d'un pas lent vers l'enclos en enfonçant lourdement ses sabots dans les cailloux du pré à la façon d'un poney de bât. L'enfant que j'étais pesait sur son dos plus lourd que tous les nuages du ciel. J'avais hâte de rentrer. Je ne pensais pas aux ennemis recroquevillés dans les herbes hautes des prés voisins, aux oiseaux que le ciel engendrait quand les proies étaient assez imprudentes pour aller aussi lentement que la jument ce jour-là. Je n'avais pas compris que c'était la dernière sortie et, si mon père accepta de m'amener au ranch le dimanche suivant, ce fut simplement pour me montrer l'enclos vide. La jument s'était enfuie, me dit-il. Le maçon et son associé restèrent longtemps absents. Des semaines, des mois entiers. Quinze ans plus tard, alors que j'avançais vers la maison des célibataires, après le coup de téléphone de mon père, en allant doucement au milieu des lumières dérisoires que les boys avaient posées sur leur natte, à l'avant des villas, Gina, la jument baie aux flancs larges, courait toujours. Elle avait rejoint la pâture traversée de tapirs qui enveloppait mes lectures d'enfant. Elle avait échappé aux fauves à l'affût, aux serpents dressés, aux fleuves en crue. Elle était mue par un mouvement perpétuel que seuls savent donner aux héros de leur enfance de jeunes adultes tels que moi, fragiles et imparfaitement arrimés au monde. Je me rendais compte que, une fois le maçon parti pour les forages de pétrole, la jument était allée de manège en manège, chargée de poussière et de solitude, blessée par le cuir des selles et l'acier des mors, épuisée par les torrents d'enfants qui avaient déferlé sur son dos. Mes doigts fermés sur le creux de mes mains se détachaient l'un après l'autre dans un minutieux déploiement d'éventail qui faisait le décompte des années passées. Quinze ans après, Gina était peut-être en vie, mais il me fut impossible de voir la jument dans l'ombre fraîche où son dernier propriétaire, que j'imaginais tendre et magnanime, l'avait posée car son image était brouillée par la bière bue au bar du Dam et par les histoires de chasse de Descorches. Il était près de minuit et j'étais arrivé dans le dernier virage avant la maison des célibataires, à un endroit où la brousse poussait un long couloir sombre. J'avançais malaisément à cause du sable et des cailloux, à cause de la bière qui gonflait mon ventre et pressait ma vessie, à cause de la fatigue, du sommeil, de la Nivaquine. Je m'étais heurté à Kaï et à Bon Prix qui, déroulant une natte dans l'obscurité, se dressèrent brusquement, comme un seul homme, dans un garde-à-vous stupide avant de glisser dans un fossé, quand le pick-up de Bibi, tous feux éteints, ralentit à ma hauteur. Descorches avait engagé la tête et les épaules par la fenêtre du passager. Il m'appelait. Ses bras tendus vers le ciel avaient inventé un fusil, ses yeux cherchaient des dix-cors égarés sur la crête des nuages prêts à s'écrouler et sa voix sonore hurlait l'hallali dans le craquement doux des graviers.

11

Les habitués du club qui buvaient l'apéritif au bar, le soir du dimanche 10 mai 1981, faisaient devant un petit poste de radio chuintant l'inventaire de nos ressortissants que les lois du décalage horaire retenaient au même moment devant les urnes. Ils savaient que les Français de Saint-Pierre-et-Miquelon, de Guyane ou de Guadeloupe votaient encore à cette heure-là, et qu'ils votaient "bien", c'est-à-dire pour le candidat conservateur, comme eux, les Français de l'étranger. Précédé d'un chien minuscule, Petit circulait au milieu des femmes qui servaient les premières assiettes du dîner de Mme Terraz. Il tenait par le col deux bouteilles de vin dont il ne voulait pas se défaire et sur lesquelles il prenait appui quand il s'arrêtait à une table. Pour lui, le résultat du scrutin ne faisait aucun doute, aussi n'était-il pas d'humeur à rejoindre ses amis au bar pour bavarder, pour recompter les points de la partie de pétanque qui l'avait opposé à Edouard. D'ailleurs, Edouard s'en était allé plus tôt que de coutume, échouant à entraîner avec lui Habib et sa femme, qui attendaient sagement le dîner, assis à une table où personne ne vint les rejoindre. Le caniche du couple s'était rallié à Petit et trottait devant lui, la tête bien droite sur les épaules, l'œil vif, la langue rentrée. Mme Terraz avait fait dresser une vingtaine de tables. Elle avait disposé des bougies rondes qui flottaient sur des soucoupes et préparé à l'arrière des pergolas un véritable royaume pour les enfants sur lequel son fils régna toute la soirée malgré la régence de la nounou. Elle avait réclamé la fermeture de la piscine et fait de grands signes à son mari qui courait sur le court de tennis pour le sommer de venir. Mais Terraz renvoyait avec soin des balles sur son adversaire et, tant que le mur que lui opposait ce dernier ne rompit pas, il continua à frapper d'un bras solide et régulier. Mme Terraz avait commencé l'appel des convives en lisant d'une voix atone des noms sur une liste. Elle allait de table en table et faisait une légère embardée quand se présentait sur la même rangée le caniche accompagné de Petit. Les convives attendaient le service des entrées en parlant à voix basse, en dévisageant les retardataires qui arrivaient sans faire de bruit. La nuit, une lourde nuit d'hivernage, tomba, accompagnée d'une averse furtive, fragile. J'étais venu au club car Mme Terraz, qui ne comprenait pas pourquoi les gens de la Compagnie, qu'elle avait vus aux dîners sans éclat des précédents dimanches, allaient rester chez eux pendant une soirée aussi exceptionnelle, et qui voulait que quelqu'un, au moins, pût témoigner des magnificences de sa fête, avait envoyé le boy à la Mobylette me chercher en fin d'après-midi. Un peu de paperasse à ranger, des factures à vérifier, trois fois rien, m'avait-elle dit pour m'accueillir, sans quitter des yeux les convois de victuailles qui sortaient de la remise. Dans moins d'une heure, mes camarades de la maison des célibataires allaient venir prendre une Flag au bar. Il ne serait pas trop tard pour s'inscrire au repas car on avait vu large et qu'il y avait toujours des défections. Quant aux gens de la Compagnie, ils pouvaient venir après, puisqu'on danserait... Il y avait bien, m'avoua-t-elle ensuite, des papiers à relire, des registres à ouvrir, mais elle ne savait plus lesquels, elle s'était un peu précipitée... Elle s'occupait de tout ça dans une minute, le temps pour elle de donner des consignes au cuisinier, pour moi de faire un plongeon dans la piscine où il n'y avait personne. Je nageai une demi-heure environ, surveillant le bar devant lequel s'animaient les joueurs de pétanque. Je n'avais pas envie de les rejoindre, car l'eau était douce et Mme Terraz, qui m'avait oublié, pouvait, en me voyant, se présenter à moi avec une corvée à finir ou des invités à conduire à une table. La piscine était le seul endroit que je connaissais où la pluie des hivernages se mêlait à la ville sans violence et je m'y sentais bien. Là, à l'écart des boys qui s'animaient pour faire un beau dîner, des invités qui arrivaient en regardant le ciel avec inquiétude, je ne servais à rien, je ne faisais rien, j'étais engourdi, tout juste apte à me rendre d'un bord à l'autre du bassin. Pour sortir de l'eau, j'attendais que quelqu'un de ma connaissance, n'importe qui, prît place n'importe où et, trompé par l'éclairage insuffisant, je finis par m'asseoir auprès d'inconnus endimanchés.

Les familles de la Compagnie, qui savaient l'indifférence que Poncey témoignait à cette élection depuis qu'elle ne comptait plus dans ses projets, ne vinrent pas et je guettai pendant le repas, et après, mes camarades de la maison des célibataires qui ne vinrent pas davantage, malgré la promesse qu'ils avaient faite de me rejoindre. Le service se poursuivit dans une obscurité que perçaient les bougies échouées dans l'eau de leur soucoupe, ou encore les petites lanternes disséminées dans les plantes grasses, les guirlandes électriques qui crépitaient comme une vieille fontaine. Parti pour les dernières tables où le caniche l'avait entraîné, servant son vin, bavardant un peu, mais avec une voix douce de convalescent, Petit se retournait et levait la tête vers la façade de la caserne. L'ampoule nue allumée au plafond de la cellule du président Hamani brillait d'une modeste et inhabituelle clarté comme si quelqu'un avait donné l'ordre d'accorder les lumières de la caserne à celles des terrasses du club. Les convives appelaient Petit et le chien aboyait doucement. Petit n'entendait pas. Depuis quelques jours, il croyait que le prisonnier avait été transféré ou qu'il était mort. Jamais encore il n'avait vu l'ampoule briller aussi faiblement. Pour détacher Petit de sa rêverie, il fallut la procession bruyante et désordonnée que ses camarades de pétanque avaient improvisée après avoir entendu les résultats de l'élection. A la proclamation du nom de Mitterrand, Mme Terraz, qui pensait à son repas et à rien d'autre, se précipita vers eux pour les installer à une table. Ils mangèrent et burent aussitôt comme si les faire asseoir avait suffi à les faire taire. Soucieux de ne pas gâcher le repas par des invectives et des déclarations, Petit, qui avait écouté, stoïque et calme, l'annonce du résultat, eût rejoint sans doute ses amis s'il n'avait entendu, hissé au-dessus des murmures d'une table, le nom de l'agent consulaire. Il s'arrêta, fit un tour sur lui-même et, la mâchoire serrée, les yeux plissés, regarda les convives assis près de lui. La petite colonie française de Tassiga n'avait pas pu élire son président, dit-il, parce que Boisson-Mourre avait fait un grand feu des procurations de vote. Un grand feu, reprit-il. Car les procurations étaient arrivées à Tassiga. Lui, Petit, le savait. Il avait téléphoné à Niamey, écrit au ministère à Paris… Et il allait nerveusement dans les rangées, s'arrêtait à une table, demandait aux convives s'ils connaissaient l'agent consulaire, s'ils l'avaient vu au club, s'ils avaient croisé une seule fois Mme Boisson-Mourre… Petit tournait sur lui-même en piétinant le caniche qui s'écartait doucement sans pousser un cri. Boisson-Mourre était juste un de ces épouvantails que le ministère affublait d'un masque aux traits de diplomate, qu'il tenait en réserve pour les ultimes replis du monde habité et que les vicissitudes passées avaient appariés à des éthéromanes muettes, livides et pratiquement mortes. Mais Petit voulait bien oublier l'histoire des procurations – qui était vraie –, oublier les pêcheurs de morue et les pirates des Antilles qui votaient encore – pour la gloire –, il pensait à la France où il n'avait pas fait plus de deux séjours en dix ans. La France, disait-il pourtant avec conviction, était décharnée, sans vie, peuplée d'ombres dociles que l'imminente république des soviets allait précipiter dans la nuit. Il promettait du feu, un brûlis infini. Il voyait des bolcheviks rassemblés aux frontières de notre pays, des hordes de cosaques qui allaient sous peu déferler. Mme Terraz poursuivait son service, la tête haute et les lèvres pincées. Elle dirigeait les boys vers les tables, promenait elle-même des plateaux, débarrassait les assiettes sans cesser de surveiller le court de tennis. Ce n'était pas Petit mais son mari qui devait jouer les maîtres de maison à côté d'elle et Terraz apparut en effet, la tête portée loin des épaules par une serviette éponge enroulée autour du cou. Terraz marchait lentement, seul. Son adversaire était un boy qui rejoignait la remise en suivant un petit sentier dans les flamboyants ou peut-être un garçon du quartier qui filait dans la rue par le même chemin. Il ne s'agissait pas d'un adversaire mais d'une cible sur laquelle Terraz dirigeait chacun de ses tirs, un mur qui rendait balle sur balle. Terraz avait couru pendant deux heures. Il avait oublié le fameux repas français de sa femme et le second tour de l'élection. Comme tous les soirs de la semaine, à cette heure-là, il allait d'abord se rafraîchir. Il avait besoin d'une bonne demi-heure de solitude, au bar, pour brider les muscles de son corps, pour vider sa tête du tourbillon qui la remplissait et il ne vit pas les signes savants que lui faisait sa femme pour le prier d'abréger sa pause, de se changer et de s'asseoir. Petit avait accosté chacune des tables du dîner, il avait montré son visage blafard, récité tous les psaumes appris autrefois pour conjurer les Rouges et les mangeurs d'enfants de ne pas envahir le pays de ses ancêtres mais la lâcheté des gens, leur silence, leur voracité l'avaient découragé de prendre place à leurs côtés. Il se dirigea vers le bar avec ses bouteilles vides. Le caniche courait devant et les boys levaient déjà les mains pour attraper les bouteilles. Armé d'une carafe, Terraz remplissait verre sur verre et l'eau commençait à engourdir son corps. Avec la serviette qu'il avait déroulée, il épongeait son visage, lissait son crâne. Petit allait arriver à sa hauteur quand un bruit de feuillage ou de branche cassée attira son attention. En s'approchant de l'escalier de l'entrée, Petit vit l'ombre d'un voleur qui filait au creux des flamboyants. Si la lumière était insuffisante pour qu'il pût reconnaître le fugitif, elle lui permit toutefois d'affirmer qu'il s'agissait d'un boy ou d'un gamin. Il oublia subitement sa colère contre Boisson-Mourre, la victoire du candidat de gauche, les Français de Tassiga avachis et amorphes. Il allait demander à Terraz si celui-ci avait vu quelqu'un marcher dans l'obscurité quand il comprit que le boy quittait le court de tennis. Il n'avait rien à dire au fugitif qui s'était caché sur le parking ou courait sur l'avenue mais il était indigné par Terraz qui avait répudié tous les partenaires du club pour jouer au tennis avec des gosses allant pieds et torse nus. Petit s'approcha, glissa sur l'épaule de Terraz sa longue tête au crâne luisant, son haleine tiède et légèrement avinée, ses doigts épais aux ongles durs, couronnés par trente ans de cambouis, et affirma d'une voix douce que l'on n'eût jamais admis une telle désinvolture de la part d'un Français à Cotonou du temps du commandant Blanchard. Pour mettre son visage devant celui de son interlocuteur, Terraz se retourna avec un mouvement un peu brusque. Petit voulut s'écarter et tomba. Les deux boys que Mme Terraz avait affectés au bar et qui assistèrent à l'incident donnèrent des témoignages divergents. L'un affirma que Petit était tombé tout seul, l'autre que, d'un coup d'épaule, involontaire sans aucun doute, Terraz l'y avait aidé. Les aboiements du chien alertèrent les convives attablés qui n'avaient rien vu, rien entendu… Qu'il fût tombé seul ou que Terraz eût conservé pour lui le dernier revers de la soirée, Petit s'était effondré en silence, sans imiter dans la lumière médiocre le tournoiement des lutteurs qui vont au tapis après un long vertige. Mme Terraz eut l'idée d'installer Petit sur le grand fauteuil que l'on gardait dans la remise pour allonger Edouard à la première alerte. Quand Petit fut assis, Mme Petit quitta sa table avec la serviette, les couverts, le pain, l'assiette garnie qu'elle avait conservés dans l'espoir du ralliement de son mari aux choses terrestres mais Petit l'écarta sans ménagement. Il désirait être seul. Les convives avaient retrouvé leur table mais l'incident avait délié les langues. Il y avait dans l'assistance des gens assez savants pour parler de Diori Hamani ou de Boisson-Mourre ou encore d'un ancien ministre de la France d'outre-mer, président de la République depuis quelques minutes, qu'ils avaient vu atterrir, trente ans plus tôt, sur un terrain militaire du Tchad malgré les vents de sable, et d'autres qui avaient connu le commandant Blanchard, ou avaient recueilli des confidences le concernant, parce que, comme Petit, ils avaient servi autrefois dans des garnisons perdues, comme lui, ils étaient les vétérans oubliés de l'Afrique à l'âge des tutelles.

Les boys apportèrent des pommes de terre rougies par le jus des viandes et la viande elle-même, débitée en larges quartiers et que l'on venait à peine d'arracher à la braise des barbecues. Mme Terraz avait eu à bon compte des capitaines pêchés la veille au matin dans le fleuve Niger et elle avait voulu les servir avec les viandes, sans la moindre ostentation. Les boys offraient des vins bouchés qu'ils tenaient enveloppés dans des serviettes et les femmes buvaient comme les hommes, parce qu'elles avaient soif, parce que le vin était bon, bien qu'il fût tiède, parce qu'il fallait de véritables torrents pour déloger la nourriture qui formait des pelotes au fond de leur gorge. Les anciens militaires chargés d'anecdotes et qui avaient le souvenir des grandes privations s'étaient tus les premiers. Ils mangeaient en soldats, avec méthode et sans goinfrerie, vidant leur assiette et la vidant encore si quelqu'un la remplissait. Mme Terraz passait dans les rangs. Elle tendait l'oreille et n'entendait plus le moindre bavardage. Le dîner avait engendré le calme et l'oubli. Mme Terraz accueillit ensuite les rares membres de la communauté qui votaient à gauche et qui avaient eu le tact de ne pas s'inscrire au repas. Par la faute de l'agent consulaire, ces derniers n'avaient rien fait pour la victoire de leur candidat, mais, le dimanche étant le jour de congé des boys et comme ils avaient peur de se blesser en ouvrant une boîte de sardines ou en faisant cuire un œuf, ils souhaitaient simplement manger un morceau. Mme Terraz les dirigea vers la table de Habib et de sa femme et vers une table voisine. Les retardataires se trouvant ainsi tout près de Petit, elle eut un instant l'idée de les placer ailleurs. Ce fut inutile. Petit avait gardé un peu de sa faim pour nourrir sa haine, mais il ne vit pas les nouveaux arrivés ou ne voulut pas les voir. Il contemplait la façade de la caserne. Le halo au sommet du mur avait disparu et les contours de la fenêtre du président déchu se voyaient à peine dans la nuit. Pendant des semaines, Petit s'était dressé sur le terrain de pétanque, après une partie, dans l'espoir de voir le prisonnier se pencher vers lui, dans la pose familière que les puissants détrônés adoptent pour dire quelques mots anodins à des partisans rassemblés. Affaibli par les années de captivité, le président Hamani était devenu une cible négligeable aux yeux de son successeur et le peloton d'exécution, formé sur ordre de Niamey, avait été dissous. Une seule sentinelle suffisait maintenant à interdire au prisonnier l'accès à la fenêtre – ou à l'y conduire pour le laisser se pencher dans le vide, pour l'y pousser peut-être si un nouvel ordre arrivait de Niamey, ne pas le retenir en tout cas s'il venait à l'ancien président l'idée d'en finir. Pour Petit, la défenestration imminente de l'ancien président ne faisait aucun doute. Elle avait été commandée pour cette nuit du 10 mai. L'ampoule défaillante était un signe. L'élection d'un nouveau président en France en était un autre. Elle était aussi un moyen commode de dissimuler un regrettable accident. Il plaisait à Petit que, obéissant au principe des vases communicants, la naissance d'un président compensât la mort d'un autre. Pour l'instant, sans détacher son regard de la façade, il grognait encore contre Boisson-Mourre. Avec les preuves, les témoignages, les dossiers bien ficelés qu'il avait en sa possession, Petit allait obtenir l'annulation du scrutin, cela ne faisait aucun doute… Personne ne l'entendait plus. Mme Terraz voulait de la musique et, à l'aide des convives qui poussèrent avec elle chaises et tables, inventa une piste de danse devant le péristyle. Terraz sortit du bar et marcha à la suite des boys chargés de carafes et de bouteilles. Il avait pris une douche et passé un pantalon de lin et un polo. Il avait mangé un bout en cuisine, assurait-il avec un sourire de gratitude à ceux qui l'invitaient à leur table et il allait d'un groupe à l'autre, sans se défaire de son sourire ni du bavardage insignifiant que lui avait enseigné son épouse et qu'il répétait avec application. Il ne pensait plus à l'incident qui l'avait opposé à Petit. Lassé par le spectacle de la haute façade aveugle, indifférent au vacarme naissant des haut-parleurs accrochés au-dessus de lui, ce dernier s'était assoupi, enfoncé dans son fauteuil. A deux ou trois reprises, il agita une main sur son visage pour écarter l'ultime fumée des barbecues puis, quand la musique couvrit tous les bruits de l'arrière-cuisine et le va-et-vient des boys chargés d'assiettes, il s'endormit tout à fait.

Le nom du nouveau président français fut probablement cité le lendemain dans la presse de Niamey ou par l'unique chaîne de télévision nationale mais, au moment où le résultat de l'élection arrivait à Tassiga, l'annonce de la mort de Bob Marley arrivait à son tour. Le lundi, la ville tout entière prit le deuil et jamais deuil ne fut aussi claironnant et chamarré. Les marchands, les étudiants, les teinturiers sortirent de leur boutique, de leur lycée, de leur atelier en poussant devant eux des portefaix robustes et lents sur l'épaule desquels flottaient de larges radiocassettes. Une houle paisible se mêla à l'acier poussiéreux et fané des taxis qui roulaient au pas, sans clients, et dont les radiocassettes sanglés sur le tableau de bord reprenaient en boucle deux ou trois standards de leur idole. Malgré la foule installée dans les rues, la ville était calme. En réalité, les hommes de Tassiga étaient depuis longtemps entortillés dans leur vie de cigarettes, de noix de cola et de Flag tièdes. Ils écoutaient de la musique reggae et allaient au cinéma voir des films indiens. Leur culture n'appartenait pas à un pays ni même à un continent mais à un espace sans frontières accroché au fil d'une seule latitude. Ils n'avaient jamais connu la prospérité mais la misère ne les menaçait pas et s'ils ne savaient presque rien de la guerre froide qui vivait son ultime décennie, ils savaient cependant que l'Est et l'Ouest se croisaient en Afrique. De rares fomenteurs de révoltes enseignaient le français, les mathématiques ou l'histoire dans l'unique lycée de la ville où ils demeuraient à peine un an ou deux. Avant de recevoir leur mutation, ils transformaient en disciples habiles et éloquents certains élèves méritants qu'ils avaient distingués. Ces derniers restaient au lycée très longtemps car, si l'administration fichait soigneusement les professeurs, elle s'occupait fort peu des élèves et ceux-ci, à l'imitation des paysans qui allaient du champ de leurs ancêtres au chantier de la Compagnie, allaient librement de la salle de classe à la rue. Quelques marchands isolés, qui vendaient de la bimbeloterie sur l'esplanade du marché, des œufs couvis ou encore des poules qui ne pondaient plus, proposaient aussi des brochures publiées aux Etats-Unis par des services de propagande que l'arrivée au pouvoir de Reagan avait revigorés. Une fois par jour, quand ils essayaient de capter La Voix de l'Amérique sur un poste de radio vieux de trente ans, des badauds s'installaient dans leur cahute et répétaient les banalités dites par les chauffeurs de taxi ou par les gardiens des maisons du quartier européen. Ils vivaient à Tassiga depuis toujours et n'imaginaient pas que l'on pût vivre ailleurs. Peu nombreux ceux qui s'étaient aventurés vers Kano, Niamey ou Lomé. Tassiga n'était pas seulement de l'autre côté du monde, elle était aussi de l'autre côté de l'Histoire et, si des soldats brisés par les guerres, comme Van Beck et Paradis, étaient parvenus jusqu'ici, après de longues tribulations, jamais les paysans et les caravaniers qui avaient, cent ans plus tôt, laissé la terre et la contrebande pour former une ville, n'eurent à abandonner celle-ci quand la conscription envoya des centaines de Sénégalais dans le bourbier des Flandres. Si la curiosité des hommes était réelle, leurs rêves étaient raisonnables, français pour certains, américains pour d'autres et, malgré les efforts des agitateurs qui se cachaient dans le lycée, rarement russes. Au début de la décennie, l'URSS, qui affichait sur la place Rouge les dernières effigies de vieillards caparaçonnés, n'envoyait plus, dans les petites villes d'Afrique, que des chirurgiens, des dentistes, des infirmiers dotés d'un diplôme et qui, ne trouvant par bonheur aucun matériel dans les hôpitaux où ils étaient affectés, n'y purent tuer personne. Les Russes de Tassiga formaient une équipe de cinq praticiens et occupaient une villa cossue, non loin de la villa des Poncey. Ils se déplaçaient à pied et en groupe. Tous portaient des chaussures de ville, un pantalon de Tergal noir et une chemise impeccablement blanche ouverte au col. Poncey, qui les croisait parfois et savait qu'il était inutile de les saluer, savait aussi qu'il n'était pas interdit de les regarder. Les cinq hommes se ressemblaient tous. Rien, dans leur allure, dans leur taille, dans leur âge, dans leur tenue, ne désignait un chef. Par jeu, Poncey essaya quand même de déchiffrer sur le visage de l'un ou sur la démarche d'un autre le détail qui allait lui désigner le commissaire politique. Mais le jeu le lassa vite car les Russes suivaient toujours le même chemin, celui qui les conduisait à l'hôpital ou les ramenait chez eux et, s'ils ressemblaient à ces personnages de films qui surveillent le héros depuis la terrasse d'un bar en s'épongeant le front et en lançant des signaux avec un miroir de poche, rien ne pouvait accréditer des activités de propagande ou la présence d'un espion, la tyrannie muette d'un commissaire politique.

Avec leurs tracts incompréhensibles, leurs émissions de radio inaudibles, leurs agitateurs juvéniles et maladroits, leurs diplomates neurasthéniques, les Américains, les Russes, les Français n'évangélisaient plus grand monde. Epuisés par les luttes tribales, fragilisés par des parlements sans lois, par des trônes sans roi, de nombreux pays d'Afrique s'étaient offerts à des despotes indépendants et besogneux, tels que le lieutenant-colonel Kountché, qui gouvernaient facilement, en pratiquant la flatterie et la menace, en excluant certaines ethnies ou en les opposant à d'autres et en surveillant les pays voisins. L'engrenage de la peur commençait avec ce va-et-vient entre le peuple incomplètement soumis et l'ennemi posté aux frontières. Le soir, sur la première chaîne de la télévision nationale, le président Kountché affirmait l'indépendance de son pays, mais il était difficile de savoir si les soldats cantonnés aux frontières pointaient le canon de leur fusil sur des ennemis qui revendiquaient un bras de fleuve mort ou sur des compatriotes qui voulaient s'enfuir vers les pays luxuriants du littoral. Nombreux furent les exilés qui louèrent leurs bras dans des plantations ou dans des mines, devinrent dockers, débardeurs, combattants en kaki. Le vacarme des armes ou des machines brisa leurs tympans et la servitude les dépouilla de leur nom mais ils s'efforcèrent d'envoyer des mandats à leurs familles et, s'ils ne savaient pas écrire, ils étaient assez riches pour donner quelques pièces à un écrivain public en échange d'une lettre. Rentrer chez eux était inconcevable et les chauffeurs de camion ou de taxis-brousse que les familles d'ici accostaient quand ils s'apprêtaient à quitter le terminus de Tassiga pour rejoindre le port de Lomé répondaient aux badauds empressés qu'ils ne pouvaient emporter ni messages ni colis, qu'ils ne connaissaient personne de l'autre côté de la frontière et que, de toute façon, les commissions étaient inutiles, car il y avait dans les pays côtiers tant d'arbres pour dissimuler les hommes que l'on pouvait rouler des heures sans voir personne. Ils acheminaient pourtant jusqu'à Tassiga des tracts et des journaux que des soldats togolais avaient ajoutés au fret des convois et racontaient volontiers, au bar du Continental ou ailleurs, les histoires, les anecdotes, les faits d'armes que ces mêmes soldats leur avaient racontés deux jours plus tôt. Le président togolais Eyadema, qui régnait depuis quinze ans sur un pays trop petit pour lui et se savait aimé de son peuple, commençait à montrer son icône au-delà des frontières pour que le reste du continent, qu'il savait à la merci de tyranneaux insipides ou de bureaucrates moroses, le tînt pour un saint. De longues années de guérilla avaient dessiné les frontières du Togo autour d'un fleuve minuscule et trois cargos suffisaient à obstruer le débouché maritime d'un pays plus étroit qu'un manche de pioche. Le pays fut bientôt trop petit pour contenir l'extraordinaire légende de son chef, aussi déposa-t-on celle-ci dans un livre d'enfants, une bande dessinée conçue à Paris ou à Bruxelles sur le modèle des histoires de l'Oncle Paul que je lisais autrefois avec intérêt dans Spirou et que l'on diffusa en Afrique francophone. Les derniers exemplaires de la bande dessinée atteignirent la gare routière de Tassiga, au fond de cartons usés. Le chargement avait été éparpillé le long du trajet, avec les cigarettes américaines et les lames de rasoir chinoises et, comme d'habitude, Tassiga reçut sa part, une part de bout du monde. Je ne lus la bande dessinée que plus tard, quand je pris des mains d'un de mes élèves un livre propre qui sentait l'encre et la colle. Le président Eyadema avait été un enfant pauvre dans un village prospère, un soldat dévoué qui prit des galons dans l'armée coloniale malgré le dégoût que lui inspiraient des chefs injustes, un officier révolté, enfin, qui s'empara du pouvoir en regrettant les arpents de fougères géantes tout près du village natal où il avait fait construire une maison pour ses vieux jours. La bande dessinée était une suite d'épisodes éloquents et de victoires indiscutables que les auteurs racontaient avec habileté en faisant courir inlassablement leur héros du mensonge à la vérité, du mal au bien, de l'égoïsme au sacrifice, et je lisais avec une sorte de fringale, sans penser à l'élève que j'avais dépossédé de son livre, aux autres élèves qui attendaient sagement le début de la classe, assis à leur bureau, rêveurs comme les passagers d'un train. Quand je reposai le livre, je me rendis compte que la lecture m'avait soustrait au monde pendant un bon quart d'heure et je parus un peu gêné. Bien sûr, je m'occupais assez de mes élèves pendant la journée pour leur échapper ainsi quelques minutes et le fluide que le climatiseur faisait couler dans le mobile home était assez dense pour les étourdir tout à fait et me laisser lire une heure de plus si j'en avais eu envie, mais je m'en voulais d'avoir cédé à l'imagerie colorée de cette bande dessinée de propagande, à son histoire édifiante, sans avoir opposé la moindre résistance, retrouvant le plaisir facile que je ressentais, enfant, à la lecture des biographies illustrées de saints et de martyrs dénichées dans la bibliothèque glaciale et presque vide de l'école.

La bande dessinée consacrée à Eyadema disparut assez vite. Il y avait peut-être des trappes ouvertes quelque part pour faire disparaître ce genre de livres comme il y avait des camions pour les transporter... Le président Eyadema lui-même ne disparut pas. En ce début de siècle, le vieux fauve régnait encore, attentif et silencieux et choyé par nombre de ses pairs. Bien sûr, les alliances entre les chefs d'Etat, fragiles et éphémères, se faisaient, se défaisaient et les douaniers grimpaient sur le toit des taxis-brousse pour chercher dans les battements d'ailes de poulets des cartons de journaux et de tracts qu'ils jetaient sans crier gare, mais les hommes continuaient à franchir les frontières et les séditieux, les fanatiques, aussi. Il leur suffisait de glisser un billet de banque dans le passeport, de se mélanger aux marchands de volailles, de rester endormi au fond d'un taxi-brousse. Les déshérités quittaient les pays continentaux comme par le passé, pour s'évanouir dans les forêts, s'accroupir dans les plantations. Ils finissaient dockers dans les ports de Cotonou, d'Accra ou de Lomé. Ils ne pouvaient aller plus loin. Un jour, une baleine morte, qui avait dérivé le long des côtes togolaises, fut arraisonnée par des pêcheurs munis de couteaux et découpée. Quand il sut que des barques par dizaines abordaient la dépouille et que des hommes allaient dessus pour prélever leur part de viande, le président Eyadema, armé d'un fusil et entouré de photographes, se fit conduire par une vedette tout près de la baleine. Le lendemain, les journaux de Lomé rapportaient que le président, après une traque de plusieurs heures et au péril de sa vie, avait abattu un mammifère marin et qu'il avait offert la glorieuse dépouille en pitance à son peuple.

12

Depuis plusieurs semaines, les femmes sortaient moins souvent. La plupart d'entre elles étaient fatiguées et attendaient les vacances en France. Elles étaient entrées dans tous les commerces de la ville, elles avaient livré aux tailleurs des Champs-Elysées le chiffre fastueux de leurs mensurations et, maintenant qu'elles avaient laissé des fortunes un peu partout, elles commençaient à compter l'argent que gagnaient les maris comme si les maris allaient mourir, ou s'enfuir. Elles devenaient aussi avares que les femmes de coopérants qui se mettaient à deux pour acheter *Modes & Travaux* et, dans le même temps, confiaient des sommes importantes à des boys qui les volaient. Deux ou trois écervelées, lassées par les longues courses en taxi, partaient avec Mme Lenoncourt, propriétaire depuis peu d'une voiture, un modèle japonais inconnu en France, que Lenoncourt, ou un stipendiaire payé par lui, avait acheté sur le port de Lagos ou qu'il avait dérobé sur le bord d'une route au Nigeria. La voiture roula deux mois. Ensuite, elle tomba en panne et des femmes qui n'avaient jamais pris place à bord menacèrent de mort leur mari mécanicien si par malheur il changeait la moindre pièce. Pendant tout ce temps-là, le minibus s'arrêta devant les maisons sans emmener personne. Presque personne… Moins d'un an après son arrivée à Tassiga, Mme Hébert eut à nouveau le minibus pour elle seule. Elle n'eut plus à supporter la conversation des autres femmes, les grognements de Mme Descorches, l'étalage des étoffes et l'odeur des viandes recouvertes de papier journal. Quand elle apprit que le chauffeur souhaitait rentrer dans son village et rejoindre ses frères, des paysans qui l'avaient oublié, Mme Hébert lui acheta des noix de cola et des cigarettes, lui fit avaler du lait en poudre à peine mouillé, le flatta, le menaça. Mais elle ne resta pas seule longtemps avec lui. Poncey, qui avait visité les Ortega dans leur maison inachevée, s'étonna qu'une femme jeune comme l'était Mme Ortega acceptât de rester des journées entières enfermée. Aussi, demanda-t-il au chauffeur du minibus de pousser jusqu'au bout de la rue, malgré le sable amoncelé ou les ornières détrempées, pour la conduire en ville le matin. Tout ce qui donnait désormais le bourdon aux femmes de la Compagnie émerveillait la nouvelle passagère : le marché, les Champs-Elysées, la boutique de Paradis… Elle demandait à s'arrêter partout pour acheter des journaux, des fruits, des sucreries et se faisait piéger par des marchands de souvenirs embusqués. Les autres femmes se moquaient d'elle. Un jour, elle rapporta des œufs enfermés dans un sac plastique qui se fendit. En s'écrasant à l'arrière du minibus les œufs répandirent une odeur pestilentielle. A partir de ce jour-là, le chauffeur ne s'engagea plus sur le long chemin ensablé qui menait chez Mme Ortega. Deux ou trois fois, celle-ci rejoignit à pied la maison des Hébert où Hébert en personne lui barra l'accès au minibus. Elle n'insista pas et rentra chez elle. Son mari la sortit en ville le dimanche matin. Quand Poncey confisqua les dimanches matin au profit du chantier, le couple se contenta du dîner de Mme Terraz. Plus tard, ils ne sortirent plus à cause du bébé qui bougeait beaucoup et qui avait fini par tomber dans la piscine du club. Le minibus devint la propriété de Mme Hébert. Celle-ci commençait à ressembler à Van Beck, elle était époumonée, grosse et impotente. Les boys, le chauffeur, le mari venaient l'arracher à l'ombre de la terrasse où elle attendait sagement depuis que le soleil avait achevé le rôtissage de son épiderme. Ils la soulevaient, la portaient, la retenaient et, s'il leur restait un peu de force, la poussaient dans l'habitacle. Mme Hébert avait renoncé à s'asseoir à l'avant du minibus et Hébert fit procéder à des ajustements pour qu'il y eût à l'arrière une banquette assez large. Bientôt, Mme Hébert, qui avait une liste toute prête, demanda au chauffeur d'aller dans les boutiques à sa place. Puis, elle ne sortit plus. Je suis trop fatiguée, disait-elle à la troupe fourbue de ses brancardiers…

En annulant par un simple caprice une décision prise par Poncey, en constatant que celui-ci n'avait rien su, ou rien voulu savoir, du bannissement indiscutable des Ortega, Hébert comprit que le directeur du chantier s'occupait moins de ses hommes que de sa route. Il n'avait pas tort. Au début de juin 1981, Poncey ne pensait pas aux journées interminables de Mme Ortega ni aux mécaniciens empêtrés dans les pannes mais à Bart, au camp vie, il pensait aussi à la route et au respect des échéances. La plupart des expatriés devaient partir pour la France fin juin, les ouvriers étaient redevenus des paysans et, pendant deux mois, le chantier allait tourner au ralenti. Poncey se rendit à son bureau ou sur le terrain tous les dimanches et proposa aux volontaires de l'imiter. Plusieurs femmes parvinrent à retenir dans leur lit, jusqu'à neuf heures, des hommes qui erraient ensuite dans les maisons, hagards et inutiles, avant de rejoindre la base où Poncey attendait avec des profils et des tracés griffonnés sur un bout de papier. Une fois de plus, les hommes acceptèrent les conditions de Poncey et les femmes acceptèrent la lâcheté des maris. Poncey avait reçu les billets d'avion pour les vacances et il n'était pas pressé de mettre un nom dessus, de les distribuer. Il prit pourtant grand soin de Bibi. En moins d'un an, celui-ci avait eu une vie dix fois plus dense que la vie de ses camarades. Il avait travaillé plus que les autres, il avait fait un séjour en France, il avait eu un accident. Il était exténué et la poussière, par bonheur, comblait ses rides. Poncey imposa deux jours hebdomadaires de repos complet à son conducteur de travaux et se rendit à la maison des célibataires pour vérifier la présence de son protégé dans une chambre fraîche et obscure. Il arracha violemment la prise du radiocassette de

Cormier, congédia les coiffeurs, les marchandes de cigarettes et de noix de cola qui attendaient Maurel sur la terrasse et balaya d'un geste violent les journaux que Gilbert empilait sans bruit sur la table de la salle de séjour. Bibi savait que Poncey l'avait choisi pour diriger les opérations du déroctage. Il savait aussi que son séjour auprès des siens à Noël l'avait privé d'un nouveau voyage en France, mais il ignorait que Poncey ne voulait pas de sa femme à Tassiga. Pour lui dire sa décision, Poncey souhaitait que son protégé fût sonné par le travail et le sommeil, qu'il fût engourdi par les repas de Descorches, le sucre des sodas, par le vin espagnol, les bières. Lui qui pouvait jeter les pierres d'un mauvais remblai à la face de Bibi, le tirer de son lit au milieu de la nuit pour connaître le détail d'une cote, ne savait pas comment lui annoncer que les expatriés venus en célibataires restaient célibataires et que sa femme, eût-elle en poche des billets d'avion payés avec une hypothèque sur la maison, n'était pas la bienvenue à Tassiga. Bibi fut vite informé. Gilbert, qui avait une fiancée dans le Morbihan et qui avait envisagé de la faire venir à ses frais, s'était heurté au refus ferme et mystérieusement courtois de Poncey. Il le dit à table, suffisamment fort pour que Bibi entendît, et si Bibi entendit, s'il comprit que Gilbert avait parlé pour lui et pour lui seul, il ne répondit rien et continua à manger. Dans la maison des célibataires, à la fin de la première année du chantier, le silence fut le grand maître. Les hommes seuls font habituellement plus de bruit que les autres, ils sont aussi plus aptes à se taire. Les boys s'étaient convertis à ce repos de monastère que troublaient parfois Kaï et Bon Prix en franchissant le tapis des gardiens dans une marche ridicule de personnages de dessin animé, comme si un molosse assoupi à l'entrée d'une niche veillait sur la maison. Les marchands de volailles, de cuisses de grenouille, les tisseurs de pagnes et les pèlerins étaient accueillis par le cuisinier qui ne les laissait pas avancer. Le boy du club venait encore, mais sans les registres, parce que Mme Terraz se débrouillait très bien toute seule. Il avait accroché à sa Mobylette une carriole bruyante dans laquelle il entassait les bouteilles vides de vin, de bière et de whisky que le ressac inlassable de nos beuveries poussait derrière la maison et qu'il payait dix centimes l'unité à notre cuisinier.

Il y eut de longues soirées au bar du Dam où Poncey et ses amis arrivaient tardivement à cause des dîners chez Descorches. Celui-ci rentrait du chantier avant la nuit et restait chez lui tous les week-ends. Poncey avait demandé à son cordon-bleu de reprendre du service en l'honneur de Bart et Bart avait téléphoné pour savoir si Descorches n'était pas en mission à l'autre bout du pays, s'il n'avait pas été victime d'un accident, s'il ne souffrait pas d'une crise de palu. Descorches quitta son poste sur le chantier une semaine avant l'arrivée de Bart mais il demeura en brousse où le retint Poncey, qui avait décidé de traiter son prestigieux ami en lui servant des denrées locales. On ne put savoir si, pour cela, Descorches soudoya d'obscurs maquignons ou s'il poursuivit lui-même des zébus qui mangeaient du sable depuis des mois mais les ripailles commencèrent quand Descorches rentra de brousse avec des demi-carcasses. Comme les frigos et les congélateurs n'étaient pas assez grands, assez nombreux pour entreposer toute la viande, Descorches dressa un barbecue à l'arrière de notre maison. Il ajouta à ses prises de brousse de la longe de porc et des côtelettes monnayées dans un élevage de cochons qu'il avait découvert tout près d'ici, sur la route de Niamey. Le porc faisait beaucoup de fumée et les boys s'échappaient en faisant la grimace. Poncey avait reçu du vin de France et ouvrait quelques bouteilles. Après le dîner, nous allions au bar du Dam et là, Poncey, qui restait debout devant le comptoir et payait des tournées sans compter, racontait les grandes années de Dompierre & Brosses, Bart au temps de sa Ferrari...

Un soir, nous trouvâmes le bar fermé. Alerté par le bruit, quelqu'un sortit de la réception, mais ce n'était pas le réceptionniste qui m'avait cherché le soir du coup de téléphone, ni le barman qui se baissait habituellement quand Descorches évoquait ses chasses, c'était le boy qui surgissait six mois plus tôt des tréfonds de l'hôtel pour déposer dans le couloir ma ration de pois chiches. Poncey traversa la cour sans cesser de lui faire signe. Il voulait que le boy ouvrît la porte et nous servît à boire. Le boy ne comprenait pas et, pour la première fois, je m'adressai à Poncey en me montrant plus savant que lui. Ce garçon n'était ni le réceptionniste ni l'un des serveurs mais un surnuméraire ébahi et maladroit qui s'échappait des profondeurs pour éconduire les clients. Poncey n'insista pas. Il savait que les semailles ou les premiers binages avaient attiré les hommes jeunes vers les lointains hérissés de mils et que la ville, comme le chantier, se vidait peu à peu. Il rebroussa chemin en bougonnant, sans voir le boy qui marchait sur ses pas. Poncey ne fit rien pour que le bar du Dam rouvrît et, s'il vint encore chez nous pour les grillades, seul ou accompagné de Richard, il mangeait et s'en allait. Cormier affirmait que derrière Richard se trouvaient des filles et que les deux hommes avaient inventé des lieux de rencontre dans des endroits mystérieux. Il s'amusait de voir Poncey se démener pour servir des filles et de la bonne chère à Bart qui habitait Paris. En réalité, l'arrivée imminente de ce dernier ne suffisait pas à expliquer les soirées secrètes des deux hommes. D'ordinaire, Poncey et son frère restaient sur place quand les familles rejoignaient les étés de France et, s'il suffisait d'un peu d'eau pour faire naître dans les campagnes une spectaculaire vie palustre, il suffisait d'un peu de sève, fût-elle contenue par l'âpre carapace de vieux guerriers tels que les Poncey, pour que la débauche naquît à Tassiga. Celle-ci devait être très voluptueuse ou très crapuleuse pour que les deux frères fussent aussi discrets. Je ne sais pas si Poncey était heureux à cette époque-là mais il se montrait vif et gourmand comme un enfant. Pendant les semaines précédant le déroctage, il mangea beaucoup, but de même et s'embarqua pour le chantier avant l'aurore sans attendre les solliciteurs qui venaient de plus en plus nombreux frapper le matin à la porte de son bureau. Si la route était très avancée, si les topos, à la suite de Richard, se déplaçaient au-delà de son terme, si quatre ou cinq sites, au moins, remplissaient les conditions nécessaires pour devenir un camp vie, le cœur du chantier battait au km 100. Là, provisoirement interrompue par un prodigieux éperon de rochers, la route formait une courbe ample de plusieurs kilomètres sur laquelle roulaient sans relâche les hommes et les machines. Poncey aimait la besogne bien faite, tels les ponts, les barrages qu'il avait bâtis autrefois et que l'on pouvait contempler d'un simple coup d'œil, mais il aimait plus que tout la besogne en train de se faire, les tronçons de route étirés sur plusieurs kilomètres, le vacarme des engins, l'odeur du bitume en fusion et la poussière lourde et humide que les explosions faisaient retomber sur lui.

Momentanément privés du bar du Dam, les célibataires finissaient les soirées sur la terrasse. Seul Gilbert ne sortait pas. Il était allongé sur le canapé et somnolait dans l'air poisseux que brassait le ventilateur de plafond. Il dormait tout à fait quand Maurel ou Cormier décidait notre départ pour le Continental ou pour le club. Pendant la semaine, les soirées au club étaient très calmes. Mme Terraz attendait au bar la fin de la partie de tennis de son mari et nous voyait arriver sans joie. Nous avions beaucoup de mal à nous faire servir car les boys dormaient en compagnie de leurs enfants et Mme Terraz n'allait pas les réveiller pour quelques Flag ou passer elle-même derrière le comptoir. Un soir, Maurel insista pour nous emmener au cinéma en plein air. Cormier hésita car il ne voulait pas recevoir une averse en pleine séance. J'hésitai aussi. J'étais déjà allé au cinéma de Tassiga qui projetait des films indiens et je n'avais pas envie de retrouver sur l'écran une ouvrière humiliée par son patron, quittant son village pour une grande ville où elle devient l'esclave d'un vieil usurier avant de faire un beau mariage avec le fils rebelle du patron suborneur. J'acceptai d'assister à une deuxième séance, malgré la poussière, le ciel menaçant, les mauvaises chaises pliantes, le mur qui servait d'écran, frangé aux extrémités, mal repeint et sur lequel avait dégouliné par endroits la gouache puissante de l'Eastmancolor des films indiens, parce que, me dit Maurel, on projetait parfois des films français ou encore des séries B italiennes, américaines, privées d'affiche, de titre, de générique, dépossédées de leurs dialogues par un épouvantable doublage en français et dont les copies arrivaient à Tassiga, rongées par la poussière des pistes, brûlées par les ampoules des projecteurs. Avant la séance, le guichetier faisait glisser une lourde planche entre la file d'attente et sa caisse et passait dans les rangées. Il faisait fuir les femmes assises en proférant des menaces et les adolescents en imitant de larges battements d'ailes avec ses bras. Il soutirait un supplément aux hommes qui voulaient rester et ouvrait une porte sur le côté pour faire entrer ses copains. Il revenait à son guichet et remplaçait la planche de bois par le panneau des tarifs, qui avaient grimpé, à cause de l'heure tardive, de la nature des films. Le public était fait de chauffeurs de taxis-brousse, de mécaniciens, de marchands, de coiffeurs, ainsi que de rares Européens qui venaient une fois au moins, pour voir des agents secrets enfermés dans une cage, des voitures lancées à toute vitesse sur des barrières d'autoroute, des crocodiles affamés et des filles en bikini. En répondant au salut du guichetier, en nous poussant vers l'arrière où les chaises étaient moins inconfortables, en appelant un marchand de cigarettes et de friandises, Maurel nous montra qu'il était un habitué de l'endroit. Comme la bande dessinée consacrée au président Eyadema, et en dépit des tribulations pendant lesquelles ils avaient été égarés, découpés et recollés, les films n'étaient pas sans attraits et, souvent, étaient réalisés avec soin par des professionnels qui faisaient peut-être à côté de respectables documentaires animaliers, des feuilletons pour la télévision, ou ajoutaient de véritables œuvres au septième art.

Maurel prit l'habitude de nous conduire au cinéma une ou deux fois par semaine et, s'il ne pouvait rien contre les pluies denses qui nous firent courir vers la voiture sous un misérable bouclier de carton trouvé par terre, s'il ne connaissait pas le thème du film, il savait en revanche, parce que le guichetier était bavard ou parce que le projectionniste était corruptible, que la copie était entière ou qu'elle ne sautait pas et que la bande son n'était pas complètement morte. Je compris plus tard, en me rendant seul au cinéma et en quittant celui-ci au début de la séance à cause du film qui était un navet sans aucun agrément, que Maurel ne se tenait pas juste informé des conditions techniques mais qu'il demandait à ses complices leur avis sur l'intrigue, sur l'appétit des crocodiles et la taille des bikinis. Les films de Maurel étaient séduisants et scabreux. Ils s'adressaient à des lecteurs de romans-photos, à des cinéphiles sans préjugés, à des voyeurs. L'un d'eux montrait un mathématicien s'évadant d'un pénitencier où l'avaient conduit ses agissements politiques et qui, après avoir dévalé pendant des jours des pentes désertes et abruptes, retrouvait ses frères d'armes dans une université fermée par la dictature. Les frères d'armes attendaient dans un petit amphithéâtre avec des provisions mais le fugitif, qui avait couru jour et nuit sans boire et sans manger, réclama un morceau de craie. Pendant sa fuite, il n'avait pas été torturé par la faim, la soif ou la peur mais par un axiome mathématique qu'il n'avait pu résoudre car il ne pouvait écrire sur l'herbe ou sur le ciel. Après avoir congédié ses amis, il inscrivit l'axiome sur le tableau et s'enfonça dans les démonstrations, couvrant tout l'espace de sa petite écriture, sûr de lui, n'effaçant pas, ne revenant pas en arrière, avançant jusqu'au coin inférieur droit du tableau où la réponse allait s'écrire d'elle-même. Un autre film mettait en scène, dans l'appartement cossu d'une ambassade, une call-girl splendide se déshabillant lentement, prête à se donner à un diplomate britannique silencieux et congestionné, glissant sur le canapé, sur le tapis, se dérobant ensuite en abandonnant à l'étreinte de l'amant enflammé de désir un éphèbe presque nu, immobile dans la lumière. La carrière du diplomate s'effondrait à cause de photos bien cadrées qu'un maître chanteur envoyait quand même à Londres après avoir obtenu de l'argent ou des documents confidentiels et le diplomate, qui n'avait plus rien, finissait par se jeter sous un train. Quelques jours plus tard, dans un épisode symétrique au précédent, un nouveau film montrait une somptueuse bourgeoise fatiguée des hommes au point d'épuiser par ses caresses une jolie étudiante. Les deux femmes s'étaient retrouvées dans la chambre de celle-ci, au dernier étage d'un immeuble. La grande bourgeoise, qui avait un rendez-vous pour ses affaires, se détachait doucement des bras de son amante endormie, se rhabillait maladroitement, sortait sans un bruit et, après avoir appelé en vain l'ascenseur, regagnait la rue par l'escalier. Là, en surveillant le reflet de sa silhouette sur les vitrines, elle y remettait un peu d'ordre, laissait ses mains aller au hasard sur son visage, sous la veste de son tailleur ou dans ses cheveux pendant qu'une charge d'explosifs déposée dans un ascenseur faisait voler en éclats l'immeuble qu'elle venait de quitter.

Le cinéma ferma plusieurs soirs d'affilée à cause des pluies. A la reprise des séances, des branchements enfoncés dans la terre et mal protégés produisirent un extraordinaire court-circuit. La cabine prit feu et le projectionniste s'enfuit en hurlant, des flammes accrochées à sa chemise. Il courut sur les Champs-Elysées avec la certitude d'avoir un démon collé sur le dos. En arrachant la bobine du film qui commençait à prendre feu, un spectateur fit tomber le projecteur. Celui-ci fut réparé dans la semaine par des mécaniciens de la gare routière qui employèrent pour cela des débris de machines à coudre et des courroies d'alternateur. Par malheur, les bobines des films des prochaines séances, entreposées dans un coin de la cabine, avaient fondu comme du chocolat et le cinéma ferma de nouveau. Les cahiers de mes élèves occupèrent mes soirées pendant une semaine et des tirages réclamés par Poncey pour un de ses amis de Paris qui collaborait à une revue de travaux publics occupèrent une autre semaine. Le directeur du chantier, qui passait ses journées sur le site du déroctage, attendait pour m'y conduire que le ciel fût bleu. L'hivernage de Tassiga était moins lourd, moins noir que les hivernages de Bauchi et, si de nombreux paysans avaient quitté le chantier pour les champs, certains étaient restés à leur poste et d'autres y revenaient de temps en temps. Le mauvais temps et la boue provoquèrent des casses de moteurs et des pannes d'engins. Poncey appelait Chevilly pour réclamer des rallonges de crédits. C'était le moment d'avoir des caprices, disait-il, car la Compagnie venait de décrocher de beaux contrats.

Les grandes vacances approchaient et les professeurs français sous contrat de coopération qui avaient obtenu une nouvelle mutation poussèrent devant leur maison les trophées de guerre amassés depuis deux ans, des berlingots d'eau de Javel, des cartouches d'encre, des ramettes de papier, des ventilateurs sur pied, du linge de maison. Certains d'entre eux avaient rempli la moitié d'une pièce avec des rouleaux de papier hygiénique. Des hommes célibataires détenaient plusieurs cartons de serviettes périodiques. L'argent et la pénurie avaient lentement fabriqué ce curieux bazar. La première vague de chalands qui passa sur le marché des coopérants emporta des produits de consommation courante que les caprices de l'approvisionnement avaient rendus précieux. Une deuxième vague acheta pour presque rien des machines à écrire ou des fusils de chasse qui n'avaient jamais servi et qui ne servirent jamais. Ce fut ainsi que Boris dénicha un poste de radio de marque Grundig à ondes courtes, très performant et quasi neuf. Enfin, les professeurs français sous contrat local faisaient une troisième vague qui ramassa le papier à en-tête, les bouteilles entamées, les aspirateurs sans sac, de vieux *Playboy* et des livres. Les commerçants d'un jour parlaient à peine aux amis qu'ils avaient reçus la veille pour fêter leur départ car ils comptaient les billets et enfouissaient de vraies liasses au fond de leurs poches. Rares, pourtant, ceux qui avaient recherché les beaux objets pendant leur séjour à Tassiga. Les plus anciens, qui faisaient l'Afrique depuis vingt ans, ne rentraient plus en France avec des batiks, des bibelots ou des statues en bois d'ébène et les nouveaux avaient vite appris que l'ivoire était introuvable, ou hors de prix, et que l'or clandestin était un médiocre alliage saturé de cuivre. En réalité, les prodigieuses primes d'expatriation étaient d'emblée confisquées par le rêve immobilier et, pendant toute la durée de leur séjour à Tassiga, les coopérants achetaient une seule chose de valeur : un quatre-quatre qu'ils mettaient aux enchères un mois avant leur départ et sur lequel ils ne perdaient jamais d'argent.

13

Avant de répandre les insecticides sur les champs de mil, les aviateurs faisaient des vols de reconnaissance. Un jour, l'un d'eux se posa en catastrophe sur la piste. Aussitôt, les terrassiers, les paysans qui surveillaient le mouvement de l'avion depuis leur champ s'approchèrent et firent un cercle autour de la machine. Le pilote s'approcha du moteur, reçut une fumée blanche et charnue sur le visage, referma le capot en grognant et fit le tour de l'avion pour éloigner les curieux qui mettaient les mains à plat sur le fuselage. Un mécano de l'équipe de Santareno réussit à colmater une fuite de radiateur et, le soir même, après avoir atterri sans dommage à Tassiga, l'aviateur se présenta à la base. Il demanda le directeur, frappa énergiquement à la porte du bureau et entra. Le chauffeur de Poncey, debout tout près et que berçaient les bavardages d'un factotum, fit en vain un geste pour retenir l'intrus. L'aviateur était déjà dans le bureau où il ne resta guère. Poncey le poussait dehors avec des bourrades amicales et des "bon Dieu" sonores et répétés. L'aviateur voulait simplement inviter Poncey au Continental pour boire une bière. Le chauffeur se mêla un instant à la marche des deux hommes avant de s'arrêter et de bougonner quelques mots en haoussa. Il conduisait peu mais il faisait parfois d'utiles commissions pour le compte du chantier auprès des hadj de Tassiga et de Kano. Il restait des journées entières debout contre un mur ou assis sur un banc et les boys du quartier se relayaient dans les couloirs de la base pour faire leur cour auprès de lui. Dans la conversation de leur aîné, ils détachèrent le mot "Américain", qui n'avait pas d'équivalent en haoussa et par lequel le chauffeur de Poncey désigna l'aviateur. Celui-ci montrait un fier culot et pilotait un avion, deux caractéristiques qui suffisaient à faire de lui un Américain. Il possédait aussi, sans le moindre doute, un colt serré sous la ceinture… L'Américain remercia Poncey pour le dépannage de l'après-midi et les deux hommes devinrent amis en buvant des Flag. Poncey apprit que l'aviateur était installé au Continental et qu'il se ruinait en téléphone pour joindre son responsable, à Niamey. Poncey offrit son téléphone et son fax. A son tour, l'Américain proposa d'emmener le directeur à la découverte du chantier à bord de son avion. Pouvait-on imaginer un meilleur observatoire pour découvrir le site d'un camp vie près d'une rivière cachée sous le moutonnement des tamariniers, pour photographier le km 100 avant le déroctage ? Poncey n'en demandait pas tant. Rien ne l'effrayait sur cette terre, croyait-on, ni les animaux, ni les hommes, ni les orages, ni les falaises, ni même les rapides en travers desquels il avait posé des barrages ou les ponts à l'assaut desquels il montait sans peine malgré le souvenir d'une chute terrible. Mais, fût-elle hostile et agitée, la terre était l'unique élément pour lequel Poncey avait une passion. Malgré sa gueule de vieux loup des mers, il ne s'était jamais embarqué à bord d'un bateau long-courrier et personne ne pouvait dire s'il savait nager. Le ciel et les nuages étaient sa phobie. Quand il prenait l'avion, Poncey avait soin de voyager seul, pour qu'aucun de ses proches ne le vît assis au bout de son fauteuil, immobile pendant des heures, les yeux fixés sur un hublot. Il voyageait en classe économique parce que, si les gens rares et éparpillés regardent les autres, les foules ne regardent rien. Bien sûr, Poncey, qui avait montré son courage à plusieurs reprises dans sa vie en tenant tête aux hommes ou aux éléments, pouvait traverser des turbulences sans se faire remarquer, sans dire un mot. Il refusa cependant la proposition de l'Américain en affirmant d'une voix monotone qu'une nuit d'avion pour se rendre en Afrique était déjà beaucoup de fatigue et, qu'une fois arrivé sur ses chantiers, il avait assez de véhicules pour aller d'un point à un autre de ses domaines. Poncey, qui mentait souvent pour éprouver son pouvoir, mentait aussi pour se protéger. L'Américain n'insista pas et, survolant plus tard le site remarquable du déroctage, il pensa que, à défaut d'embarquer à son bord le directeur du chantier, il pouvait partager avec ce dernier les précieuses prévisions météorologiques que lui transmettait le bureau de ses patrons, à Niamey. Poncey demanda clairement du beau temps à son nouvel ami comme si celui-ci, après avoir fait pleuvoir du poison sur les nuées de criquets, pouvait grimper vers les couches supérieures de l'atmosphère et bouter hors du ciel les nuages énormes prêts à s'effondrer sur le chantier.

Peu de temps après leur rencontre, un dimanche soir, au bar du Continental, interrogé sur la météo de la semaine, l'Américain ne dit pas à Poncey quel jour choisir pour le déroctage, les prévisions étant hasardeuses au-delà de trois ou quatre jours, et plus hasardeuses encore pendant l'hivernage, mais il affirma que les deux prochains jours devaient être sans pluie et que c'était le moment de faire des photos. Ce soir-là, avant de rentrer chez lui, Poncey s'arrêta chez les Santareno pour dire au mécanicien de ne pas mettre son fils à l'école le lendemain. Santareno fit le tour du quartier, alerta les autres familles, mais il ne vint pas jusque chez nous. Le lendemain, avant l'aube, Poncey arrêta le Land Cruiser devant la maison des célibataires, descendit de voiture et frappa au volet d'acier de la terrasse. J'étais levé mais je n'étais pas prêt. Comment pouvais-je l'être puisque je ne savais rien... Poncey ne me salua pas par l'habituel "qu'est-ce tu dis ?". Il était mécontent et rouspétait contre Santareno qui avait mangé la consigne. Je retournai dans ma chambre où j'empilai le matériel photo dans mon sac. Bon Dieu, disait Poncey, t'es pire qu'une bonne femme. C'était un jeu. La veille, Poncey avait un peu bu et sa colère au petit matin était feinte. Il était même de très bonne humeur. J'avais compris qu'il n'avait jamais dit à

Santareno de passer à la maison des célibataires pour m'avertir, pour me demander de ne pas rejoindre les enfants ce matin-là. Il voulait simplement fermer le mobile home un jour de classe. Il était le patron, il n'avait pas de comptes à rendre.

Après un quart d'heure sur la tôle ondulée qui reliait Tassiga à Myrriah, Poncey entreprit une longue et minutieuse manœuvre pour aligner le Land Cruiser sur l'empilage impeccable de sables et de bitume qui marquait le km 0, comme s'il ne s'agissait pas d'une voiture à garer mais d'une fusée à installer sur sa rampe de lancement. La route commençait à cet endroit précis et l'annonce de la présence de Poncey fila plus vite que le Land Cruiser lui-même car les badauds quittèrent ensuite les villages et les champs pour nous voir passer. Ils n'osaient pas grimper sur la route, ils marchaient le long des fossés en faisant un signe et ils étaient si loin en contrebas que l'on ne voyait d'eux rien d'autre qu'une main. La route était goudronnée jusqu'aux abords du km 100 et les engins qui l'avaient fait sortir de terre, les paysans qui avaient posé leur part de cailloux, les ouvriers qui l'avaient façonnée, tous avaient disparu. Des femmes, qui revenaient du puits, ou encore des enfants, traversaient parfois, mais à aucun moment Poncey ne réduisit son allure. En appuyant le plat d'une main sur le bombement central du volant, il faisait retentir une sirène nourrie et dense. Les enfants détalaient, les femmes pressaient le pas en serrant prudemment les cruches dressées sur leur tête. Poncey avait fait le projet de rallier le site du déroctage en moins d'une heure, ce qu'il réussit sans peine, vu que la route était lisse et le Land Cruiser, puissant. De rares mécanos français et des chefs d'équipe s'étaient rangés précipitamment sur le bas-côté pour le laisser passer. Poncey répondait à leurs saluts par des grimaces. Bon Dieu, disait-il, qu'est-ce qu'ils foutent ici ? Le compteur marquait 140 kilomètres-heure et Poncey roulait confortablement sur le côté gauche de la chaussée déserte, peut-être parce que sa dernière route se trouvait dans une ancienne colonie britannique ou plus sûrement parce que, en occupant la voie de gauche, il voulait se persuader que personne ne pouvait arriver en face. Et personne n'arriva, en effet. Poncey avait gagné. Pour la première fois depuis le début du chantier, il roula pendant cent kilomètres, sans s'arrêter pour vérifier le travail d'une équipe à son poste, sans ralentir pour essayer de mettre un visage sur une silhouette, un nom sur une voix. Il suivait la ligne droite qu'il avait tracée, la route qu'il avait construite, sa route. Il était seul.

Enfin, il jeta un coup d'œil à sa montre et fit une brusque embardée. Nous étions tout près du km 100. Poncey quittait toujours à cet endroit-là la route goudronnée, qui n'allait pas plus loin. Quarante minutes, dit-il fièrement. Il accéléra et le quatre-quatre avança sur le sable de la piste en louvoyant comme un oiseau prenant le vent. Poncey me montra la route, qui continuait au-dessus, sur la gauche. Pointant ensuite un doigt sur le pare-brise, il désigna dans le paysage infini qui s'étendait devant nous les points que nous avions visités ensemble. Son doigt glissa et s'arrêta dans le feu que le soleil naissant avait allumé au loin. Le camp vie, me dit-il en promenant son doigt dans le halo de lumière. On ne voyait rien, bien sûr, car l'aube avait enflammé la moitié du paysage, car il était impossible, sous ces latitudes, d'opposer son regard au soleil. Le paysage qui défilait à ma fenêtre hésitait encore entre la nuit et le jour, entre le chaos des origines et le chantier. Celui-ci était là, tout près. Pour le contempler, il n'était pas utile de rouler sur la route goudronnée. Oubliée dans une large courbe, la route continuait dans les remblais avant de se heurter à un promontoire sur lequel des silhouettes se dressaient. Plus loin, le chantier plongeait dans un tumulte de lumières que Poncey m'avait désignées quelques minutes plus tôt et dans lequel Gilbert, Lenoncourt ou Richard cherchaient des matériaux granulaires et des sources. Pour rencontrer des hommes au-delà du km 100, pour entendre le bruit d'un engin, il fallait rouler une journée entière. Il fallait savoir se perdre, aussi, et Poncey, comme les autres, s'était perdu. Il l'admettait parfois, au bar du Dam ou chez les Descorches, tu te rappelles, disait-il, quand on s'est retrouvés au poste frontière, sans argent, sans passeport et le réservoir presque vide. Il en riait volontiers et tout le monde riait avec lui. Un sacré souvenir. Il s'en était fallu de peu, pourtant, ce jour-là, que Poncey ne répondît avec ses poings à des passagers qui l'avaient abusé au moyen de cartes fautives ou périmées... Poncey tenait par-dessus tout à faire sauter ce gros caillou incrusté au milieu du chantier qui ralentissait le trajet des hommes et l'acheminement des machines et avait obligé la Compagnie à inventer, dans des bourrelets gorgés de boue, un carrefour absurde au milieu duquel le Land Cruiser s'immobilisa. Là, Poncey, désignant un chef d'équipe et ses hommes qu'un camion venait de déposer et qui marchaient en direction d'une piste supérieure, me pria de les rattraper, de les suivre et de prendre des photos. Mais je me perdis dans la houle que de nombreux véhicules fabriquaient en se doublant, en se croisant. Poncey avait démarré et le chef d'équipe et ses ouvriers étaient passés sur la piste supérieure où des engins que je voyais très bien roulaient au pas. J'avais commencé à faire des photos et achevé un premier film que je ne pouvais enlever sans remplir dans le même temps le boîtier de l'appareil photo avec du sable. Pour échapper à la poussière, j'avais franchi la piste à l'endroit où celle-ci était la plus large et où un chauffeur avait abandonné son taxi-brousse ensablé pour aller chercher de l'aide. Pendant son absence, les passagers s'étaient hissés sur le toit pour attraper des boissons ou des cigarettes et attendaient à l'ombre du véhicule. Le chauffeur revint en marchant à côté d'un pick-up que conduisait Bibi et qui avançait avec des zigzags. Les passagers et les ouvriers du pick-up se mirent au cul du camion et Bibi s'installa au volant. A son signal, les hommes poussèrent, le taxi-brousse rugit, roula un peu avant de se mettre dans un trou. Bibi sauta sur le sol et rejoignit la mêlée, à la place du chauffeur qui reprit son volant. Le taxi-brousse sortit de l'ornière mais s'enfonça encore, à deux ou trois reprises. Bibi avait besoin d'un peu de temps pour réveiller ses muscles, pour donner du souffle au cri qu'il s'apprêtait à faire résonner sur la tôle du taxi-brousse. Quand celui-ci se détacha enfin, grâce aux efforts de tous, on ne voyait, on n'entendait que Bibi, qui poussait, qui criait encore. Le chauffeur démarra aussitôt et ne s'arrêtait plus, malgré les passagers qui couraient derrière. Les plus agiles d'entre eux réussirent à s'accrocher à la galerie et, après une rapide contorsion, s'introduisirent dans l'habitacle par les fenêtres sans vitre. Ils ouvrirent ensuite un battant de la porte arrière et les retardataires, qui couraient encore, échappèrent au naufrage, l'un après l'autre, grâce à une main tendue. Quand le dernier passager fut dans le taxi-brousse, Bibi fit demi-tour et vint à ma rencontre. Il paraissait content et ne détachait pas son regard de l'appareil photo que je frottais minutieusement avec un pan de ma chemise. Qu'est-ce tu foutais là, me dit-il enfin, en m'entraînant vers son pick-up, le Vieux t'attend depuis une heure, il te cherche partout !

Bibi me posa sur un monticule ombragé où Poncey déballait habituellement son pique-nique et où l'avaient rejoint Descorches, Lenoncourt et Marcillat. Il n'y resta pas car sa gamelle était posée quelque part en contrebas, sur le capot d'un pick-up, et qu'il avait du travail. Poncey ne le retint pas. Bibi n'avait pas sa place ici, à ses côtés. Pas encore. De son observatoire, Poncey surveillait les ouvriers disséminés et minuscules, il écoutait le ronronnement familier des engins, le crissement de la pierre qui cédait sous la lame des graders. Les quatre-quatre encore brûlants, stationnés en éventail, faisaient un petit enclos à l'intérieur duquel Poncey et ses proches avaient établi leur bivouac. Au “qu'est-ce tu dis ?” amical et enjoué que m'adressa Poncey, Descorches, Lenoncourt et Marcillat comprirent que, malgré la poussière incrustée dans les mailles de mes vêtements ou dans les pores de ma peau, malgré mon pas hésitant, ma voix faible, j'avais accompli dans la matinée une mission dont ils ne savaient rien mais qui me valait les bonnes grâces de leur patron. Les trois hommes, assis sur leur glacière, se dressèrent ensemble pour prendre une part de leur repas et me la donner. Descorches et Lenoncourt, à l'imitation de Poncey, se protégeaient du soleil, qui pénétrait l'ombre des dernières branches et arrivait à la verticale sur eux, avec de vieux bobs fripés et aplatis qu'ils posaient simplement sur leur crâne, comme un mouchoir. Accroupi sur sa glacière, les mains dans sa gamelle, Marcillat restait nu-tête. Ses cheveux serrés et noirs filaient en vagues lisses et ses yeux disparaissaient sous les replis burinés qu'une grimace ancienne portait vers le haut du visage. Les mâchoires puissantes et carrées de Marcillat avaient bougé une seule fois dans la vie de celui-ci : pour fabriquer ce visage torturé et dur, effacer la lumière du regard et comprimer la chair des lèvres. C'était une vraie gueule des TP, une façade de béton pour l'élaboration de laquelle Marcillat avait mis un peu de coquetterie et que la surprise, les émotions, la douleur ne pouvaient déformer. Les quatre hommes se penchèrent pour attraper leur Coleman* de cinq litres, burent de grandes rasades d'eau et n'attendirent pas la fin du repas pour aller pisser derrière un arbre. Marcillat attrapa à l'arrière de son quatre-quatre un poste de radio qu'il posa sur le capot en répétant bon Dieu, c'est chaud. Ses pas et ses gestes étaient lents et maladroits. Il parvint pourtant à obtenir un peu de musique en faisant tourner l'antenne doucement au-dessus du poste. Il n'y avait plus de bruit. Au loin, les chemins, les rochers, les engins se détachaient lentement de la poussière qui les avait enveloppés. Poncey cherchait ses équipes et prononçait des noms : Santareno, Bibi, Doucet, Morelli ou encore Ousmane, Demba, Traoré. Les ouvriers s'étaient rassemblés au pied d'un rocher ou autour d'un arbre et, à l'imitation de leur chef, faisaient une pause. Pendant ce temps, Descorches servait du café dans le bouchon de sa bouteille Thermos et le bouchon allait de l'un à l'autre. C'était un café de campagne, fort, amer et sucré que chacun but en faisant la grimace. Sans quitter sa place, Marcillat se tourna vers le poste de radio pour assister au jeu d'érudition extrêmement populaire que Radio France Internationale retransmettait tous les jours avec un léger différé. Poncey parlait avec Lenoncourt et Descorches et, quand le jeu commença, il baissa la voix, comme si Marcillat, recroquevillé sur sa glacière,

* Bidon isotherme.

s'était assoupi. Marcillat ne dormait pas mais, pendant les quinze minutes du jeu radiophonique, il fut bercé par la voix chantante de l'animateur, par le tintement régulier du triangle comptant les secondes. Son menton frottait doucement sa poitrine dans un lent mouvement d'horloge. Pour entendre la question, Marcillat, sans décoller ses fesses de la glacière, redressait le torse et dirigeait son oreille vers le poste de radio. A deux ou trois reprises, il donna la bonne réponse, en hurlant comme un prévenu qui clame son innocence, et se tourna vers Poncey et les autres qui ne le regardaient pas, vers moi, le maître d'école, qui ne disais rien. Le candidat interrogé à des milliers de kilomètres, vaincu par une question ardue, prononçait doucement des réponses au hasard, mais Marcillat s'était levé et n'écoutait plus. Poncey, intrigué par le manège d'une voiture sur la piste, avait demandé ses jumelles à Descorches et avait vu sa 504 échouée sur le sable, reconnu son chauffeur debout, faisant des signes. Bon Dieu, disait-il, qu'est-ce qu'il fout là… On ne sut comment Bibi, depuis la cluse obscure où il s'était enfermé pour étudier la zone, avait appris que la 504 s'était enlisée, comment il avait pu la dépanner mais, moins d'une heure plus tard, il conduisit la voiture et le chauffeur de Poncey sur le monticule. Le vieux hadj avait revêtu les habits d'apparat qu'il portait à l'occasion des rendez-vous chez le préfet. Il ne transpirait pas. Il n'était pas essoufflé. Il n'avait pas faim et soif comme nous qui avions abordé le monticule pour boire l'eau des Coleman et vider des glacières… Poncey avait pour son chauffeur beaucoup d'égards et il en eut plus encore quand il le vit debout devant lui, dans le cœur brûlant et poussiéreux du chantier où il ne lui avait pas demandé de le suivre. Il savait surtout que le hadj, qui ne traversait jamais un couloir de la base sans avoir un message de première importance à donner à Hébert ou à Maurel, avait fait plus de cent kilomètres pour arriver jusqu'à lui. Alors, d'une voix calme, avec des mots choisis, une syntaxe irréprochable, semblable à un ministre parlant au micro, à un notable répondant à une accusation devant un tribunal, le chauffeur raconta. Bart, commença-t-il, avait eu une attaque dans l'avion qui l'emmenait à Niamey, et s'il n'était pas mort, c'était grâce à l'intervention d'un infirmier qui se trouvait à bord. Les médecins de l'hôpital de Niamey, que l'on dépêcha dans l'avion, pendant l'escale, l'auscultèrent et renoncèrent à l'admettre dans leur service. Ils préféraient voir Bart rester dans l'avion qui poursuivait son vol jusqu'à Abidjan. Là, se trouvait assurément un service de cardiologie performant et moderne ou, à défaut, un avion sanitaire capable de rapatrier Bart en quelques heures. Poncey ne disait rien. Il rassemblait toutes les forces de son corps pour rester droit, pour contenir ses sentiments. Il importait avant tout que le messager, fût-il son chauffeur, son domestique, ne vît rien de sa détresse et qu'il rejoignît Tassiga dans les meilleures conditions. Poncey demanda à Bibi d'accompagner le chauffeur jusqu'à la route, et au-delà, si c'était nécessaire. Puis, d'une voix à peine audible, il déclara qu'on avait assez perdu de temps comme ça et qu'il fallait en finir avec la caillasse du km 100, qu'il était temps de tout faire sauter.

Et il fit tout sauter sans attendre, en effet. Deux jours plus tard, il retint une petite équipe au km 100 et, avec elle, patienta jusqu'à la nuit. Il assista au déroctage depuis le monticule en dînant avec Bibi et lui seul. Bibi, qui avait mis au point un système de signaux pour donner des ordres à ses hommes, déclencha l'explosion quand l'obscurité fut totale. Quelques ouvriers attardés coururent sous une pluie de graviers et un bloc de pierre de la taille d'une culasse tomba sur le capot d'un pick-up. Il n'y eut aucun blessé et personne pour prendre des photos. Dans les jours qui suivirent, Poncey appela la clinique de Paris où était soigné Bart. Celui-ci se portait assez bien et pouvait vivre encore de longues années à condition de ne pas monter dans un avion. Poncey s'emporta d'abord contre la compagnie aérienne, contre les autorités locales qui avaient traité son ami comme un pestiféré. Après son malaise pendant le vol de Paris à Niamey, Bart avait besoin d'un lit, pas d'un avion et l'avion l'avait épuisé. Mais il affirma ensuite que Niamey était un village, que les médecins de l'hôpital avaient décroché leur diplôme à Novossibirsk, et que, les avions sanitaires traversant la moitié du monde en moins d'une demi-journée, il était heureux de savoir son ami à Paris. Enfin, il se tut et personne ne se risqua à poser des questions. Désormais, seul comptait le chantier et, en menant à bien le déroctage, Bibi avait fait sauter un sacré verrou. Poncey mobilisa plusieurs équipes pour relier les deux tronçons que l'éperon rocheux avait séparés. La jonction faite, Poncey embarqua Bibi dans le Land Cruiser, se posta méticuleusement sur la rampe de départ, à Myrriah, roula pied au plancher sur le côté gauche de la route et arriva au km 120, moins d'une heure après.

Poncey avait fait en vain des démarches auprès de l'inspecteur du travail pour éviter l'expulsion de Cormier. Celui-ci quitta Tassiga vers la fin du mois de juin et avec lui partirent les premières familles. L'école se vida avant le jour de la sortie. Je n'étais pas pressé de rejoindre les couloirs de la base pour faire l'inventaire des pneus, des vilebrequins et des silencieux de pots d'échappement, mais je redoutais les journées de vide et d'oisiveté. J'étais trop jeune, trop maladroit, pour greffer sur mes nombreuses lectures le chantier d'un roman, ce que je fis sans succès à mon retour en France, et j'avais cédé comme les autres au ronronnement de la maison des célibataires, à l'opulence de ses trois frigos toujours remplis, à la tutelle débonnaire de Cormier, de Maurel ou de Gilbert. Le soir qui suivit le départ de Cormier, Poncey prit la place de celui-ci, à notre table. Sa femme et son fils étaient partis pour la France et il était seul avec des boys, des cuisiniers, avec son frère Richard. Il fut question des chantiers d'autrefois, des orages et des coulées de boue, des chefs que l'on avait bernés, des femmes que l'on avait prises. Poncey faisait à nouveau son camp vie avec des miettes sur le bord de la table mais il ne poussait plus des engins ou des cailloux, il poussait des hommes. Il s'interrompait pour laisser un peu de place à Descorches et Bibi, pour remplir les verres et les assiettes. Je mangeais avec beaucoup de précautions et hésitais à boire frais car une carie me faisait souffrir. Poncey remarqua la charge de nourriture que j'entreposais sur le côté de la bouche et que je déglutissais après une lente mastication. T'as mal aux dents ? Non, c'est rien... Comment pouvais-je faire état d'une carie devant ces anciens bagnards qui avaient cassé des cailloux et qui soulevaient le cul des pick-up sans se briser les reins ? Ça va passer, dis-je d'une voix faible... Non, les caries ne passent pas, tu vas pas rester comme ça...

Tous les Européens de Tassiga savaient que, pour accéder à l'unique cabinet dentaire du département, il suffisait d'aller au bout du rez-de-chaussée de l'hôpital, de frapper à la porte du dentiste russe et d'attendre que celui-ci eût fini d'enterrer son dernier patient ou, à défaut, la bouteille qu'il venait de vider. En traversant le grand jardin de l'hôpital où campaient les familles de malades et que traversaient les chiens errants de la ville, je pensais que, en me rendant à la consultation, j'obéissais moins à ma douleur qu'à Poncey. La foule qui habitait l'entrée de l'hôpital faisait une vague serrée qui se refermait derrière moi. Il n'y avait personne au bout du couloir et je crus un instant que le dentiste était absent. Mais le Russe était derrière la porte. Une carie, lui dis-je bêtement, comme s'il s'agissait d'un mot de passe. Le dentiste me fit entrer, me conduisit vers un fauteuil antique et se pencha sur moi. Il avait une cinquantaine d'années, il était blond et bien peigné. Le col de sa chemise blanche dépassait de sa blouse, impeccable et raide. Le dentiste ne sentait pas la vodka mais la lotion après-rasage. Je voulus alors me persuader que l'homme était doux et inoffensif, que son cabinet était vide puisque rien, dans l'alimentation sommaire et saine des gens du pays, ne gâtait les dentitions, puisque les Blancs ne fréquentaient pas plus l'hôpital que la bibliothèque du centre culturel français. J'en déduisis que, si le dentiste n'avait pas de clientèle, ce n'était pas parce qu'il était mauvais praticien mais parce qu'il était bon. Le dentiste trouva la carie et y enfonça l'acier de son grattoir. Il maintint la pression de longues secondes pendant lesquelles, rendu muet par ma bouche grande ouverte, par la salive accumulée au fond de ma gorge, mon corps dérisoire de hanneton renversé agita tous ses membres. Le dentiste me montra ensuite la fraise mollement accrochée au bout d'un câble, m'annonça dans un français hésitant mais correct qu'il ne pouvait pas me soigner à cause de la fraise qui ne marchait pas. Et ce furent les seuls mots qu'il me dit, la seule phrase qu'il savait dire en français, les seuls gestes qu'il employait, simples et fonctionnels, pour décourager les rares patients. Par la suite, je m'efforçai de croire que je ne souffrais de ma carie que si on enfonçait un pic dans la dent et que, en ayant soin d'épargner à celle-ci les travaux de mastication, la douleur pouvait s'en aller comme une migraine. Je souffrais beaucoup moins depuis que le geste du dentiste avait défini le point culminant de la douleur et j'étais prêt à attendre mon retour en France, dans moins d'un an, pour me faire soigner. Mais l'incident fut porté à la connaissance de Poncey. La carie ne l'occupa que quelques minutes, comme l'occupait une erreur d'ajustement dans un coffrage ou un problème de liant. Il téléphona pour obtenir un rendez-vous auprès du dentiste haïtien de l'hôpital de Maradi, à deux cent cinquante kilomètres de Tassiga, mit à ma disposition sa 504 et son chauffeur. Trois consultations étaient nécessaires, deux suffirent. Mille kilomètres. Pour la première fois depuis mon arrivée, je pris la route de Niamey et roulai sur le tronçon initial de la RN 1 où je m'étais endormi, dix mois plus tôt, après quinze heures de route, quand j'avais quitté Niamey à bord d'un bus de ligne. L'hôpital de Maradi ressemblait à celui de Tassiga : une vaste construction plate et aérée qu'entourait une immense aire où campaient les familles qui avaient abandonné leur village pour vivre à proximité d'un père, d'un grand-père ou d'un chef de canton. Les chirurgiens vaccinaient et amputaient. Rien d'autre. La médecine locale ne connaissait pas de moyen terme entre la prévention et l'ablation. Le dentiste haïtien avait un diplôme américain, du matériel en bon état et des patients qui somnolaient dans la salle d'attente. Il avait installé à une petite table une fille de salle qui plantait des morceaux de papier sur des piques de fer alignées et réveillait les patients pour les faire entrer. Je n'eus pas l'occasion de m'asseoir dans la salle d'attente car Poncey avait exigé et obtenu des heures précises pour les rendez-vous. Les deux séances de soins exigèrent moins d'une heure. Le dentiste ne me demanda pas mon nom et ne réclama pas d'argent, mais, à la fin de la seconde séance de soins, il écarta fermement ma mâchoire inférieure avec ses doigts, fit un long examen de mes dents et, son visage tout près du mien, me dit que Poncey avait téléphoné pour donner l'adresse à laquelle le mémoire des soins devait être envoyé et qu'il avait insisté pour connaître l'état de ma dentition.

14

Début juillet, Boris, certains coopérants, les gens de la Compagnie et la plupart des Européens avaient quitté Tassiga. Les professeurs sous contrat d'expatriation qui avaient fait deux ans ici ou encore les Petit, qui se rendirent au Cameroun sans passer par Paris, étaient partis pour de bon. Le programmeur partit aussi en jurant ses grands dieux qu'on ne le reverrait pas de sitôt et Poncey ne le retint pas. L'ordinateur était une idée de Chevilly, il pouvait prendre feu ou s'éteindre, cela n'avait plus aucune importance. Le chantier tourna au ralenti, avec des cadres fidèles, des employés sans enfants. Les autres étaient en France et surveillaient les travaux de leur maison, se chamaillaient avec des artisans moroses, s'asseyaient au chevet de parents moribonds et sourds. Ils étaient partis le plus tard possible, mais ils étaient partis quand même. Les Santareno, qui n'avaient pas voulu cadenasser leur maison de Tassiga, avaient confié les clés au gardien et s'en allèrent ensemble : le père, la mère, les enfants, dont l'aîné, sacré par mes soins meilleur élève de la classe. Les Descorches restèrent à Tassiga, puisque Poncey y restait, Bibi aussi.

Gilbert, Marcillat, que Poncey avait essayé de retenir, prirent tout de même un avion.

L'aviateur chargé de répandre le pesticide reçut le renfort d'un mécanicien qui arriva un dimanche et fut conduit immédiatement au club. Mme Terraz avait insisté pour que, après le repas, le dernier de la saison, l'on dansât et Mme Lenoncourt, souriante et brune, dansait au milieu des convives alourdis et maladroits. Elle accompagnait la musique de brusques convulsions comme si, après un an de minibus dans les odeurs de transpiration et de café froid, après un an d'épingles plantées sur sa peau par des couturiers empressés, elle avait besoin de s'ébrouer à la façon d'un chien s'échappant de la boue d'un marécage. Le mécanicien la remarqua aussitôt sans penser un instant que, au-delà de Mme Lenoncourt, il y avait un mari qui attendait dans l'assistance. Lenoncourt buvait des whiskies et des Flag au bar en regardant distraitement les danseurs. Il ne vit pas l'inconnu qui se frayait un chemin dans le remous puissant des fessiers et il n'eût certainement pas bougé si un convive ne s'était approché pour lui dire qu'un inconnu allait lui soulever sa femme. Lenoncourt quitta le bar et se dirigea vers la piste de danse. Le topo ressemblait un peu au chanteur Claude François. Rien, en lui, n'évoquait la rude physionomie de Poncey, de Richard ou de Marcillat. Mais Lenoncourt, dressé sur la pointe des pieds, le cou enfoncé dans les épaules, le menton droit et le visage congestionné, s'approcha du mécanicien et donna immédiatement des coups désordonnés qui n'atteignirent pas leur but. De bon cœur, le mécanicien, qui était assez audacieux pour tenter de séduire une fille le jour de son arrivée et assez raisonnable pour ne pas insister auprès d'elle et qui faisait marche arrière comme s'il s'efforçait d'échapper à un essaim d'abeilles, prononçait des paroles d'excuse et les convives rassemblés autour des deux hommes disaient des plaisanteries en souriant. Un dernier coup, le plus violent, tomba dans le vide et Lenoncourt tomba avec. Il était ivre mort. On conduisit le topo à son quatre-quatre et on l'allongea avec des gestes lents sur la banquette arrière. Mme Lenoncourt s'assit ensuite à l'avant, le buste collé au volant et démarra. Le lendemain, Lenoncourt accompagna sa femme et son fils à l'aérodrome. L'incident était clos. Ce jour-là, presque toutes les femmes de la Compagnie attendaient le Fokker. Les hommes empilaient les bagages sur un chariot et les factotums commençaient à faire rouler la passerelle sur la piste. Quand le Fokker atterrit, un groupe se forma autour de Mme Hébert. Celle-ci, pendant la courte pause qu'elle fit au sommet de la passerelle, eut soin d'arrêter ses amies à qui elle confia, sans prendre le soin de parler à voix basse, que la jeune Mme Lenoncourt était une dégoûtante petite allumeuse.

Mme Hébert quitta Tassiga mais Hébert resta encore près d'un mois. Avant de reprendre mon service à la base à ses côtés, Bibi et Descorches m'assurèrent que Hébert allait me f… une paix royale puisque j'avais fait les photos du chantier et que j'avais ma place sur le camp vie. Hébert avait son bureau au fond d'un couloir, une pièce obscure et sans aération dans un coin de laquelle je m'étais installé, dix mois plus tôt, pour compter les écrous Caterpillar. Rien n'avait changé. Ou presque. Le bas du placard et le bas du bureau étaient cabossés comme une portière de pick-up car Hébert donnait régulièrement sur le mobilier des coups qu'il ne pouvait donner ailleurs. Hébert était assis à son bureau quand je vins reprendre mon service. Il paraissait amaigri, blafard et avait perdu sa moustache. Je ne l'avais pas rencontré depuis des mois. Tout au plus, à l'occasion de mes rares passages à la base, l'avais-je vu mettre en fuite des ouvriers attroupés, faire pleuvoir le contenu d'une caisse à outils sur le capot d'un pick-up. Mais il était loin et ne songeait guère à me saluer. De toute façon, il ne me voyait pas. Hébert n'allait pas souvent au club et ne s'aventurait jamais à la maison des célibataires ou au bar du Dam. Aux yeux des conducteurs de travaux, des chefs d'équipe et des topos, les gens de l'atelier étaient des gnomes sournois. Il me fut impossible de savoir si c'était le feu de la cigarette ou le feu du rasoir qui avait emporté la moustache de Hébert. La moustache devait être peu de chose sur ce visage pour que son absence ne se vît pas au premier coup d'œil. En disparaissant, elle avait laissé apparaître un mégot plus ancien et plus noir que tous les mégots qui l'avaient brûlée jadis et sur lequel la bouche de Hébert ne faisait glisser aucune salive, aucun souffle. Hébert me désigna dans un coin de la pièce un bureau sur lequel je reconnus le monstrueux catalogue Caterpillar. En m'asseyant à mon nouveau bureau, je pensai au Fokker rempli de passagers qui roulait lentement et décollait tout au bout de la piste. Il était minuscule et fluide dans l'air brûlant... A aucun moment, depuis ce dernier jour de classe pendant lequel les enfants, faisant la promesse de m'écrire aussitôt arrivés en France, m'avaient demandé mon adresse à Tassiga – ils ne furent étonnés d'apprendre que tous les employés de la Compagnie étaient domiciliés à la même boîte postale et que nous avions donc la même adresse –, à aucun moment je n'avais eu envie de partir avec eux... Un peu avachi sur ma chaise, je n'étais pas pressé de trouver de l'ouvrage et Hébert ne semblait pas pressé de m'en donner. Pour l'instant, pendant que Moussa recopiait une commande sur un bout de papier, il parlait des jerrycans qui disparaissaient l'un après l'autre. Il était curieux de savoir combien il pouvait en rester dans la réserve et, se tournant vers moi, me demanda d'aller compter. Je lui répondis sans attendre qu'il n'avait qu'à aller compter lui-même. Hébert se leva brusquement et gagna le couloir en affirmant qu'il était seul à se taper tout le travail. Je n'avais eu aucun mérite à parler ainsi. Pour que ma réponse fût un exploit, il eût fallu mettre un peu de réflexion avant ces mots, et je n'avais pas réfléchi. Mais ma nonchalance était passée aux yeux de Hébert pour de la révolte et cette révolte me servit ; à partir de ce temps-là, Hébert me laissa tranquille.

Les boulons du catalogue Caterpillar posé sur mon bureau avaient été répertoriés, comptés, acheminés vers l'atelier ou encore vers les équipes de brousse pour être broyés par les machines et les machines roulaient désormais au prix de rafistolages savants. Poncey finissait sa route sans changer ses engins ni ses outils. La Compagnie, disait-on, commençait à lui refuser de l'argent, mais il y avait longtemps qu'il ne mettait plus son nez dans les comptes. Je partais parfois avec Moussa à l'autre bout de la ville pour entasser des bidons de lubrifiant à l'arrière d'un pick-up. Plus rarement, j'allais en brousse avec le break 504 de Hébert afin de livrer une pièce indispensable à une équipe de mécanos au km 120 ou au-delà et je roulais sur la route neuve, je doublais le cap rocheux que Bibi avait fait sauter et je ne voyais pas les remous de sable où je m'étais perdu quelques jours plus tôt. Un mécanicien m'attendait à un endroit précis de la route, prenait une pièce dans le coffre de la voiture et s'enfonçait dans la brousse. Le plus souvent, Hébert laissait sur mon bureau une liste à l'intention des fournisseurs. Des heures perdues chez les revendeurs. J'avais compris qu'il restait assez d'argent dans les caisses pour me faire acheter des choses sans intérêt, que j'étais moi-même tout à fait inutile. Enfin, Poncey, qui avait rassemblé les clichés de son chantier et n'en voulait pas d'autres pour l'instant, ne m'emmena plus en brousse.

Le centre culturel français avait fermé pour deux mois et j'étais à court de lecture. Il y avait dans le centre de Tassiga, tout près du magasin de tissus d'Edouard, une papeterie qui restait ouverte malgré la fermeture du lycée et où l'on trouvait un livre français, *Le Rouge et le Noir*, et un auteur étranger, traduit en français : Slaughter. Les deux m'étaient familiers. Le premier parce qu'il tient sur la pyramide où l'on place les chefs-d'œuvre de notre langue et que je l'avais déjà lu et le second parce que ses livres occupaient deux étagères dans la bibliothèque d'une de mes tantes. Celle-ci avait un logement de fonction surchauffé tout près d'une clinique dont elle était l'infirmière en chef et les visites que nous lui faisions autrefois étaient assez longues et ennuyeuses pour que me vînt l'envie de prendre un livre. A côté des best-sellers ayant pour cadre les hôpitaux et pour personnages médecins et infirmières, Slaughter avait écrit une quantité de romans de flibuste et de marine que ma tante achetait à l'exclusion des premiers, curieusement, et que je lisais avec assez de plaisir pour retourner chez elle sans rechigner. Les mêmes livres se trouvaient sur l'étalage de la papeterie de Tassiga, dans un format différent, et il me fut impossible de savoir pourquoi, dans la masse des titres disponibles en langue française, il y avait ces livres-là et pas d'autres, impossible encore de savoir si c'étaient les romans de Slaughter qui me passionnaient ou cette fenêtre que le hasard ouvrait une nouvelle fois sur mon enfance. Je relus *Le Rouge et le Noir* et trois ou quatre romans de Slaughter puis Maurel me conseilla de visiter l'ancienne bibliothèque du club. Les livres étaient éparpillés dans une grande pièce et les rayonnages de bois sur lesquels ils reposaient autrefois avaient disparu. Les boys les avaient emportés pour faire le feu qui cuisait le repas de leur famille. Les odeurs de plantes grasses, d'épices, de barbecue, les odeurs de popote issues de la caserne toute proche n'avaient pas pénétré la pièce. Les livres oubliés ont tous la même odeur et ce fut cette odeur de poussière et de papier humide, familière parce que j'aimais assez les livres surpris dans les greniers, qui leur servaient de mouroir, ce fut cette odeur que je reconnus en entrant. Il y avait dans la bibliothèque du club, comme dans ces coupes que les géologues font dans les strates d'un terrain pour déchiffrer l'histoire d'un paysage, trente années de publications en langue française que les achats et les donations d'adhérents avaient soigneusement étoffées. C'étaient les livres de poche des années cinquante et soixante, les romans de Cronin, de Guy des Cars, *La Mousson* de Bromfield, *Le Petit Monde de Don Camillo*. L'illustration de couverture de chacun de ces livres avait l'aspect familier des façades de maisons devant lesquelles on passe sans s'arrêter. Petit et d'autres avaient ajouté des livres de maître Isorni, opuscules à la gloire du maréchal Pétain que je feuilletai comme les autres. Et puis, sur la page de garde d'un livre de souvenirs dont les feuillets n'avaient pas été coupés et qu'un haut dignitaire du régime de Vichy, Xavier Vallat, avait publié en 1947, quelqu'un avait écrit : “Je me demande comment une telle saloperie a pu arriver jusqu'ici…”

J'empruntai trois ou quatre romans au hasard, relus quelques livres empilés sur le sol de ma chambre. Je plongeai dans les pages locales des vieux

Ouest-France que Gilbert avait oubliés à côté du canapé, mais jamais je ne défis la bande des journaux qui s'amoncelaient en l'absence du topo comme si, accoutumés aux livres usagés du centre culturel, du club ou à mes propres livres, mes doigts ne voulaient toucher rien d'autre que du vieux papier. Peut-être commençais-je à m'ennuyer sans les enfants, peut-être aussi le départ de Cormier et l'absence de Gilbert avaient-ils rompu le fonctionnement de la maison. Le cuisinier venait plus tard que d'habitude et les tapis à l'entrée des maisons attiraient moins de monde le soir. Les frigos étaient à moitié remplis et ne sentaient plus la mangue mûre. Descorches et Poncey s'arrêtaient encore mais ils ne restaient plus pour dîner. J'occupais mes soirées à la lecture, à la rêverie… Le cinéma n'avait pas rouvert et je me risquais parfois jusqu'au bar du Dam qui était fermé. La nuit exprimait un peu de la pluie que retenait la terre et le silence avait succédé au calme. Les détours que je suivais m'empêchaient de croiser les professeurs français sous contrat local qui rentraient du club. Le quartier était désert bien que les entrepreneurs locaux l'eussent doté en quelques mois d'une bonne dizaine de maisons. En s'étendant au-delà des maisons louées par la Compagnie et en s'enfonçant dans la brousse, Tassiga échappait depuis peu à Poncey. Poncey ne voyait rien. Ayant appris que Chevilly avait abandonné les projets de ponts sur le fleuve Niger et les travaux de voirie à Niamey, il imaginait la Compagnie implantée dans les immensités du Tchad. Il ne voulait pas perdre de temps. Il y avait en France des patrons qui le trouvaient usé, trop vieux pour faire de lui un pionnier, et des concurrents sans rêves, sans folie, prêts à prendre sa place.

Pendant mon second séjour à la base, j'évitai Poncey ou encore les orages et la boue en restant dans le bureau de Hébert, en m'échappant pour aller faire des photocopies, pour rejoindre Maurel dans ses expériences sur les cailloux. Le plus souvent, je me trouvais seul devant le décompte des plaquettes du beurre du Tyrol, qui arrivaient encore malgré le départ des familles pour la France, des litres d'eau de brousse que les camions du chantier faisaient couler dans le réservoir des maisons inoccupées et que dérobaient les gardiens et les voisins. Le bruit des averses m'atteignait, un bruit lointain comparable à ces conversations animées que l'épaisseur des murs transforme en chuchotements. Hébert traversait le parking de la base et entrait dans le bureau, dégoulinant et essoufflé. Il jurait bruyamment après le mauvais temps, les flaques, les voitures qui tombaient en panne n'importe où, avant de marmonner entre ses dents des reproches à l'adresse des malins restés au sec. Il m'arriva pourtant de rencontrer le déluge de l'autre côté de la ville, non loin de l'aérodrome, quand j'allais prendre de l'huile au dépôt des lubrifiants. Les premières gouttes tombaient alors que Moussa serrait une courroie autour des quatre bidons embarqués à l'arrière du pick-up. Pour rentrer à la base, celui-ci ne pouvait éviter une descente que l'orage transformait subitement en torrent. Je m'arrêtais à grand-peine en me dressant sur la pédale de frein, en bifurquant doucement le long d'un talus. Moussa courait vite à l'arrière pour vérifier la courroie qui entourait les bidons et, quand il remontait, il était aussi mouillé que Hébert après la traversée de la grande cour. Autour de nous, Tassiga et son quadrillage monotone de maisons en banco et d'entrepôts grisâtres étaient ensevelis sous les vents bruns. L'orage durait assez longtemps pour que la ville fût rendue à la tutelle de la brousse, pour que s'effaçât le tamis régulier des champs de mil. Le paysage originel qui s'étendait aux confins du panorama allait gagner la ville, les rues, le marché, la grande mare des vieux crocodiles, s'il n'y avait eu, perçant les brumes de leurs phares, les Land Rover de l'armée qui roulaient dans l'orage. Fragile et récente, la République avait subi des revirements spectaculaires et violents et ses dirigeants, qui vivaient dans la hantise d'un complot ou d'un attentat, envoyaient des soldats en reconnaissance dans les villes dès que la nuit ou la colère des éléments dissimulaient les casernes, les bâtiments officiels et les aérodromes. L'orage prenait fin au bout d'une vingtaine de minutes. La lourde nappe de pluie remontait vers le ciel en arrachant au sol les volutes tièdes des derniers boucanages. Les rues et les édifices étaient méconnaissables mais les voitures qui, comme la nôtre, avaient stoppé pour ne pas faire naufrage, recommençaient à rouler et les Land Rover de l'armée allaient à leurs côtés, en passant très vite sur les talus avant de plonger sans ralentir sur le revêtement difforme des rues détrempées.

Le cinéma rouvrit à la fin du mois de juillet, mais à peine vit-on à l'affiche de nouveaux films que la préfecture, alertée par de récents rassemblements nocturnes à Niamey, décida de multiplier le prix des tickets par dix. Les habitués, qui avaient cru à une erreur, s'attroupèrent devant le cinéma, et quand l'un d'entre eux, parlant plus fort et plus habilement que les autres, se détacha du groupe pour dire sa colère, un Land Rover s'arrêta tout près de lui. Peut-être les soldats le jetèrent-ils deux rues plus loin dans un petit troupeau de chèvres... Peut-être le retinrent-ils deux semaines en prison ou le renvoyèrent-ils dans le lointain village de brousse où il était né... De toute façon, il ne reparut pas. Le lendemain soir, il fut possible d'acheter une place sans faire la queue. Nombreux furent ceux qui, dans la colonie européenne, découvrirent le cinéma de Tassiga quand le prix de l'entrée fut conforme à celui des salles françaises. Les sièges étaient inconfortables, l'image et le son de mauvaise qualité mais la grande salle en plein air était à moitié vide, le caissier ne faisait plus entrer ses copains par une porte dérobée et la programmation avait évolué. Des films récents et de qualité séduisirent les rares Blancs de Tassiga qui virent chacun d'eux trois ou quatre fois. Les Blancs n'étaient pourtant pas seuls, certains habitants de Tassiga étaient assez riches pour aller au cinéma malgré les nouveaux tarifs et d'autres qui s'y rendaient une dizaine de fois chaque mois y venaient toujours, mais moins souvent. Tous ceux qui, naguère encore, bavardaient sans cesse du début à la fin du film, parce que le cinéma était simplement une annexe de la rue, se contentaient désormais d'exprimer à haute voix leurs sentiments, pour eux-mêmes, sans se soucier des amis assis à leurs côtés. Un soir, pendant la projection d'un film de Truffaut, l'un d'eux, lassé de voir les personnages marcher dans les coulisses d'un théâtre, s'introduire dans une loge et en sortir, se leva et, plaçant sa silhouette au milieu de l'écran, cria : "De l'action, m… !" J'avais vu le film à sa sortie, peu de temps avant de partir pour Tassiga, et je me rappelai qu'il y avait une scène d'action, inspirée par la gifle historique que Jean Marais avait donnée au critique Alain Laubreaux, pendant l'Occupation. Je me plus alors à attendre la scène de la gifle comme si je devais ce souvenir à la réaction du spectateur ou comme si, à l'instar de ce dernier, je commençais à m'ennuyer. La scène ne vint pas. Le film était incomplet. Une bobine avait coulé à la façon d'un ice-cream dans un projecteur, à Niamey ou à Maradi, elle s'était mélangée à un film de série B, égarée sur la galerie d'un taxi-brousse…

Pendant le mois d'août, les pluies de l'hivernage se compliquèrent de nuées de criquets pèlerins. Les insectes cherchaient la clarté et, avant de remplir le cône blafard des rares lampadaires dressés sur les talus du centre-ville, ils voletaient au hasard des lumières médiocres, se heurtaient à l'écran de ciment mal blanchi du cinéma, au pare-brise des voitures. Le battement incessant des ailes maintenait en l'air des bêtes repues et lourdes. Les plus agiles grimpaient tout près des ampoules, d'autres tombaient et ne bougeaient plus. Les badauds les poussaient du pied comme des mégots. Des soldats passaient en Land Rover devant le cinéma et ne s'arrêtaient pas. Ils pensaient qu'il n'y avait pas d'attroupement tant que les Blancs faisaient une petite troupe devant le cinéma, qu'il n'y avait pas le moindre risque d'émeute quand les filles endimanchées se dirigeaient vers nous en plongeant dans l'obscurité de la longue avenue le jour éclatant des cotonnades appliquées sur leur corps. Toutes parlaient un français impeccable et scolaire et quelques-unes prononçaient des mots qui appartenaient au discours de Maurel et de lui seul. Je n'eus pas besoin des confidences de celui-ci pour savoir grâce à quelles méthodes d'enseignement le chef du labo parlait haoussa à la petite cour des marchands rassemblés le dimanche matin à l'entrée de la maison des célibataires mais je fus étonné d'apprendre de lui que Richard Poncey avait fait venir une fille chez nous. Une nuit, ce dernier, qui était accompagné, s'était introduit dans l'ancienne chambre de Cormier. Richard avait pris soin de ne pas faire de bruit mais il ne gouvernait pas son corps au point de tenir celés les grognements inspirés par la faim qu'il allait assouvir ou les grincements du lit qu'il était en train de détruire. Depuis quelques mois, Bibi ne dormait plus, il cherchait le sommeil. Aussi se trouvait-il au milieu de chaque nuit pris dans une fièvre qui le poussait d'un bord à l'autre de son lit ou le laissait figé, les yeux brûlants ouverts sur le ciel de son plafond. Ce soir-là, pour une fois, poursuivit Maurel, Bibi dormait presque, c'est-à-dire que son corps était devenu léger et ses paupières lourdes. Le sommeil était là, tout près, pourvu qu'il n'y eût pas le passage tardif d'une voiture, le moteur d'un frigo déclenché par le thermostat ou encore des bruits dans une chambre voisine. Et la chambre de Cormier était vide depuis une semaine... Maurel s'était levé après avoir entendu des bruits de pas et des bruits de porte. Bibi s'était risqué dans l'ancienne chambre de Cormier et, l'y ayant suivi, Maurel découvrit, à plat ventre sur un corps écartelé et immobile, Richard qui conduisait l'assaut en soldat rompu à la lutte et repoussait dans le même temps le flot tenace de son pantalon hâtivement retroussé. Richard grognait et rouspétait, le lit grinçait. La fille avait vu entrer Bibi, elle voyait Maurel dans l'encadrement de la porte, la lumière jaune du couloir. Elle ne bougeait toujours pas comme si le moindre mouvement de sa part eût empêché Richard d'aller en elle et, quand Richard eut vaincu ses vêtements, ses chaussures, les draps, toutes les entraves dont il eût facilement pu se défaire s'il avait ajouté un peu de patience à son ardeur, quand il eut mis en place le paisible cheminement qui menait à son plaisir, la fille vit la silhouette de Bibi se pencher sur le lit. Ses mains s'agrippèrent au dos de Richard, sa voix donna quelques sons. Richard ne sentait rien, n'entendait rien. La fille pria Bibi de s'en aller et Maurel, qui s'était approché, attrapait celui-ci par le bras pour le faire sortir en silence. Bibi avait saisi la chemise de Richard et tirait dessus comme sur une courroie coincée dans un moteur. Il tirait encore quand la fille se mit à crier, quand Maurel s'efforça de le ceinturer. Bibi se laissait entraîner vers l'arrière par les efforts de Maurel mais il tenait toujours la chemise qui se détachait, qui craquait comme une branche morte. Dessous, Richard sentait probablement une force qui le tirait vers le plafond mais il tenait bon. Plus tard, Maurel, qui avait reconduit Bibi dans sa chambre et avait attendu le lendemain pour le chapitrer, arrêta Richard de passage à la base pour lui dire que le conducteur de travaux était fatigué, ce soir-là, qu'il avait un peu trop bu, avant d'avouer qu'il se levait la nuit pour se promener dans le couloir, pour hanter la cuisine et les chambres, que le pauvre garçon était devenu fou. Richard se souvint que la fille avait eu peur et, sans attendre que Maurel l'en priât, il promit de ne plus revenir.

Puis Edouard mourut. Il mourut pour de bon. Comme pour sa première mort, il tomba sur le terrain de pétanque, emporté par le poids de la boule, et resta de longues minutes sous le regard de ses amis. Ceux-ci appelèrent Habib qui refusa de conduire le vieil homme à l'hôpital car, dit-il exactement, il ne voulait pas "qu'on le tue davantage". Un boy courut chez Mme Terraz qui arriva un peu plus tard, accompagnée par le médecin du dispensaire. Celui-ci, qui se rappelait la précédente chute et savait que le vieil homme ne pouvait pas tomber une nouvelle fois sans rester à jamais raide dans son vitriol, reconnut le décès et signa un certificat. La famille d'Edouard dépensa une fortune pour acheminer la dépouille au Liban, où de lointains cousins avaient entrouvert la terre âpre et caillouteuse de leurs ancêtres, et fit, pour l'enterrer, un interminable voyage qui passait par Paris. Habib et sa femme restèrent absents pendant quinze jours et rentrèrent à Tassiga vers le milieu du mois. Habib prit possession de son héritage, qui comprenait des biens immobiliers et des capitaux engagés dans des opérations complexes. Il était riche mais il avait assez peu de liquidités. Pour avoir de l'aise, il vendit deux maisons à un hadj. Habib avait trop longtemps somnolé dans la boutique de tissus de son père, il était prêt à se lancer, à inventer quelque chose... En réalité, maintenant qu'il n'avait plus de comptes à rendre à son père, il souhaitait offrir une belle boutique à sa femme. Il craignait par-dessus tout que celle-ci eût envie de s'installer à Niamey et, s'il était libre de transformer le magasin de tissus à son intention, de s'implanter dans un nouveau local, il ne pouvait imaginer sa réussite dans les affaires tant que Paradis débitait de la viande au fond de la boutique de sa femme. Le lendemain de son retour, il appuya ses gros doigts boudinés et bagués sur l'étal du boucher et, sans autre forme de procès, poussa toute la boutique sur la caillasse de l'esplanade. Mais Paradis avait signé avec Edouard un bail valable jusqu'en mai 1982, en donna une copie à Habib qui ne voulut rien lire et rien entendre. Le boucher, qui avait jeté dans un fossé son uniforme de l'armée française et demeurait à Tassiga sans avoir rempli d'autre formalité que ce papier, demanda audience à la préfecture. Le bail était en règle et la mort d'Edouard ne remettait pas ses termes en cause. Aidé de sa femme et des plus grands de ses enfants, Paradis repoussa dans la boutique l'étal qui était resté deux nuits dehors et découpa de longs traits de viande noire dans la carcasse d'un vieux zébu.

Pendant les quinze premiers jours d'août, j'eus une vie de reclus. Hébert avait quitté Tassiga, Poncey était tout au bout de la route et venait rarement dans ses bureaux. J'allais toujours chercher des bidons d'huile à l'autre bout de la ville mais je ne m'arrêtais plus pour regarder les gros orages qui secouaient le ciel et la terre et je rentrais à la base en poussant des troupeaux de chèvres devant le capot, en m'arrêtant sur le terre-plein central des Champs-Elysées. Je faisais des courses pour moi, je m'asseyais sur le tabouret d'un coiffeur. Je prenais mon temps. J'avais constitué un petit stock de livres que je lisais dans mon bureau. Quand j'oubliais d'éteindre le climatiseur, la pièce atteignait le lendemain matin des températures de chambre froide. Plus tôt, pendant la saison sèche, Moussa avait enregistré un quatre degrés qui faisait du bureau de Hébert l'endroit habité le plus froid de la ville. S'il suffisait d'éteindre le climatiseur et de laisser la porte entrouverte pour que la pièce retrouvât la température du couloir, les meubles, les catalogues, les objets restaient froids toute la journée. En prenant l'initiative d'accomplir des besognes que l'on ne m'avait pas confiées, j'eus à ouvrir des tiroirs, des armoires, des dossiers. Partout, ce n'était qu'une prolifération de pièces détachées répertoriées, à l'imitation des écrous Caterpillar que j'avais comptés au début de mon séjour à Tassiga, de factures archivées et marquées d'un tampon. Tout un univers qui n'avait pas bougé car Hébert avait la paperasse en horreur. La veille de son départ, il avait pourtant rempli de documents un petit meuble à claies métalliques, habituellement vide… Il avait donné des instructions pour que je fusse occupé par des bidons d'huile et des chambres à air ou, mieux, par des plaquettes de beurre et des photocopies, pour que je n'eusse pas accès à la salle de l'ordinateur, au bureau de Poncey. Il se méfiait de moi, il se méfiait de tout le monde. Il n'avait pas tort. Le premier venu pouvait prendre sa place. Des expatriés sans le moindre galon, comme Ortega, faisaient des miracles avec trois bouts de corde sur un bull éventré. Je fus bientôt seul dans les bureaux. Poncey s'était envolé pour Paris mais on ne put savoir où il se rendit exactement car de nombreuses destinations, telles que Beyrouth, où Edouard avait fait son dernier voyage quelques jours plus tôt, avaient Paris pour escale et il était parti précipitamment, sans rien dire à Descorches ou à Bibi. Poncey, comme Hébert, ne voulait prendre aucun risque, et si l'un avait laissé des papiers sans importance dans un meuble scellé, l'autre avait posté son précieux chauffeur devant sa porte. Seul celui-ci pouvait entrer dans le bureau pour répondre au téléphone. Beaucoup plus tard, je sus qu'un nommé Détroyat avait appelé. Le chauffeur de Poncey avait scrupuleusement inscrit le nom du correspondant et demandé à ce dernier de rappeler le 1er septembre. Poncey cherchait Détroyat depuis des mois, il eût donné de l'or pour répondre à ce coup de téléphone. J'étais là, je pouvais prendre la communication. Je savais qui était Détroyat, un gradériste de premier plan, un orfèvre. Je pouvais lui parler, lui dire que Poncey et moi avions autrefois trouvé sa trace quelque part sur une piste perdue, lui dire que Poncey l'attendait dans son chantier, qu'il était une recrue de choix pour le camp vie.

15

Le lundi 31 août 1981, bien que mon temps dans les bureaux fût achevé, j'allai à la base pour chercher les fournitures de l'année scolaire. Presque tout le monde était rentré pendant le week-end et se tenait entre la porte des bureaux et la rue : Poncey, Hébert, Marcillat, Lenoncourt, Gilbert... Poncey apostropha ceux qui n'avaient pas voyagé dans le même avion que lui, et moi-même, par un “qu'est-ce tu dis ?” enjoué. Je fus très étonné de voir, rejoignant la salle de l'ordinateur, le programmeur, qui marchait d'un pas décidé et qui me salua à son tour, avec un sourire. Mais personne ne faisait attention à lui. Lagneau, le chef de l'atelier, allait prendre son service après six semaines de vacances en France. Il avait salué tous les hommes présents à l'entrée et avançait vers la plate-forme. Il marchait sur le sol difforme et trempé par les dernières pluies, sur les flaques de graisse. L'air était humide, tiède et sentait les vapeurs d'essence. Les premières équipes faisaient le plein des pick-up. Bibi stationnait sur le monticule qui séparait la base de la rue et apostrophait les camarades debout à quelques mètres de lui. A l'arrière de son pick-up, les ouvriers faisaient circuler une cigarette ou un Coleman. Bibi ne bougeait pas, il n'était pas pressé de s'en aller et les rares voitures qui entraient dans la base filaient lentement sur le côté, en serrant le mur. Lagneau marchait seul sur le terre-plein et tous les regards, désormais, le suivaient. Lagneau, qui avait un fils dans ma classe, avait été un de mes hôtes du dimanche, quand Poncey décida que les célibataires devaient manger en famille une fois par semaine. Il était légèrement voûté en raison de l'habitacle exigu du pick-up où sa longue silhouette avait passé près d'un an. Il boitait un peu à cause d'un vieil accident qui avait brisé non pas le bassin, à l'imitation de Poncey, mais le genou, aussi, quand il pressait le pas, l'extrémité de sa jambe flottait doucement, dans tous les sens. Après avoir accédé à un endroit du terre-plein vide de voitures, d'engins et d'hommes, il observa le préau de l'atelier incomplètement enfoui dans l'obscurité tenace de la nuit ainsi que la troupe des hommes qui entouraient Poncey, à l'autre extrémité de la base. Lagneau pouvait reconnaître les dix ouvriers de son équipe malgré la pénombre, malgré le cambouis qui recouvrait la peau noire des visages, mais il ne put reconnaître la silhouette dressée au milieu d'eux. C'était Roland, un chef mécano qui arrivait du Nigeria. Lagneau s'approcha, voulut parler, mais les ouvriers, qui suivaient attentivement la dépose d'un vilebrequin entreprise par leur nouveau chef, ne se retournèrent pas et Roland, dont chacun des gestes était gouverné par une mystérieuse chorégraphie, ne bougea pas davantage. Tout fut ensuite très rapide. Hébert se dirigea vers le chef d'atelier déchu et lui expliqua que sa place était maintenant en brousse et qu'il y avait, dans la file des pick-up partant pour le chantier, une voiture et des hommes à lui. Lagneau répondit avec de curieux gestes des bras, semblables à ceux que font les enfants pour mimer dans la cour de récréation les oiseaux qui prennent leur envol. C'était sa première colère depuis le début des travaux, ce fut sa dernière. Il n'y avait rien à faire. Poncey interrompit un instant son bavardage, se mit sur la pointe des pieds, leva la tête, prononça deux ou trois "bon Dieu" sans cesser de lisser sa barbe avec de petits mouvements verticaux. Il arrêta de regarder le terre-plein quand la longue silhouette de Lagneau s'enroula à l'intérieur d'un pick-up. Le pick-up roula au pas dans la file qui remontait vers le portail. Par la fenêtre, Lagneau interpellait Hébert pour lui dire qu'il n'avait ni sa glacière ni son Coleman, qu'il allait prendre tout ça chez lui et ses lunettes de soleil en plus, mais Hébert n'écoutait pas, il pressait Lagneau d'avancer car une voiture collait à l'arrière. Enfin, Lagneau arriva sur le léger dénivelé qui marquait la frontière entre la base et le reste de la ville et sur lequel chaque voiture, maintenue en équilibre par un savant dosage exercé sur la pédale de l'embrayage et sur celle de l'accélérateur, demeurait de longues secondes pour laisser passer les ânes, les chèvres, les piétons embarrassés d'une carriole et les taxis avachis et tonitruants. Le moteur du pick-up eut un hurlement de bête blessée et ce hurlement dura parce que Lagneau, pris entre la circulation de la rue et la file des pick-up, ne pouvait ni avancer ni reculer. Lagneau ne s'était pas perché depuis près de deux mois sur ce monticule, il était nerveux, maladroit. Le bruit attira l'attention d'un groupe qui s'apprêtait à entrer. Poncey se retourna. Bon Dieu, comment peut-on faire un tel vacarme, s'écria-t-il en regardant furtivement le pick-up qui se balançait au sommet du monticule. Puis il se mit en route vers son bureau et la troupe des lieutenants le suivit en imitant son pas lent, en ayant soin de rester derrière lui pendant que le pick-up basculait de l'autre côté.

Roland, le nouveau chef de l'atelier, avait quarante et un an et en avouait trente-quatre. Il était brun, petit, et le sommet de son front dégarni brillait encore des feux que le soleil avait jeté sur la brousse du Nigeria où il démontait des moteurs quelques semaines plus tôt. Il était né à Bort-les-Orgues, en Corrèze, mais il voyageait probablement depuis l'enfance car il avait la démarche chaloupée des marins. Quand il ôtait ses lunettes de marque Ray Ban ses yeux faisaient deux billes noires au fond des orbites que la lumière avait épargnées. Roland était marié à une receveuse des postes qui ne l'avait jamais suivi dans ses chantiers outre-mer et qui attendait son retour dans un village perdu. Il avait aussi des enfants et il travaillait dur, disait-il, pour les élever. Roland vécut une semaine dans une chambre du Dam. Le matin, il s'arrêtait chez les Hébert pour boire une tasse de café et pour prendre la glacière du déjeuner. Roland était efficace, souriant, docile, et le chef de la base, qui comprit très vite que l'on n'avait pas fait appel à cet ancien du Nigeria pour l'installer à la place de Lagneau mais à la sienne, se montra lâche et veule. La Compagnie proposa à Roland une villa neuve et toute en longueur et, à ceux qui s'étonnèrent qu'un homme seul eût une maison quand le départ de Cormier avait laissé libre une chambre chez nous, Poncey répondit que Roland n'était pas seul, que deux ou trois mécaniciens et topographes avaient été appelés en renfort et qu'une seconde maison des célibataires n'était pas de trop. Pendant presque un mois, Roland partagea la maison avec un gardien qui avait négligé le petit jardin à l'entrée pour une vaste cour fermée, attenante à la cuisine et au milieu de laquelle il rassemblait quelques braises pour faire son thé. La seconde maison des célibataires était remplie de meubles fonctionnels et tristes issus d'une fabrique qui fournissait certainement dans le même temps des hôpitaux et des pénitenciers. Roland avait choisi les moins laids d'entre eux et acheté des bibelots, deux ou trois tapis en cuir de zébu à Kaï et Bon Prix. Puis il plaça au sommet de son armoire, à une hauteur vertigineuse pour lui et qu'il atteignit en se hissant sur une chaise, une mangouste grassouillette et mal apprivoisée qui ne le quittait pas depuis deux ans. Par la suite, Roland ne résista pas à l'envie de montrer l'animal mais celui-ci ne pouvait se détacher des hauteurs sans devenir aussitôt agressif, sans pousser des cris aigus, sans dérouler la longue bobine de son corps pour promener sa tête devant les visages effarouchés. Le sommet des armoires était le refuge que Roland donnait en priorité à la mangouste, qui avait le vertige et n'osa jamais sauter sur la tête des gens que Roland conduisait dans sa chambre. C'était trop haut, elle avait peur. L'armoire était un refuge, elle était aussi le camp retranché depuis lequel la mangouste, à l'imitation de ces assiégés qui renversent de l'eau bouillante par-dessus les remparts, faisait par de longs traits nauséabonds la vidange de ses entrailles.

Pendant les deux semaines qui suivirent son arrivée à Tassiga, le nouveau chef de l'atelier, qui avait la solitude en horreur, se fit inviter tous les soirs. Roland n'avait pas bourlingué plus que certains de ses hôtes, mais il racontait volontiers ses aventures. Dans les histoires de Roland il y avait des bandits, des paysans, des forêts, un fusil – le vieux hammerless légué par son père dont il promenait le fantôme en faisant un lent mouvement circulaire autour de la table. On ne savait plus si c'étaient des histoires de bandits ou des histoires de chasseurs. Après deux ou trois invitations, le nouveau chef mécano avait ciselé un petit roman qui durait la moitié d'un dîner. L'autre moitié était nécessaire pour que le héros reçût l'hommage des convives et répondît aux questions. Roland fut bien accueilli car on commençait à s'ennuyer. Les familles qui venaient de rentrer et les autres, plus rares, qui étaient restées, ne pensaient plus aux vacances mais au départ définitif, à la fuite. Les femmes refusaient par avance un affront comme celui que la Compagnie avait fait à Lagneau. Elles étaient fières, et moins dociles que les hommes, cependant Mme Lagneau était toujours là et elle n'avait rien dit. Celles qui avaient retrouvé leur maison de France dévastée par les grands enfants que l'on y avait oubliés ou par des artisans négligents qui étaient partis en déposant des factures dans la boîte aux lettres ou celles qui, à l'imitation de Mme Santareno, avaient eu de mauvaises surprises à leur retour reçurent la nouvelle recrue avec curiosité. Mais l'engouement ne dura pas. Après avoir fait le tour de Tassiga, Roland trouva une famille chez les Hébert où il eut bientôt son couvert. Hébert, le premier, avait approuvé l'histoire des bandits de grands chemins. Ce n'était pas du cinéma, il pouvait en témoigner, lui-même avait traversé le Nigeria du nord au sud, sous bonne escorte. Il avait vu un monde fou sur le bord des routes, des silhouettes traversant au pas de course, des grosses voitures glissant indéfiniment le long d'un talus avant de se mettre dans la roue de la Mercedes et de rouler deux heures dans la poussière pour décrocher inexplicablement. Comme beaucoup de familles, les Hébert avaient trouvé en France une maison inachevée et grevée de malfaçons dans laquelle ils refusèrent de cloîtrer leur fille Nathalie un an de plus. Ils embarquèrent celle-ci de force, après l'avoir inscrite en hâte dans un de ces organismes de formation qui achètent une page entière de publicité dans les hebdomadaires télé et qui, après dix-huit mois de cours par correspondance, pouvaient transformer leur fille en secrétaire médicale ou en toiletteuse pour chiens.

Un matin, peu avant la rentrée scolaire, dans la rue de la succursale bancaire qui me conduisait au mobile home, Santareno s'arrêta à ma hauteur. Il descendit de voiture avec un tel empressement que je crus un instant qu'il voulait me mettre au volant à sa place. Il souhaitait me parler de l'école. Non, malgré les deux mois de vacances dans une chambre froide de la base, je n'avais pas oublié son fils. Ce dernier était encadré, surveillé, il avait peur, il était premier de la classe. Avoir des diplômes était le seul moyen pour l'enfant d'entrer dans les TP sans passer par la boue et le cambouis dans lesquels s'était enlisé le père. Santareno accrocha une main à mon poignet et me pria de le tenir informé des progrès de son fils par un petit message dans le cahier, trois mots à la mère dans le minibus ou à lui-même, le dimanche soir quand tout le monde faisait la queue devant le taboulé du club. L'enfant lui avait échappé à leur arrivée en France et, pendant un séjour au Portugal, il avait couru un peu partout avec les copains, les cousins retrouvés. C'est normal, dit-il en même temps que moi. En fait, Santareno ne s'était pas seulement arrêté pour me parler de son fils, il voulait savoir si j'étais là dans les mois à venir, si je ne m'étais pas lassé de Tassiga et des TP, si je n'avais pas envie de partir. Sans attendre ma réponse, il s'attacha subitement à mes bras puis, alors que tout le sang de son corps remontait vers son visage, il m'avoua que la veille, à son retour, il avait trouvé la famille de son boy et la famille de son gardien chez lui, installées dans la salle de séjour, couchées sur les canapés, vautrées dans ses liqueurs. Il avait laissé ses clés avant de partir parce que sa maison était à l'angle, visible de loin mais un peu isolée et qu'il avait la trouille des rôdeurs. Il savait que Kaï et Bon Prix ne couchaient plus dans les fossés mais sur la terrasse des maisons vides, qu'ils guettaient un bon lit et il n'avait pas l'intention de leur laisser le sien. Je ne répondis pas. Je n'avais rien à dire mais j'étais étonné d'apprendre que la maison des Santareno avait été occupée pendant deux mois par les domestiques et tout aussi étonné de constater que personne n'en avait rien su. En reprenant place au volant, Santareno évoqua le camp vie à venir, avec la même intonation qu'ont les anciens pour parler des époques révolues et douces. Il savait que j'étais toujours compté dans l'aventure. Ce n'était pas gagné, ajouta-t-il. Encore deux ou trois cow-boys comme Roland et le camp vie allait se faire sans les familles, sans les enfants, sans école, sans moi. Pour le moment, les expatriés se croyaient protégés par leur contrat. Lagneau, par exemple, qui avait perdu son poste à la base, n'avait pas perdu sa place sur le chantier ni sa paie. Mais Poncey avait passé une semaine dans les bureaux de Chevilly et il y avait eu du grabuge. Des proches du directeur, qui avaient voyagé la veille avec lui, affirmaient que l'adjudication de la nouvelle route n'était pas lancée, que le camp vie était au mieux un simple baraquement, le chantier à venir une illusion, un rêve. En démarrant, Santareno me dit enfin qu'il soupçonnait la Compagnie de parachuter des intérimaires pour finir la route actuelle avant de rapatrier la petite colonie de Tassiga aux alentours de Noël. Tout le monde dehors. Je n'avais pas pensé à ça… J'imaginais le mobile home enlevé par une grue, porté par le tournoiement mou d'une hélice, le rectangle impeccable et blanc inscrit sur le sable du cours La Fontaine, comme la trace d'un tableau sur un mur, Hébert courant de maison en maison dans le carillon des clés pour dresser l'inventaire des congélateurs et des matelas.

Le soir de la rentrée, je repris mes habitudes sur un coin de table, dans la grande cuisine aux trois frigos. J'entassais les cahiers mais je n'avais pas grand-chose à corriger. Le cuisinier allait et venait en charriant des seaux. Dehors, le jardinier faisait rouler une vieille tondeuse mécanique aux lames rouillées et émoussées sous lesquelles l'herbe ployait et se couchait. Renseigné par un boy, ou par Kaï et Bon Prix, un marchand qui n'avait jamais vu de pelouse était arrivé chez nous avec cette tondeuse. Il eût déniché une ronéo si nous avions fait le projet d'imprimer des tracts, des pièces d'artifice si nous avions voulu tirer des feux. Nous avions lâché un peu d'argent et offert au marchand les bouteilles vides que personne ne prenait plus. Pendant deux ou trois semaines, Bibi et Gilbert quittèrent le chantier ensemble et un peu plus tôt que d'habitude. L'hivernage s'achevait et il y eut encore des déluges de criquets quand les pluies s'interrompirent. Bibi, Gilbert et Maurel s'asseyaient devant une bière et le cuisinier préparait le repas tout près de nous. Nous mangions mieux qu'avant parce que Descorches, pendant la première année, était souvent passé derrière le cuisinier, il avait glissé ses mains sous ses bras comme font les professeurs de piano pour donner un peu d'air au jeu de leur élève. Les plats étaient plus légers, les viandes avaient gagné de la saveur… Un soir, je rapportai les termes de mon récent entretien avec Santareno et les craintes de celui-ci. Bibi, Gilbert et Maurel n'étaient pas de l'avis du mécanicien. L'arrivée de quelques intérimaires en fin de chantier était une chose courante. Gilbert, lui, savait que, à défaut de camp vie, il y avait dans les confins du pays un site traversé par une véritable rivière et jalonné d'arbres que Poncey n'avait pas visité mais que son frère Richard avait découvert et d'où il avait rapporté des Polaroid. Il se faisait fort d'inviter Richard à dîner pour en savoir davantage et Bibi promettait de venir un soir avec Poncey. Mais Poncey travaillait beaucoup. Il commençait ses journées sur le chantier et les finissait au téléphone. Le chemin qui allait de son bureau à son lit passait par la maison des Descorches où il dînait presque tous les soirs. Il n'y faisait pas de véritables repas mais il "mangeait un morceau" et ne s'attardait pas. En réalité, il conviait à sa table les hommes qu'il avait croisés dans la journée et qu'il souhaitait voir en particulier. Il n'avait pas de temps à perdre avec les compliments et les flatteries, il réglait les problèmes, fixait un certain nombre d'objectifs à atteindre. Poncey leur proposait une assiette et un verre et ils refusaient par un simple geste de la tête. Ils avaient l'estomac noué et la gorge sèche. Ils ne mangeaient pas, ne buvaient pas et parlaient très peu. Ils redoutaient une disgrâce et ne voulaient pas subir l'affront fait à Lagneau. Ils se méfiaient de Poncey et de ses "qu'est-ce tu dis ?", de ses "tu manges un bout ?". Ils avaient tort. Poncey n'était pas fou, il avait joué la carte de Lagneau et n'avait pas l'intention d'en jouer d'autre, il suffisait que la peur régnât.

Les virées au bar du Dam s'espacèrent avant de cesser tout à fait. Le bar était un vieux caprice que Poncey avait inventé pour son ami Bart mais celui-ci n'était pas venu et les barmans avaient pris la fuite l'un après l'autre. Poncey ne remplaça ni l'ami ni les boys, le bar ferma et personne ne sut rien des chambres attenantes où, disait-on, Richard et lui voyaient des filles. Maurel s'arrêtait parfois devant le mobile home, après la classe. Il ne comprenait pas pourquoi Boris avait passé deux mois d'été en France auprès des siens et moi, deux mois d'hiver dans la cambuse insalubre et glacée de Hébert. Je ne sus à quelles activités lucratives Boris s'était adonné pendant ses vacances, mais il revint avec assez d'argent pour abandonner son vieux Land Rover et acheter à Niamey un quatre-quatre presque neuf au volant duquel il s'en allait tous les week-ends. Le médecin militaire qui s'était arrêté autrefois pour me prendre à son bord alors que je rejoignais ma chambre du Dam, et que je n'avais pas revu depuis un an, se gara un matin devant le cours La Fontaine. Lui aussi arrivait de France et voulait donner dans sa maison de Tassiga une fête en l'honneur de sa nouvelle femme, épousée pendant les vacances, et faisait le tour de la colonie française pour lancer des invitations. Il était entré dans la classe de Boris, qui était un familier des soirées de la petite colonie française et, quand il traversa le grand jardin pour reprendre sa voiture, passa devant le mobile home, m'aperçut, poursuivit son chemin avant de faire un brusque demi-tour et de grimper sur la première marche du petit escalier. Le médecin ne m'avait pas vu depuis longtemps et croyait que j'avais quitté Tassiga. Il ne pouvait pas savoir que, depuis plus d'un an, je n'avais pas passé une nuit ailleurs... La soirée rassembla une bonne moitié de la colonie européenne de Tassiga à laquelle s'étaient ajoutés des Français de Maradi et quelques médecins de Niamey. Elle ressemblait à toutes les soirées qui se font quotidiennement en France et ailleurs : des gens qui tiennent un verre au bout d'une main et une cigarette au bout de l'autre essaient de se frayer un chemin au milieu de gens immobiles qui fument et qui boivent. Chez le médecin, on mangeait aussi et fort bien. Mais la plupart des invités rentraient de France, gavés de foie gras, de poisson, de frites et de cerises, et s'alignaient devant le buffet sans s'étonner d'y voir du jambon ou des grappes de raisin. Ils mangeaient quand même parce qu'il étaient redevenus des citoyens de Tassiga promis aux restrictions, parce que le médecin qui donnait une soirée tous les ans ne devait pas en donner d'autre maintenant qu'il avait fêté l'arrivée de sa femme. Et ceux qui mangeaient à peine, comme Mme Terraz, regardaient avec émerveillement et cherchaient leur hôte pour lui faire des compliments. Le médecin était facile à trouver car il mesurait deux mètres et sa silhouette légèrement courbée par l'examen des malades glissait d'un groupe à l'autre. Il présentait sa jeune femme à tous ses amis, et ceux qui attendaient derrière lui pour le féliciter disaient assez haut pour être entendus que jamais, à Niamey ou ailleurs, ils n'avaient vu un tel faste. Le médecin les entendait très bien et se retournait de temps en temps pour les remercier d'un sourire, pour s'assurer qu'ils étaient toujours dans son sillage. Quand il eut fait le tour de ses invités, il eut un regard de connivence à l'adresse des boys qui patientaient dans le couloir et qui firent leur apparition sur la terrasse avec une meule d'emmental de soixante kilos.

A la mi-septembre tous les expatriés de la Compagnie étaient rentrés à Tassiga et s'étaient remis au travail. Lagneau avait oublié les circonstances de son départ pour la brousse. Il se trouvait vers le km 120 et suivait la centrale à goudron. Il avait très chaud et son grand corps n'était plus courbé et agile mais cassé en deux et son long nez pointait vers le sol. Pour rien au monde, cependant, il n'eût renoué avec le cambouis de l'atelier et la tyrannie de Hébert. Plus tard, vers la fin du chantier, il était si fatigué et, dans le même temps, si heureux de suivre la centrale à goudron, de s'asseoir tous les jours à midi sur sa glacière et de boire à même le Coleman, qu'il ne cachait plus sa satisfaction d'avoir demandé à Poncey sa mutation... Les mécaniciens intérimaires de la seconde maison des célibataires partaient très tôt le matin pour le chantier et ne s'arrêtaient pas à la base. Hébert, qui s'était imaginé que ses galons de chef de la base allaient passer sur les épaules de Roland et qui voyait celui-ci travailler beaucoup, se mit à travailler aussi. De son côté, Maurel accumulait sur les paillasses de son labo les échantillons que Gilbert décrochait quelque part sur le site probable d'une future carrière. Enfin, à l'étonnement de tous, le programmeur était donc revenu et, sans que l'on connût les menaces dont l'avaient accablé les responsables de Chevilly, il était revenu de son plein gré. Un mystérieux duvet gris, que je n'avais pas remarqué le jour du départ de Lagneau pour la brousse, remplaçait les infimes bourrelets de cuir rougi sur lesquels se dressaient ses cheveux un an plus tôt. Le programmeur faisait constamment glisser sa main sur cette toison miraculeuse et ce geste mécanique fut bientôt la seule activité qu'on lui connût.

En octobre, au début de la saison sèche, la première maison des célibataires était devenue une popote paisible. Fourbu et souriant, Bibi s'assoupissait souvent à la fin des repas et nous le conduisions à sa chambre avec quantité de précautions car la moindre maladresse de notre part pouvait briser son sommeil comme du verre. Parfois, Bibi ne s'endormait pas à table, mais au volant. La voiture glissait sur le bord de la piste avant de s'arrêter mollement au sommet d'un talus. Le souvenir de son premier accident avait imprimé en lui une telle panique que Bibi se réveillait en hurlant et arrivait à la maison des célibataires les yeux écarquillés et ronds. Il mangeait distraitement en remuant la tête. Il était resté aimable et prévenant et n'eut jamais, à table ou ailleurs, un de ces mots, un de ces gestes maladroits et fâcheux que commande la fatigue ou l'impatience. Gilbert était rentré de Bretagne où il avait veillé sur ses vieux parents et, s'il parla de sa fiancée avec qui il avait rompu pendant les vacances, ce fut pour affirmer avec énergie que Poncey avait eu du nez quand il avait opposé un refus à la venue de celle-ci, qu'il ne regrettait rien. Gilbert reprit sa vie de brousse et fut un des pionniers que Poncey envoya à la découverte d'une carrière. Il s'attardait sur le chemin du retour. Il égayait notre ordinaire avec des cœurs de palmiers et de la viande de phacochère. Il buvait trois grands verres de bière pendant le dîner et deux après si nous avions de la visite. Il gagnait sa chambre sans l'aide de personne et la nuit, il allait pisser en bougonnant dans le couloir comme un vieux qui a perdu ses pantoufles. Plus tard, Gilbert fit savoir à Poncey qu'un orage s'était abattu sur le fameux pondoir et que, malgré les efforts du gardien pour empêcher les poules, les tôles du hangar et les clôtures de s'envoler, la colline était complètement dévastée. Poncey, qui tenait encore à la cérémonie du samedi soir, s'arrangea pour faire venir des œufs de Niamey.

Les célibataires jouèrent le jeu pendant quelques semaines puis la fameuse cérémonie des œufs fut supprimée. Les familles n'avaient plus le cœur à nous recevoir et la distinction accordée par le directeur du chantier au meilleur homme de la semaine n'amusait plus personne. Des palettes d'œufs arrivaient toujours et Poncey exigea qu'elles fussent livrées dans la première maison des célibataires et pas ailleurs. Des voisins furent invités à se servir et Descorches enseigna deux ou trois recettes de gâteaux à notre cuisinier. En décembre, Maurel découvrit un hippodrome à la sortie de la ville, dans la direction du nord et m'y emmena. Maurel n'avait pas le goût des chevaux, mais il avait celui du jeu. Dans l'attente des fêtes données en l'honneur d'un sultan ou d'un chef de canton, des notables djerma avaient inventé un campement et mis leurs serviteurs ou leurs fils sur le dos de chevaux arabes alezans ou gris pommelé. Ensemble, les hommes et les bêtes partirent pour le paysage de steppe qui séparait Tassiga du désert, avant de rentrer au campement où les sabots des chevaux dessinèrent une piste d'un ovale impeccable. Il y avait des courses tous les dimanches pendant la saison sèche. Des badauds fatigués se mêlaient à des parieurs opulents et enjoués qui portaient des tuniques d'un blanc irréprochable et allaient de gauche à droite en balançant au-dessus de leur tête un parapluie qui les protégeait moins du soleil que des importuns. Dès qu'il arrivait sur le bord de la piste, Maurel était rejoint par un book qui abandonnait ses parieurs pour lui. Il n'y avait pas de guichet, pas de caisse. L'hippodrome de Tassiga était le seul champ de courses au monde qui fonctionnait avec des chevaux, des jockeys et rien d'autre. Pas de tribunes, pas de barrières, pas de paddock, pas d'écurie. Pas d'herbe. Pas d'ombre. Maurel écoutait tous les tuyaux et jouait au hasard. Sur le champ de courses, comme devant le coiffeur et les petites marchandes de noix de cola qui l'entouraient le dimanche matin sur la terrasse, le chef de labo distribuait son argent avec gaieté et indifférence. Ici, il ajoutait des billets aux pièces et ne comptait pas davantage. Il s'amusait comme un enfant, il encourageait des chevaux sur lesquels il n'avait pas misé, des chevaux qui galopaient au fond, dans la poussière des autres. Il n'exigeait pas seulement que je prisse à mon tour des paris mais il fallait encore que ce fût avec son argent. Il était tout à fait heureux quand nous avions perdu tous les deux. Pendant la saison des courses, qui dura moins de trois mois, Maurel se rendit à l'hippodrome tous les dimanches après-midi, avec ou sans moi. Il finit par connaître tout le monde. Bientôt, quelques revendeurs de sodas qui ne se risquaient pas d'ordinaire en dehors de la ville poussèrent leur petite carriole jusqu'à lui. Maurel buvait des Fanta tièdes en faisant une grimace. Pendant les courses, un garçon de vingt ans habillé de vêtements trop larges courait pieds nus au milieu de la piste. En dépit des apparences, il était un personnage considérable puisque, après avoir donné le signal du départ, il suivait la course en reproduisant les pas d'une danse mystérieuse et en faisant de grands signes pour tenir les chevaux dans les limites de la piste. Peut-être faisait-il aussi des signes aux spectateurs. Il était grand et sautait très haut. Malgré son accoutrement de mendiant, malgré ses longs pieds brûlés par la poussière, il était élégant et gracieux et jamais, avant une course ou après, Maurel ne put l'approcher pour lui payer un coup à boire.

16

Tous les ans, Boisson-Mourre faisait imprimer à ses frais un petit calendrier avec les vœux du personnel du centre culturel et ceux de la République française. Il le distribuait aux habitués de la bibliothèque, l'envoyait aux personnalités européennes de la ville et ne pouvait pas faire de confusion puisque celles-ci et ceux-là formaient deux populations distinctes. Pour les vœux de 1982, Boisson-Mourre eut l'idée d'égayer le petit carton avec une photographie. Je me rendais encore au labo du centre culturel pour développer des films, tirer des épreuves sur du papier périmé. Boisson-Mourre laissait le labo à ma disposition, pour un usage personnel, à la condition qu'il y eût quelques apprentis à mes côtés. S'il ne me demandait pas mon avis, il ne demandait pas non plus le leur aux étudiants qui venaient à la bibliothèque pour lire et non pour s'enfermer dans une cave insalubre. Certains, qui connaissaient les manies de Boisson-Mourre et avaient en ma compagnie appris de force les techniques du tirage, détalaient plus vite que les commis quand j'allais au centre culturel. Boisson-Mourre, comme tous les personnages paternalistes et dévoués, était ennuyeux et douceâtre. Il était naïf, aussi, et s'imaginait que certains de ses habitués ne venaient pas chez lui pour les livres mais pour moi, qu'ils étaient timides et n'osaient m'adresser la parole. Dans des rayonnages inexplorés, entre Bossuet et Descartes, il débusqua une étudiante qu'il choisit pour modèle et que j'eus soin de laisser à sa place, devant un décor de livres. Je fis une photo, puis une autre, puis dix autres, avant d'entraîner la jeune fille dans la nuit du labo où j'ouvris l'appareil comme une boîte. Un peu plus tard, quand les épreuves flottèrent dans le bac du révélateur, sous le timide flamboiement de l'ampoule inactinique, la jeune fille se pencha sur le miroir sombre et liquide où l'image de son visage souriant répondait à son visage inquiet. Elle suivit son image de bain en bain puis elle me demanda à sortir et me salua amicalement. Je ne la revis pas. En dessous du cliché, Boisson-Mourre imprima deux cents calendriers et, la semaine suivante, me fit venir. Cette photo, dit-il sans me regarder, était vraiment une bonne idée. Je compris à ces mots que le bout de carton encore humide était son calendrier, pas le mien et, quand il me pria de l'accompagner dans le jardin étroit séparant le centre culturel de sa petite villa pour marcher sur le sentier serpentant au milieu de cailloux troués et de petits cactus, je me rappelai que seuls de rares élus étaient conviés à cette minutieuse promenade, essentiellement des étudiants qui avaient obtenu une bourse pour Dakar ou pour Abidjan et je crus un instant que mes mérites n'étaient pas négligeables. Ils étaient réels, affirma Boisson-Mourre avant d'évoquer le camp vie et de m'apprendre que mes goûts et mes manières m'empêchaient de participer au monstrueux bivouac que Poncey allait dresser au bout du monde avec ses soudards. Il se chargeait, lui, de me faire entrer au cours Diderot de Niamey ou ailleurs, je n'avais qu'à choisir… Le sentier longeait ensuite le mur ocre et les volets fermés de la villa. Boisson-Mourre baissa le ton. Tout près, son épouse dormait d'un sommeil fiévreux et moite. Personne, pas même son mari, ne pouvait dire qu'elle était malade, mais elle prenait assez de cachets pour le devenir. En réalité, Boisson-Mourre passait volontiers derrière chez lui pour s'assurer que les fièvres de sa femme ne se compliquaient pas de délires. Il était assez près pour entendre les cris et pouvait également entendre les râles, à la condition de se taire tout à fait. Aussi, le long de la ligne droite qui suivait la façade de sa maison, usa-t-il de ses mains, habituellement molles, comme de pinces pour m'engager au silence. Puis, quand le sentier nous éloigna, il desserra peu à peu son étreinte et, avant de détacher sa main de mon bras, me confia à mi-voix que le préfet n'avait pas reconduit mon autorisation de photographier pour l'année à venir et qu'il était plus prudent, désormais, de condamner l'entrée du labo photo.

Quand il apprit cette décision, Poncey s'abstint de faire le siège de la préfecture. J'avais pris assez de photos du chantier et lui m'avait conduit assez loin en brousse pour que le site de la route actuelle et le site de la route à venir ne fussent un secret pour personne, à Chevilly ou ailleurs. En janvier 1982, Poncey était certain de livrer son ouvrage dans les délais. En fait, il ne s'agissait pas de brusquer les hommes et les machines pour finir à temps mais de doser les efforts de tous pour ne pas finir trop tôt. Bien sûr, finir avec deux mois d'avance représentait pour la Compagnie des économies considérables. Les ouvriers étaient congédiés, les expatriés rendaient leur maison et rentraient chez eux et les engins pouvaient rejoindre un autre chantier ou être vendus. Mais Poncey savait que la fin du chantier signifiait son retour à Paris et il n'était pas pressé de partir. Si la route qu'il venait d'achever était son œuvre, l'œuvre dont il rêvait était encore à faire. A plusieurs reprises, il chargea ses proches de faire savoir au reste de la troupe qu'il en avait assez de la brousse, de la caillasse et du vide et qu'il attendait juin pour retrouver la grande maison qu'il avait fait construire à Vichy. Il y avait toujours des gens pour croire à ses paroles, pour croire à ses colères. Poncey n'était pas malade et il n'était pas si vieux... Il pensait au plateau de Bauchi et à ses anciens chantiers, au Nigeria ou ailleurs. Tassiga était un terrain vague au bout du monde et le préfet, l'inspecteur du travail, Van Beck, ainsi que tous les besogneux qui évoquaient la fin des temps au bar du club, étaient des oisifs que l'ennui avait attroupés. Le club privé, en particulier, lui faisait horreur. Il s'étonnait que l'on pût finir à la façon d'Edouard, imbibé comme une méduse, inerte et réduit au silence absolu.

Depuis la mort du Libanais, il évitait soigneusement Mme Terraz, qu'il n'aimait pas, et jouait à cache-cache avec le contrôleur. Poncey avait l'art de dissimuler certaines malfaçons et Terraz celui de les découvrir. La plupart des chantiers ne fonctionnaient pas autrement, avec ce dosage savant de tromperie et de méfiance, et les deux hommes qui se croisaient obligatoirement sur le chantier s'étaient arrangés pour ne pas se rencontrer à Tassiga. L'un avait ses parties de tennis et l'autre d'interminables agapes chez Descorches. Si, toutefois, Poncey acceptait de parler à Terraz, de boire une bière avec lui, il ne pouvait voir Mme Terraz sans que cette apparition ne produisît en lui un véritable malaise. L'épouse du contrôleur ne vivait pas comme les femmes des TP. Après quinze ou vingt ans de mariage, pendant lesquels elles avaient connu tant de grossesses qu'il y avait à coup sûr un enfant oublié dans la matrice, celles-ci avaient subi une mue qui faisait d'elles des animaux femelles attachées à leur tanière. Elles étaient lourdes et obéissantes et ne songeaient ni à maigrir ni à désobéir. Et surtout, elles ne sortaient pas seules. Pour se déplacer hors de leur maison, il fallait un mari qui marchât devant elles, un chauffeur qui les prît dans le minibus, des amies. Poncey avait bon espoir que la jeune Mme Lenoncourt, divorcée et remariée depuis peu et qui avait amené avec elle le seul enfant de la Compagnie qui n'eût pas son père à Tassiga, devînt ainsi. Sa propre épouse était un modèle, malheureusement elle se montrait trop peu pour que ses tenues, ses coiffures, ses gestes fussent imités et, si certaines épouses, comme Mme Descorches, avaient réussi le prodige de quitter définitivement l'état de femme pour celui de légumineuse, toutes les autres, qui avaient la gourmandise et la curiosité pour uniques défauts, vivaient dans l'assouvissement médiocre de leur faim et dans l'attente jubilatoire d'un improbable scandale. Poncey se consolait du comportement indépendant de Mme Terraz en constatant avec soulagement que celle-ci, en devenant libre, n'était devenue ni belle ni séduisante. Il reprochait à l'épouse du contrôleur d'avoir pris la direction du club, de conduire une voiture, de fumer des cigarettes et même de petits cigares, de boire des Martini. Il s'efforçait pourtant de garder ses commentaires pour lui, c'est-à-dire pour quelques convives choisis, et de ne rien dire à Terraz. Mais les proches de Poncey savaient que la présidente allait surgir un jour fâcheusement dans les couloirs de la base pour régler des histoires de cotisations en retard, qu'elle allait apostropher une femme de la Compagnie dans la boutique des Libanais ou devant l'étal de Paradis. Ils ne se trompaient pas. Deux mois après la rentrée scolaire, Mme Terraz décida que l'enfant ombiliqué et blafard qu'elle traînait derrière elle et qui était probablement son fils irait à l'école. L'enfant ne pouvait entrer dans ma classe qui comprenait plusieurs niveaux d'élèves plus grands que lui et il était trop jeune aussi pour aller chez Boris, où étaient scolarisés les autres enfants de la colonie française. Il fut accueilli dans un jardin d'enfants que l'épouse d'un nouveau professeur français avait créé avec l'assentiment du conseiller culturel dans une pièce jusque-là désaffectée. Le fils Terraz découvrit d'autres enfants qui devinrent aussitôt ses ennemis. Il y eut des disputes, des coups, des plaintes. Mme Terraz exigea des explications, n'en reçut point et se précipita vers le mobile home. Elle ne voulut pas entendre ce que je lui avais déjà expliqué, à savoir que mes élèves avaient deux fois l'âge de son fils et que celui-ci n'avait rien à faire dans ma classe. Cela n'avait pas d'importance. Mme Terraz vivait depuis assez longtemps en Afrique pour savoir qu'un volontaire du service national, tel que moi, occupait dans la hiérarchie des expatriés une position ridicule. Sur un coup de tête, elle entra dans la base et demanda à être reçue par Poncey. C'était très maladroit. Certes, Poncey n'était pas un homme inaccessible, un ouvrier de l'atelier, un mécanicien, pouvaient demander une audience et l'obtenir... Mme Terraz commit une première maladresse en ne désignant pas son mari, qui voyait Poncey deux ou trois fois par semaine sur le chantier, pour faire à sa place cette requête inhabituelle. Mme Terraz commit ensuite une seconde maladresse en ne se renseignant pas sur l'état de l'humeur de Poncey, en se présentant un après-midi, ou après un coup de téléphone, ou encore pendant la réception d'un fax, en négligeant les règles élémentaires que le plus modeste des expatriés de la Compagnie lui eût volontiers apprises. N'importe qui pouvait lui dire aussi que l'enfant allait s'ennuyer dans ma classe. N'importe qui, mais pas Poncey. Celui-ci écouta la requête et fit la grimace. Mme Terraz insista et parla de moi. Poncey refusa. L'école était mon domaine bien que le mobile home fût la propriété de la Compagnie. Raison de plus, lui répliqua-t-on, pour y accueillir le fils du contrôleur. Poncey répéta son refus avec colère. La colère n'était pas feinte, elle était nourrie par le spectacle de cette femme arrogante et sans charme et, si Poncey employa de vagues arguments pour justifier son refus, il employa des mots blessants pour qualifier l'importune qui prit congé sans rien dire. Dans la soirée, au club, Terraz fit savoir qu'il allait demander des excuses et le lendemain, sur le chantier, trouva le renfort de Descorches, Lenoncourt et Marcillat qui avaient réprouvé l'attitude de Poncey et avaient, avec des termes choisis et pour la première fois, osé dire leur avis. Poncey accepta de s'excuser mais il prit son temps et dit finalement quelques mots d'apaisement à Terraz. L'incident fut oublié et, si Poncey conserva son estime au contrôleur qui avait défendu sa femme, il conçut de l'amertume pour ses lieutenants. Il se renfrogna. On le vit beaucoup moins à Tassiga. Il sortait souvent avec son frère. On ne savait pas où ils allaient.

A son retour de France, Mme Hébert avait présenté sa fille Nathalie aux femmes de la Compagnie. Après une année d'études et un mois d'examens, Nathalie avait choisi d'accompagner ses parents à Tassiga. Elle s'était décidée sur un coup de tête, aussi était-elle partie avec une valise presque vide. La mère accompagna la fille chez Baraka afin de reproduire en dix exemplaires la robe que celle-là portait à son arrivée. Les essayages durèrent une semaine. La mère prenait la pelote d'épingles dans les mains du couturier et, si elle tournait autour d'un vieux mannequin de bois pour planter ses épingles comme des lames, elle ne se baissait pas pour marquer les ourlets car, ayant considérablement grossi pendant son séjour en France, elle était à la merci du moindre mouvement contraignant qui faisait tituber son monumental squelette de squaw obèse. Mme Hébert dépensa sans compter pour que sa fille fût plus élégante que Mme Lenoncourt et y parvint à son avis sans peine puisqu'elle disposait de ses seuls yeux pour voir le résultat et que les curieuses attroupées ne lui dirent rien d'autre. Souvent, la mère et la fille quittaient la boutique de Baraka sans voir le minibus qui attendait sur les Champs-Elysées. Elles remontaient à pied jusqu'à la base pour faire une surprise à Hébert qui sortait de son bureau en bougonnant. Roland apparaissait toujours dans le couloir quand la jeune fille faisait flotter l'étoffe de sa robe autour de son père. Le mécanicien paraissait fort occupé et tournait énergiquement ses mains dans un torchon. Il donnait des ordres à un ouvrier qui suivait avec une interminable et mystérieuse pendeloque d'acier et il s'arrangeait pour qu'il y eût sur son trajet d'autres ouvriers. Il confiait à ceux-ci les corvées en cours et ramenait les deux femmes dans le break 504 de son chef. Pour le remercier de son dévouement, on le priait à dîner et, quand il revenait le soir même, Hébert l'accueillait avec bonne humeur et le faisait asseoir avant de sonner le signal de l'apéritif en hurlant brusquement, comme un forcené qui a vu un ours. Pendant que Mme Hébert et sa fille s'enfermaient dans la cuisine pour tourmenter les boys, Hébert servait à boire, prenait son verre sans attendre et en aspirait brutalement le contenu avant de se resservir. Il y avait ensuite un long moment pendant lequel Nathalie apportait des glaçons et ouvrait un sachet de cacahuètes ou une boîte d'olives. Hébert en profitait pour faire le décompte de ses coups d'éclat. Il évoquait la chance et les peines, il parlait de son mérite aussi, de son âge, des dix années de cambouis qu'il avait devant lui. Hébert ne regardait pas son invité en face. Il avait peur de lui. Roland s'ennuyait à l'atelier. Pour voir ce petit bonhomme à la démarche chaloupée quitter Tassiga et rejoindre Lagneau à l'autre bout du chantier ou encore au diable, Hébert était prêt à donner ce qu'il avait de plus précieux. Il commença par donner sa fille ou, plutôt, s'en laissa déposséder sans rien dire. Nathalie n'était pas belle mais elle était jeune et Roland, qui avait le goût des tendrons à la peau très blanche, et d'elles seules, et ne se prêtait qu'en dernière extrémité pendant ses séjours en Afrique à ce que Richard appelait les "corvées de charbon", fit la cour à la jeune fille avec empressement, redoutant peut-être que celle-ci, à défaut de devenir noire comme les filles du pays, pût devenir rouge comme sa mère ou qu'un autre homme la lui prît. Pendant les dîners, à la façon d'un ténor qui reprend à chacun de ses récitals le refrain qui l'a rendu célèbre, Roland racontait toujours une histoire de camp vie assiégé par des bandits nigérians ou une histoire d'embuscade, de poursuite. Il pouvait aussi ajouter quelques péripéties ou se moquer de lui-même, avouer qu'il lui était arrivé d'avoir peur. Il en avait assez d'être pris pour un cow-boy, il avait le baccalauréat et un brevet de comptabilité. C'était suffisant, prétendit-il devant les Hébert rendus muets par la gratitude, pour aider la jeune fille dans sa scolarité.

Bientôt, Nathalie partagea sa vie entre la maison de ses parents et la seconde maison des célibataires. En s'exprimant lentement, comme si la leçon n'était pas facile à réciter, ou l'élève un peu sourde, les autres femmes de la Compagnie révélèrent à Mme Hébert que Roland était marié mais qu'il vivait séparé de sa femme, que sa femme n'était pas la receveuse de la poste qui partageait sa vie en France et qui avait elle-même des enfants d'un premier mariage, mais une mégère atroce qui réclamait une pension astronomique pour deux fils sans diplôme ni emploi qui avaient à peu près l'âge de Nathalie. Le nouveau chef de l'atelier n'était sûrement pas un cow-boy mais, dans les précédents chantiers, il avait noué des intrigues, fait des promesses, attaché à lui par la seule corruption de ses mœurs et la vigueur de ses étreintes des jeunes filles respectables et, après s'être fait connaître de toutes les femmes, il avait acquis auprès des hommes une réputation qui pouvait éclipser celle de Richard ou d'autres. Quand Nathalie en pleurs rapporta un soir à ses parents les premiers témoignages perfides concernant son amant, Hébert, qui ne mettait pas en doute ce que les hommes disaient de leur côté au sujet de Roland, affirma devant sa fille que les femmes de la Compagnie, motivées par la jalousie et la rancune, débitaient des histoires.

Tant que Roland jouait avec sa fille, pensait-il naïvement, il ne jouait pas avec son poste de chef de la base. Pour le moment, tout allait bien et Hébert fut soulagé de voir Nathalie blottie dans le grand drap qui servait de vêtement d'intérieur à la mère mais, quand la fille tourna la tête pour regarder le père avec les yeux remplis de larmes, Hébert eut un léger mouvement de recul et déclara d'une voix sonore que toutes ces bêtises ne lui avaient pas coupé l'appétit.

Poncey, qui avait compris qu'aucun de ses hommes n'allait découvrir la carrière dont il rêvait pour achever le présent chantier et commencer le prochain, partit sur des pistes inconnues de lui et, dans un premier temps, s'il ne trouva pas la grande falaise dont il rêvait pour découper d'immenses pans de pierre, il découvrit de nouveaux forages. Poncey avait tout naturellement oublié l'eau pendant les derniers mois parce que la ville n'en manquait jamais à l'époque de l'hivernage. Il en trouva néanmoins dans la direction de l'est et, pour contredire les esprits chagrins qui prétendaient qu'il s'agissait de l'eau du lac Tchad, égarée à dix mètres de la surface, il s'écarta des pistes et trouva de nouvelles sources dans une steppe que barraient au nord des lames de dunes. Il revint avec une équipe pour prendre des échantillons, pour mesurer l'étendue de la nappe et sa profondeur et là, debout comme un homme et posé sous le regard précis d'un soleil sans halo, rouge comme une plaie, se dressait le météorite chargé de granulats, de sables et de graviers qui était tombé à moins d'une heure du chantier en se détachant doucement du grand ciel étoilé. Poncey ne croyait pas aux miracles, mais la carrière qu'il cherchait depuis si longtemps était là, sans aucun doute. Il revint accompagné d'Alberto qui fit des prélèvements. Les échantillons passèrent sous le microscope de Maurel et sous ses doigts. Le chef de labo n'avait jamais vu un matériau aussi régulier, aussi facile à tamiser, à casser, à mélanger. Poncey demanda à ses subordonnés un peu de discrétion mais lui-même fut fort peu discret et la découverte fut très vite connue. Bien qu'il n'eût fait encore aucune révélation aux responsables de la Compagnie, il prit l'avion pour Niamey, muni des relevés de Gilbert, afin de consulter les autorités. Il craignait que le site de la future carrière ne fût pas sur le territoire de la République, qu'il appartînt au Tchad ou au Nigeria voisins. Il redoutait plus que tout de s'être aventuré sur un de ces no man's land que les nations ignorent ou qu'elles se disputent et auxquels les pionniers tels que lui n'ont pas accès. Poncey fut rassuré d'apprendre qu'il n'avait pas quitté le pays, que le tracé des frontières, non loin de là, datait de la décolonisation et que personne ne songeait à le contester. Il se rendit dans les bureaux locaux de la Compagnie et, de là, il appela Roudier à Chevilly. Le dossier de la prochaine route, lui dit-on, n'était plus à Copenhague mais à Paris. Une grosse boîte italienne et deux autres, américaines, avaient jeté l'éponge. Trop loin, trop cher. Personne ne voulait perdre de l'argent, crever des machines et éreinter des hommes pour trois cents kilomètres collés aux cent soixante que la Compagnie avait presque achevés.

Poncey était comblé. Il ne restait rien des réticences auxquelles il avait dû faire face pendant son dernier séjour en France et, dans son bureau de Chevilly, Roudier, le grouillot sans rêves, se mettait à rêver, il paraissait heureux, il parlait d'un possible voyage à Tassiga… Poncey affirma ensuite, comme si tant de bonnes nouvelles méritaient une récompense, que la route actuelle devait être achevée début mai, avec près de deux mois d'avance. Il avait lui-même chiffré l'économie réalisée en cumulant les dépenses de main-d'œuvre, la revente de certains engins, le retour des expatriés et donna des chiffres. Poncey parla plus d'une heure et arriva à l'aéroport trop tard, l'avion de Tassiga venait de décoller. Quand on le conduisit devant l'hôtel Sahel, sur la rive du fleuve, où les expatriés en transit avaient leurs habitudes et où il avait passé les deux nuits précédentes, il ne descendit pas et demanda au chauffeur de le poser au Gaweye. Il s'installa au dernier étage de l'hôtel. De la fenêtre de sa chambre il contempla le ciel, tout d'abord, puis les longues pirogues qui glissaient sur le fleuve, en dessous, ténues comme des brindilles. Au bar de l'hôtel, il fut étonné de retrouver l'Américain. Quand il ne répandait pas des insecticides sur les paysans accroupis dans les champs de mil, celui-ci accompagnait des touristes au-dessus du parc du W où couraient des gazelles et des éléphants. C'était une idée à lui, d'ailleurs, et, pour ce faire, il louait un avion à son employeur et versait une dîme aux responsables du parc. Il survolait aussi le fleuve Niger jusqu'à Tombouctou avec de vrais

Américains qui donnaient trente dollars pour un diplôme avec le cachet de la ville que délivrait un complice à lui et sur lequel lui-même touchait cinq dollars. Tous les passagers payaient pour repartir avec leur diplôme car Tombouctou n'était pas en Afrique, Tombouctou était l'Afrique. L'Américain, qui s'était rappelé que Poncey avait déjà près de trois heures de trajet le lendemain soir pour regagner Tassiga et qu'il n'aimait pas l'avion, ne proposa pas un vol à son ami mais une promenade en voiture pour le matin suivant. Le lendemain, Poncey et l'Américain roulèrent deux heures le long du fleuve et atteignirent l'aérodrome de Tillabéri où l'Américain convoquait ses touristes avant de les emmener vers le sud, ou vers le nord. L'aérodrome était désert. L'Américain montra les avions de la flotte, qui passaient au ras des champs de mil tous les ans pendant l'hivernage. Il en désigna deux, tout particulièrement, le biplan que les mécanos de la Compagnie avaient dépanné quelques mois plus tôt au large de Tassiga et un Cessna vieux de dix ans qu'il utilisait pour ses excursions. L'Américain entraîna Poncey tout au bout de la piste où était abandonné un Piper. Le fuselage avait subi des avaries et les pneus du train d'atterrissage étaient dégonflés, ou crevés, mais, après de modestes réparations, l'avion pouvait rendre des services. Il était à Poncey pour deux millions cinq cent mille francs CFA, le prix d'une voiture neuve. Poncey fit le tour de l'avion. Le Piper n'avait pas volé depuis des mois et les vents, passés par le lacis des tamariniers qui bordaient l'aérodrome, l'avaient enduit d'une poisse sur laquelle la poussière et le sable s'étaient pris. L'avion ressemblait à un vieux jouet oublié dans un grenier et Poncey, à un enfant qui vient de compter les pièces de sa tirelire. Poncey refit le tour de l'avion en frottant sa barbe avec un mouvement horizontal du plat de la main. Il hésitait. Puis il se rappela le chantier. En finissant la route avec ne fût-ce qu'un seul mois d'avance, il faisait assez d'économies pour être en mesure d'acheter plusieurs coucous comme celui-ci. L'Américain ouvrit la cabine et mit Poncey aux commandes. Le Piper pouvait être utile à un chantier en pleine brousse car il se posait n'importe où et il était plus facile à manier qu'un bull. Les gens qui n'aiment pas l'avion, dit-il encore en forçant un peu son enthousiasme, font souvent de bons pilotes. Enfin, si l'état du train d'atterrissage empêchait l'avion de rouler sur la piste et à plus forte raison de décoller, il n'empêchait pas l'hélice de tourner. Et l'hélice tourna, après de pénibles efforts pour faire partir le moteur. De retour à Niamey les deux hommes se rendirent dans les bureaux de la Compagnie. Ils signèrent les papiers de vente du Piper et Poncey donna un acompte en argent liquide et se fit conduire à l'aéroport. Le vieux Fokker de la ligne resta bien droit dans un ciel sans turbulences et pour la première fois de sa vie, Poncey dormit en vol.

La saison sèche fut comme un long hiver. En octobre, après la récolte du mil, les paysans revinrent sur le chantier. Poncey, qui venait d'acheter un avion sans même le voir voler, sans marchander son prix et sans savoir l'usage qu'il allait en faire, se mettait en colère dès qu'il doublait un camion ou un bull en panne. Les engins et l'épisode des moteurs de pick-up l'avaient ruiné en pièces détachées. Aussi demanda-t-il à ses mécanos de réparer désormais tous les véhicules avec les moyens du bord et si les expatriés, tels que Santareno et Ortega, firent du bon boulot, les mécanos locaux firent des prodiges. Eux seuls savaient remplacer une courroie défaillante par une corde, une Durit par une pièce découpée dans un vieux pneu. Au fond de son atelier, conciliant l'adresse des uns et le système D des autres, Roland faisait mieux encore. Les engins ne restaient pas longtemps en panne et les réparations tenaient bon. Grâce à lui, des camions que quinze à dix-huit mois de brousse avaient rendu à l'état d'épave reprirent la piste avec cinq tonnes de gravier dans la benne et roulèrent tous les jours. Tous ceux qui doutaient des prouesses du cow-boy reconnaissaient volontiers qu'il n'y avait pas deux mécaniciens comme lui dans le monde des TP. En janvier et février 1982, la route avança très vite. Poncey ne quittait plus le chantier. Il donnait des ordres au grutier qui posait les coffrages, prenait les commandes d'un grader et, quand il s'asseyait enfin avec Lenoncourt, Bibi, Descorches, Marcillat et d'autres pour la pause de midi, il buvait de grands traits d'eau à même son Coleman et reprenait les bons mots et les blagues qu'il disait quelques semaines plus tôt au bar du Dam et que tout le monde connaissait.

Les engins cassaient rarement, les ouvriers ne laissaient pas le chantier pour les jachères et les nouvelles qui arrivaient de Niamey ou de Paris, au sujet du camp vie, étaient excellentes.

Le climat, lui-même, se fit le complice de la Compagnie. Au ciel sans nuages de la saison sèche s'étaient greffées de longues journées presque fraîches, des matinées, des soirées à des températures de quinze degrés, à peine. Après avoir arrêté le climatiseur de ma classe, je retrouvai, comme je les avais retrouvés l'année précédente à la même période, le bavardage discret que dévidait un élève, le visage collé sur son bureau, les lointaines clameurs de la rue, le passage d'un chat sous le mobile home, des bruissements par dizaines que le ronronnement du climatiseur avait étouffés et qui révélaient une vie infinie. Aucun baigneur ne se risqua dans la piscine du club privé et, devant les maisons, les rares boys emmitouflés qui veillaient sur leur natte allumaient de petites chaufferettes et restaient assis face à la rue, immobiles comme des naufragés qui ont trouvé refuge sur un rocher. Boris passa tous ses week-ends en brousse, avec des coopérants qui avaient aussi un quatre-quatre presque neuf. Quand il obtint de Poncey l'autorisation de circuler sur les cent vingt premiers kilomètres de la route, il alla encore plus loin et s'échappa de plus en plus souvent, sans jamais se perdre.

Un jour, des boîtes au carton mâché par des trajets incessants et recouvertes de bordereaux arrivèrent sur le bureau de Boisson-Mourre. L'agent consulaire s'empressa d'ouvrir. L'ambassade et le ministère ne lui envoyaient jamais rien et les conférenciers, les marionnettistes, les comédiens que l'on détachait de leur université, de leur guignol ou de leur théâtre pour des tournées en Afrique de l'Ouest ne parvenaient jamais jusqu'à Tassiga. Les boîtes contenaient des bobines qui n'avaient pas brûlé dans un cinéma de Dakar, qui n'avaient pas été oubliées dans la soute d'un Fokker, qui n'avaient pas été volées, découpées, vendues, des films déjà anciens que les chaînes de télé diffusaient et rediffusaient en France depuis longtemps et avec lesquels Boisson-Mourre eut l'idée d'organiser une petite manifestation culturelle qu'il appela “semaine du film français”. Il fit le vide dans le jardin, installa un écran et fabriqua des rangées avec des fauteuils, des sièges, des bancs. Il donna cinq mille francs CFA au projectionniste du cinéma de Tassiga pour la remise en état du vieux projecteur, ajouta cinq mille francs pour en apprendre le maniement à ses côtés, dressa son programme et envoya les invitations. A sa grande surprise, presque toute la colonie européenne trouva le chemin du centre culturel et assista au premier film. En janvier, le jardin était à l'ombre pendant toute la journée, le soir il était froid comme une clairière. Au grand soulagement de Boisson-Mourre, les spectateurs revinrent le lendemain, avec des couvertures, des lainages. Certains avaient des gants, d'autres, qui s'étaient plaints d'être mal assis, déplièrent de vieux transats. Je vins seulement à la quatrième séance, arrivai en retard et, ne voulant déranger personne pour accéder à un bon fauteuil resté libre au milieu d'une rangée, je m'assis sur un tabouret de cuisine en Formica. Le film racontait l'histoire d'un Breton infirme et célibataire qui passait une annonce dans le courrier du cœur et entamait à son insu une correspondance passionnée avec sa sœur, restée près de lui pour le soigner. Il y avait beaucoup de silence, une belle lumière, de longues promenades le long de l'océan et, face à l'écran, les spectateurs de Tassiga ressemblaient à des passagers avachis sur le pont supérieur d'un paquebot. Ils étaient pelotonnés sous des couvertures, portaient de grosses chaussettes et avaient improvisé des manchons avec de vieux pull-overs. Boisson-Mourre abandonna son projecteur pour venir me saluer, pour me remercier d'être venu et, sans cesser de regarder le trait de lumière qui allait du projecteur à l'écran comme une eau limpide et drue, il m'avoua que la température était tombée à sept degrés, du jamais vu. Je ne pouvais pas rester là, sur ce tabouret en plein courant d'air, aussi me pria-t-il d'attendre le petit entracte, indispensable au changement de bobine. Je vous installerai sur ce fauteuil, me dit-il en désignant une rangée, et je vous donnerai une couverture. Je n'avais pas envie de m'asseoir au milieu de l'assemblée et je n'eus pas à le faire car Boisson-Mourre disparut pendant les cinq minutes de l'entracte. Dans la journée, il y avait eu des incidents en ville. Une bagarre entre un soldat et un lycéen avait créé un attroupement et le préfet avait fermé le cinéma. Des badauds s'étaient rassemblés devant le centre culturel après le début du film et faisaient du bruit avec le grillage. Boisson-Mourre les pria de s'en aller puis, quand il vit que le bruit n'avait attiré personne, que les spectateurs étaient restés sous leurs couvertures, quand il comprit que les gens voulaient simplement assister à la projection et qu'ils étaient prêts à faire du silence si on les laissait entrer, il les installa sur des bancs au fond du jardin. Quelques-uns, parmi ces nouveaux spectateurs, partirent après la reprise de la projection. Ils avaient froid, le film les ennuyait. Les autres s'assoupirent, le menton sur la poitrine. Boisson-Mourre ne se retournait plus pour les surveiller. La bande-son s'était interrompue subitement et l'agent consulaire tournait autour du projecteur en poussant au hasard un doigt sur les manettes et les boutons. Les rares spectateurs qui suivaient encore le film et qui s'étaient retournés machinalement lorsque les lèvres des acteurs ne donnèrent plus aucune parole renoncèrent à s'en aller. Ils s'étaient engourdis dans la tiédeur de leurs couvertures et ne songeaient plus à bouger.

17

Dans les premiers jours de mars, Poncey, interrogé sur la fin de l'actuel chantier, s'exprima pour la première fois en semaines. Douze. Poncey, qui était fier de boucler son ouvrage avec un bon mois d'avance, ne répondait pas aux questions qu'on lui posait sur l'implantation de la Compagnie au Tchad. Il laissait dire… En revanche, il ne cachait pas son intention de lancer de nouveaux forages, de rencontrer des chefs de cantons éloignés, des petites équipes qui perçaient des pistes avec de vieux bulls. Il roulait des journées entières avec Bibi. Aux expatriés qui voulaient des précisions sur le camp vie, celui-ci ne répondait rien. Il travaillait beaucoup, il était épuisé, et ne savait pas grand chose. Marcillat, Descorches, Lenoncourt, ou encore Richard n'étaient pas plus bavards. Une seule personne fut en mesure de les renseigner sur l'avenir de la Compagnie, et malgré elle, la dernière à laquelle ils eussent pensé… C'était moi. Je ne recevais pas plus de confidences que Bibi, que Richard ou que tous les autres réunis, mais un jour, après la classe, Poncey me convoqua dans son bureau et, devant les vieux briscards poussiéreux qui rentraient de brousse et s'étonnaient de me trouver là, il me tendit des papiers et me demanda de signer. C'était mon contrat. Deux années renouvelables sur le camp vie du chantier Gouré-Diffa, trois cent trente kilomètres, quatre pages que je lus, un peu étourdi, un peu distrait. Je signai. Sans penser un instant que rien ne m'y obligeait, qu'aucun des hommes présents ne pouvait attraper mon bras si j'amorçais un geste pour me lever, pour m'en aller. Le soir même chez les Descorches, devant les mêmes témoins, et devant moi, Poncey fut contraint de parler de l'adjudication. Celle-ci était en bonne voie, mais elle n'était pas acquise. J'avais été le premier à signer parce que Chevilly avait envoyé mes contrats assez tôt pour que l'on pût enregistrer ma demande de détachement auprès de l'administration. Rien n'était gagné, mais on pouvait tout de même fêter ça. Des hommes aux yeux rougis et aux lèvres humides me donnèrent de grandes bourrades dans le dos. J'avais signé mon entrée dans les TP, j'étais des leurs, désormais. Descorches, qui était allé chercher de la bière et du whisky, proposa de garder tout le monde pour le dîner. Il soulevait comme une jupe le tablier qu'il avait attaché à la ceinture et ouvrait les bouteilles en pinçant le bouchon avec le tissu. Mme Descorches et les enfants allaient et venaient au fond de l'immense salle de séjour, comme des figurants sur une scène, en charriant de la vaisselle et des victuailles. Personne ne les avait salués. Descorches, qui était rentré de brousse avec de la viande de phacochère, laissait souvent ses convives pour rejoindre le barbecue et surveiller la braise. A table, tout en pointant le premier sa fourchette sur le plat de côtelettes, Poncey, sans ajouter le moindre détail sur le camp vie, avoua que le futur chantier allait être le dernier. Il avait cinquante et un ans. Quatre ans de camp vie, cinq au siège de la Compagnie ou à la direction d'une succursale, cela faisait soixante ans. Après tout ce temps, il n'était pas fâché de se retirer, de laisser sa place, il n'avait pas démérité. Sa femme était lasse de l'Afrique et ses filles allaient avoir des enfants qu'il voulait voir grandir. Et puis, il avait à Vichy une maison dans laquelle des ouvriers et des artisans, à qui il donnait des fortunes pour des travaux d'agrandissement et d'embellissement, avaient vécu plus longtemps que lui.

Le lendemain soir, après le dîner, je m'étais assis sur la terrasse où Maurel vint me rejoindre. Il n'était pas chez Descorches, la veille, mais il avait appris l'histoire des contrats. Maurel croyait aux trois cent trente kilomètres du chantier Gouré-Diffa. Poncey avait des chances de rester ici quatre ans de plus. Aucune autre boîte de TP ne pouvait décrocher le contrat sans perdre des sommes comparables à celles que la Compagnie avait accepté de perdre sur le tronçon en cours. De plus, à Paris, à Copenhague, à New York, où l'on traitait le dossier du futur chantier, tout le monde savait que, si Poncey avait dépensé beaucoup d'argent, il allait boucler avec deux mois d'avance une route qui réclamait deux ans. Il y avait peut-être, à l'intérieur de la Compagnie ou ailleurs, deux ou trois directeurs ayant la carrure de Poncey, mais seul celui-ci avait roulé et roulait encore sur les pistes de la région, seul celui-ci connaissait l'eau qui coulait dans les profondeurs, le soleil qui brûlait les collines. Maurel croyait au futur chantier, il croyait au camp vie aussi. Il voulait bien croire à tous les contrats que l'on allait proposer à des topos, des mécaniciens, des chefs d'équipe, des conducteurs de travaux. Mais il ne croyait pas au seul contrat qui, à ce moment précis, était déjà signé : le mien. Du vent, me dit-il. Selon lui, le camp vie n'était pas pour les expatriés avec femme et enfants. Une école n'y avait pas sa place. Il n'était pas davantage pour les intérimaires qui arrivaient au début des chantiers et faisaient du bon boulot à condition de partir au bout d'un mois. Selon Maurel, le camp vie était pour des mercenaires tels que Roland, qui pouvaient rester un an sans rentrer chez eux et que l'on avait fait venir à l'avance car il fallait quelqu'un au km 0 du prochain chantier quand il n'y aurait plus personne au km 160 de l'ancien. Contrairement à tous les autres, les mercenaires ne gagnaient pas de l'argent pour le garder, pour le transformer en murs, en toiture, en meubles et en matériel électroménager, mais pour le dépenser et, pendant que parlait Maurel, je me rappelai un récent dîner du dimanche au club. Le plus âgé des trois mécaniciens de la nouvelle maison des célibataires, qui s'appelait Roland, lui aussi, et avait abandonné son prénom pour le curieux diminutif de “Roy”, le plus âgé, donc, racontait comment, vingt ans plus tôt, à son retour de l'atoll de Mururoa, où il avait connu pendant six mois un secret, un silence, une nuit digne d'un sous-marin, il avait laissé toute sa paie, une authentique fortune, dans les boutiques de luxe d'un couloir d'aéroport.

Pendant les nuits qui suivirent, je fus réveillé par le paysage du chantier qui s'interrompait brusquement et se heurtait à une paroi, par le spectacle d'une falaise que baignait la lumière du soleil et que perçaient de minuscules fenêtres noires. Dans mes rêves, le Land Cruiser de Poncey et tous les quatre-quatre de ses proches roulaient au pied de la falaise, à l'affût d'une brèche. Poncey descendait de voiture en hurlant des "bon Dieu" sonores, des insultes. Il longeait à pied la falaise et donnait de grands coups de poing dans la pierre ocre. Je me levais, quittais la chambre et, en traversant le couloir, je croisais Maurel ou Bibi qui allaient pisser et avançaient lourdement en prenant appui sur le mur. Dans le seul des trois frigos qui fonctionnait désormais, je trouvais une boîte de jus d'ananas entamée et je buvais doucement en joignant mes lèvres à la petite plaie de fer ouverte sur le bord. Le jus d'ananas avait pris la saveur de toutes les provisions qui l'entouraient et le métal de la boîte était légèrement poisseux. Je vidais le contenu malgré le dépôt qui se mêlait aux dernières gouttes et je restais un long moment assis sur un coin de table qu'éclairait l'ampoule du frigo. Dans mon demi-sommeil, je me rappelais cette même table qui accueillait certains soirs dix convives, je me rappelais les blagues de Cormier, la face de Gilbert, enfarinée de poussière, les morceaux de pain que Poncey déplaçait pour édifier son camp vie. Le camp vie était devenu un peu plus qu'un rêve, un peu plus que des paroles. Malgré les appréciations de Maurel, qui croyait à un nouveau chantier confisqué par les mercenaires de la Compagnie comme les chantiers du Nigeria avaient été confisqués par des soldats ou des milices armées, le camp vie commençait à exister par la grâce de ce morceau de papier que j'avais été le premier à signer et qui ne valait rien de plus que quelques miettes de pain poussées sur le Formica un peu gras de la table. Qu'il y eût déjà des mobile homes neufs sur un quai du port de Lomé ou que Berthier, le grand patron de la Compagnie, eût effacé le chantier à venir d'un simple trait, le camp vie existait parce que Poncey existait. Oui, le camp vie existait parce que Poncey existait… Dans cette cuisine désormais vide, face au frigo entrouvert sur une lumière violente et crue, je me répétais cette équation, j'étais heureux de ma trouvaille. Elle acquérait un prix supplémentaire à mesure que je pensais à l'eau que Poncey faisait sourdre, aux hommes qu'il faisait plier, aux mensonges qu'il répétait, aux promesses qu'il était incapable de tenir, à ce "peut-être à un de ces jours, qui sait ?" qu'il disait en guise d'adieu aux intérimaires venus le saluer à la fin d'une mission et qu'il me dit effectivement, un mois plus tard, quand je me présentai à lui avant de m'en aller tout à fait. Plusieurs semaines après mon retour en France, le camp vie de Poncey était toujours dans mes paroles, dans mes gestes, comme la poussière de Tassiga était encore dans ma poitrine, la Nivaquine dans mon sang. Je n'en parlai à personne comme si le contrat que j'avais signé et dont j'avais conservé un double – tatouage médiocre bientôt oublié dans un tiroir – suffisait à exprimer un peu de terre, un peu de vent.

Poncey, qui voulait retrouver Détroyat, le fameux gradériste dont nous avions suivi la trace un jour, sur une piste perdue, pour lui proposer un poste d'importance dans son camp vie, avait demandé aux correspondants de Niamey de le localiser. Détroyat n'était nulle part, lui répondit-on, ce qui signifiait pour Poncey que le gradériste avait peut-être rejoint le petit chantier où il avait été affecté, qu'il n'était pas loin. Poncey passa me prendre un samedi matin et, pour la première fois, il s'excusa. Il ne m'avait pas prévenu car il avait décidé cette sortie en brousse au dernier moment. Il souhaitait retrouver la piste où était ensablé un compacteur à pneumatique et, de là, suivre le grain bien rouge de la latérite jusqu'à la fin du petit chantier. S'il n'y avait pas Détroyat tout au bout, avec un peu de chance il y avait le garçon coiffé d'une casquette de marin à visière de plastique et, après tous ces mois, celui-ci savait forcément quelque chose sur le gradériste. Pour partir à la recherche de Détroyat, Poncey ne manquait pas de vieux fidèles pour l'accompagner et il pouvait aller seul, aussi. Il avait pourtant tenu à m'emmener, il n'était pas sûr, me disait-il, de reconnaître le jeune homme à la casquette, il avait peur de se tromper…

Depuis que j'avais pris des clichés par centaines du chantier, depuis que la préfecture avait retiré mon autorisation de photographier, Poncey n'avait plus besoin de moi. Ce jour-là, il m'emmena avec lui juste pour me faire faire un tour en brousse. Le dernier, avais-je compris. Le Land Cruiser fila sur la route déserte à toute vitesse. Sans un bruit. Jamais je n'aurais pensé qu'après vingt mois de vacarme le chantier pût laisser tant de silence derrière lui. Poncey ne parlait pas. J'avais voyagé assez souvent avec lui pour savoir que, quand ses mâchoires étaient serrées, quand ses mains étaient accrochées au sommet du volant, quand son dos se détachait légèrement du siège, Poncey était plongé dans un dialogue intérieur qui confinait à un véritable pugilat. Parfois, il imprimait un mouvement brusque au volant, il faisait un geste de refus avec le menton, il prononçait deux ou trois mots inaudibles. Il ressemblait à ces chiens endormis qu'une poursuite mystérieuse fait trembler et gémir. Ce jour-là, Poncey ne songeait pas à Détroyat. Détroyat était un rêve, une ombre, tout au plus. Depuis que Poncey avait croisé ce dernier, les TP avaient formé une quantité de gradéristes et Détroyat lui-même, en prenant des chantiers minables, s'était gâté la main, sans aucun doute. Dans la nuit imparfaite que ses paupières plissées fabriquaient en puisant dans le goudron lisse de la route, Poncey faisait défiler les fidèles, les malins, les flatteurs, les indifférents, tout le monde familier de ses proches qu'il avait créé, dont il contrôlait les moindres gestes, écoutait les moindres paroles. Au-devant, se mêlaient les hostiles et les fâcheux, les teigneux tels que Van Beck ou l'inspecteur du travail, sombres et taciturnes au point d'ajouter un peu de nuit et un peu de silence au trajet. C'était son monde à lui et, à aucun moment, il ne pouvait imaginer que ce monde serait un jour le mien, que son meilleur ami ou son pire ennemi était là, à côté de lui, gamin qui n'avait pas la moitié de son âge et ne portait en lui d'autre révolte que les livres lus et le vague désir d'en écrire à son tour.

Poncey bifurqua brusquement, comme si la lumière du jour, à la faveur d'un reflet, avait dessillé ses yeux et était entrée dans son rêve. Il guettait une piste qui menait au petit chantier de Détroyat et avait réduit l'allure du Land Cruiser mais, sur ce chemin étroit et bordé de flamboyants, rouler à moins de cent à l'heure était encore rouler très vite. Les gens qui font les routes n'ont pas d'accident, pensai-je pour me rassurer. Je compris que nous roulions sur l'ancienne route de Détroyat quand je vis le compacteur planté sur un talus. Les ouvriers avaient laissé derrière eux un épais trait de latérite et nous ne pouvions savoir s'ils avaient achevé leur ouvrage depuis une semaine ou depuis un an. Il était dans la coutume des TP de filer à toute allure sur les routes intactes pour en éprouver le tracé, le revêtement, pour les secouer comme des chairs, les ouvrir, les détruire peut-être, et le Land Cruiser fila ainsi pendant près d'une heure. Poncey ne s'arrêta pas devant la cabane des ouvriers, ne ralentit pas malgré la piste avec des ornières et des nids-de-poule qui avait remplacé la route de latérite. Aux gaos, aux éboulis et aux mils oubliés, dressés et secs qui bordaient le chantier, avait succédé un paysage d'arbres courts et charnus, de baobabs disséminés et étincelants. Le Land Cruiser roulait sous les branchages larges et voûtés avec la régularité de ces trains de fête foraine qui s'enfoncent dans des nuits de pacotille. J'ignorais où nous étions et parler à Poncey, alors que le chemin devenant plus étroit et plus sombre lui commandait des gestes précis et efficaces, était imprudent. Il semblait loin, crispé. Poncey ne cherchait pas une équipe, un engin ou un village, il cherchait Détroyat. Et s'il était peu probable que l'on vît le gradériste courir sur les jachères, avec cette démarche malhabile qui pousse les fugitifs vers le sol plus facilement qu'elle ne les emmène au loin, il était possible de tomber sur un de ces chantiers de brousse où l'homme avait trouvé refuge. Poncey n'allait pas au hasard. Bibi lui avait indiqué un quadrillage de pistes au milieu desquelles deux Français avaient établi un campement. Poncey n'avait pas l'habitude de visiter les petits chantiers, fussent-ils dirigés par des compatriotes. Il ne connaissait pas les deux Français, il ne voulait pas les connaître, mais il voulait savoir si, à défaut de travailler avec eux, Détroyat n'avait pas demandé l'hospitalité pour une nuit, ou davantage. Avant d'arriver au campement des deux hommes, Poncey se perdit. Les deux chefs de chantier ne fabriquaient pas une route mais dressaient un savant tissu de pistes rudimentaires entre des villages. Les trente kilomètres qui séparaient ces derniers étaient naguère encore un savant entrelacs d'arbustes, de cailloutis et d'herbes sur lequel les ânes eux-mêmes refusaient d'avancer et que les hivernages remplissaient d'une eau obscure. Les experts qui prescrivaient des routes et s'efforçaient habituellement de relier une ville à une autre avaient dessiné cette grille inédite qui ne séduisit aucun organisme de coopération mais que l'on réalisa tout de même, parce qu'il restait des crédits. Autrefois, les deux Français avaient eu des beaux contrats et un grade élevé, mais après vingt ans de brousse, vingt ans de brouilles, d'accidents, vingt ans d'ivrognerie aussi, ils touchaient un petit salaire sur place et une prime d'expatriation que l'on versait en France sur un compte à l'usage des épouses délaissées et des enfants qu'ils n'avaient pas vu grandir. A l'imitation de Petit, dont ils partageaient les idées politiques, ils rentraient rarement en France, haïssant moins les anciennes colonies et les sujets indigènes de notre empire que les bradeurs de Paris qui avaient donné l'indépendance. S'ils se moquaient de leur passé, de leurs mérites ou de l'argent, ils se moquaient plus encore de leur état civil dont les termes précis étaient inscrits dans un passeport enfoui quelque part, dissimulé comme l'était le diplôme d'ingénieur de Van Beck. Ils répondaient respectivement aux noms de Jacky et du Révérend et, si ce n'étaient pas là leurs vrais noms, ces deux surnoms étaient authentiques, en d'autres termes, ils reviennent aujourd'hui dans ces lignes sans la moindre des précautions accordées à l'identité des autres personnages. Le Révérend avait soixante ans, une barbe en collier, un ventre petit et rond, un vocabulaire recherché et des enfants adultes qui l'avaient renié. Beaucoup plus jeune, Jacky portait un pantalon de ville sur la ceinture duquel flottaient les pans de sa chemise ouverte. Les deux hommes n'étaient pas très riches et ils étaient loin de tout. A leur arrivée, ils avaient cherché le point d'intersection des pistes à venir, défriché un carré de terre et construit deux logements avec des matériaux pris sur de vieux mobile homes. Devant, avec le bois des arbres abattus, ils avaient édifié un large auvent et couvert le sol d'un caillebotis. Quand ils virent le Land Cruiser à l'entrée de leur terrain, les deux hommes eurent des gestes vifs pour nous faire reculer et Poncey, vexé, recula effectivement, non pour se ranger, mais pour faire une manœuvre et repartir. Il baissa sa vitre sur le visage d'un boy qui avait couru et qui reçut le souffle usé de quelques jurons. Il était impossible d'avancer sur le carré défriché à cause des multiples souches d'arbres pointues et droites comme des pieux. En réalité, les deux Français avaient fait des gestes pour nous inviter à laisser le Land Cruiser sur la piste et ils avaient envoyé un boy pour nous montrer l'étroite passerelle qui reliait le terrain vaste et aride et le tamis dense d'arbres courtauds et noueux. Jacky et le Révérend vivaient seuls avec leur boy, paisibles et silencieux comme les rescapés d'un formidable déluge. Ils demeuraient trop à l'écart pour que l'on vînt les visiter et avaient renoncé au club de Tassiga à cause du trajet, trop long à l'aller, trop dangereux au retour. Depuis deux ans, ils vivaient ensemble et fréquentaient leur boy, leurs ouvriers et le chef du village voisin. Ils parlaient à peine, travaillaient un peu, buvaient beaucoup. Ils nous accueillirent néanmoins avec l'aisance d'un couple de bourgeois traversant leur appartement pour aller au-devant des invités. Le Révérend marchait le premier, arrondi, cambré. Avec son collier de barbe, il était curieusement le plus féminin des deux. Jacky allait juste derrière, grand, rouge et moite. Ils n'avaient rien d'autre à nous proposer que des vilaines chaises et cette table rectangulaire, légèrement déformée par le soleil ou par l'humidité et sur les bords de laquelle le Formica commençait à se détacher. Les deux hommes, en revanche, ne manquaient ni de whisky, ni de bière et possédaient une denrée que rationnaient les cuisiniers et les boys de Tassiga : les glaçons, produits par un terminal frigorifique couplé à un groupe électrogène dont nous entendions le ronronnement. Après avoir servi Poncey, Jacky regarda attentivement le verre de celui-ci avant de le prendre et de le vider brusquement sur le caillebotis. Il balaya négligemment avec son pied les glaçons qui glissaient sur les planches afin de les pousser dans les fentes puis il resservit Poncey et ajouta au whisky une nouvelle poignée de glaçons. Poncey but aussitôt, de crainte qu'on ne lui reprît son verre, ajouta des grognements d'aise à ses remerciements et avoua à ses hôtes qu'il était satisfait d'avoir trouvé leur repaire.

Il savait qu'il y avait deux anciens de la Générale de Terrassement planqués en brousse. Il demanda ensuite quelle distance séparait le campement de la route, de sa route, et ne fit aucune grimace quand il apprit qu'elle n'était pas à vingt kilomètres au nord ou à trente kilomètres au sud mais qu'elle était loin derrière. Sans cesser de regarder autour de lui, comme si Détroyat allait sortir d'un bosquet pour s'installer à notre table, Poncey, qui avait en général peu de curiosité pour les petits chantiers, demanda des explications sur le quadrillage inédit que les deux hommes dessinaient autour d'eux et il écouta attentivement. Un instant, je crus qu'il avait du plaisir à se trouver là et qu'il allait scander la noble geste des TP avec ses hôtes, mais Poncey ne prononça pas les noms magiques des anciens qu'il prononçait dès que la conversation amenait un vieux chantier et grâce auxquels revenaient de vieilles histoires de virées et de filles. Poncey connaissait peut-être Jacky et le Révérend de réputation car le monde des TP n'était pas assez grand pour que ces deux hommes-là eussent pu construire des routes, prendre des cuites sans laisser leur nom ou, mieux encore, leur surnom, comme une trace dans les conversations, mais il n'était pas venu se perdre ici pour bavarder. Après avoir bu un second verre, il se hissa doucement au-dessus de sa chaise et, pointant son nez dans l'air, il lança le nom de Détroyat. Les deux hommes échangèrent un regard et restèrent silencieux. Poncey se tut à son tour. Jacky et le Révérend se levèrent et bientôt tout le monde fut debout. Poncey n'insista pas. Avant de s'engager sur le chemin de planches, il considéra les deux bungalows et demanda à visiter. Les deux hommes vivaient dehors et entraient dans cette chambre propre et rangée juste pour dormir. Les rares meubles – un lit, une petite armoire avec un miroir collé sur la porte, une table de nuit – qui remplissaient chacune des chambres étaient luisants et neufs. Jacky et le Révérend allaient doucement autour de nous comme si on leur avait confié la garde d'enfants turbulents. Ils redoutaient nos mains sur les draps, nos pieds sur la descente de lit. Ils étaient pressés de nous voir sortir et Poncey s'attardait. Il regardait le sol, les murs, ouvrait un tiroir, posait une main sur une cloison avec les mêmes gestes qui étaient les siens pour vérifier l'étanchéité d'un coffrage, le grain d'une couche. Il était heureux de se trouver dans cette douceur et il disait parfois, en me jetant un coup d'œil complice, bon Dieu ! je comprends, bon Dieu ! je comprends... Le lit de Jacky, encastré entre deux colonnes d'étagères, était dominé par le poster d'une femme nue, accroupie sur un lit, le torse cambré. Poncey la regarda sans insister. Jacky nous présenta le modèle comme son épouse et la photo comme son œuvre. Avant de s'en aller, il avait commandé cet agrandissement qui lui avait coûté une fortune. Il fallait, nous dit-il, que l'image fût à la même échelle que le corps du modèle. Le couple avait vraisemblablement prononcé une quantité de serments avant de se séparer et la jeune femme, jolie, un peu vulgaire et très bien faite, avait pris la pose des pin-up de magazines afin que son image servît à la fois d'épouvantail pour tenir les filles des villages à l'écart du lit et d'icône dans les jeux solitaires de son mari. Poncey avait mis son visage dans une sorte de hublot qui donnait sur l'arrière du campement. La vitre était épaisse et sale, recouverte par endroits d'une glu qui avait fixé la poussière en de petites traînées brunes. Pourtant, dans le parterre reconquis par les arbustes de cette mangrove sèche et noueuse qui s'étendait sur une dizaine de mètres, il reconnut les décombres éparpillés d'un troisième bungalow, les parois de tôle peinte, les meubles dépareillés, les planches empilées. Tout avait été poussé, mis à l'écart, oublié. Poncey quitta la pièce, non sans effort, car nous y tenions à quatre, à cinq si l'on comptait la femme du poster, et l'endroit était plutôt exigu, puis il gagna le sentier de planches qui conduisait au Land Cruiser. Là, il salua les deux hommes avec les mots et les gestes impersonnels et froids que l'on a pour des vendeurs avec qui l'affaire n'a pas été faite et rejoignit le Land Cruiser sans faire attention à moi. Les deux mains et le menton posés sur le haut du volant, il resta un long moment silencieux. Quand il lança le moteur, il eut un mot pour Détroyat qui avait sans aucun doute vécu ici. Il eût aimé savoir quel séisme avait détruit le mobile home… T'as vu la photo de la fille, dit-il encore avant de démarrer brusquement. Une simple pute, précisa-t-il d'une voix sonore, alors que le Land Cruiser jetait des graviers dans la poussière.

Je ne sais si, dans les semaines qui suivirent, Poncey oublia Détroyat ou s'il se contenta de ne plus en parler. Le chantier l'occupa, la Compagnie ne pouvant achever la route avec de l'avance sans que chaque kilomètre fût irréprochable, sans que le chef se montrât partout. Le dernier tronçon réclama quelques ouvrages que Poncey réalisa personnellement car il avait du goût pour les coffrages. Pendant plusieurs jours, il redevint un conducteur de travaux précis, habile et proche des hommes. Il rentrait rarement chez lui avant neuf heures, le soir, à cause des communications téléphoniques avec Chevilly. Dans l'attente de l'adjudication, les cadres de la Compagnie, en liaison avec Poncey, s'efforçaient d'ajouter des noms au mien sur la liste du camp vie. Quand il apprit l'attribution probable du poste de chef de la base à Roland, Hébert afficha un visage réjoui. Il était naturel, affirmait-il volontiers à qui voulait bien l'écouter, qu'il abandonnât sa place à son futur gendre. Bien sûr, pour être son gendre, il fallait d'abord que Roland épousât sa fille, qu'il fût libre. Tout ça, c'étaient des formalités, de la paperasse, nous n'étions plus au Moyen Âge… La moustache de Hébert avait repoussé par endroits et formait de petites mèches éparses au-dessus d'un mégot semblable à un appendice de chairs bleuies et mortes. Le chef de la base buvait un peu, mais il ne buvait pas comme on boit dans les TP, après avoir formé un groupe d'hommes bruyants, il se levait au milieu de la nuit et prenait une bouteille. Il ne vidait pas celle-ci pour ressusciter les événements de sa vie à la façon de Poncey qui s'enfermait avec l'homme du noir pour se rappeler les premiers chantiers, il vidait sa bouteille pour effacer l'image de sa femme volumineuse comme un monument et ridée comme une tortue, l'image de sa fille faisant une première fugue pour s'établir avec un cow-boy de fête foraine. Il buvait pour dormir. Une demi-bouteille de whisky lui procurait cinq à six heures d'un sommeil continu et lourd que sa femme n'osait interrompre. Le matin, Hébert arrivait à la base après neuf heures. Bougon, agité et farouche, il cherchait une proie dans le petit cordon d'ouvriers qui allaient du magasin à l'atelier. Mais les hommes ne s'arrêtaient plus pour se faire engueuler. Ils portaient des cartons, ils avançaient avec deux pneus accrochés à leurs bras tendus, ils couraient vers la silhouette de Roland, minuscule et presque aussi noire qu'eux. En ajoutant son nom au mien sur la liste des élus du camp vie, Roland démontra que, désormais, pour parvenir à ses fins, il n'était pas nécessaire d'être un vieux loup des TP ou un protégé de Poncey. Roland, qui parlait volontiers de ses mérites, de ses aventures et pouvait réciter dix fois la même scène de poursuite, la même histoire de malandrins embusqués, ne parlait jamais de ses projets. C'était inutile. Selon lui, les chantiers de Poncey étaient morts et Poncey lui-même se trompait en imaginant la fin de sa carrière dans un bureau du dernier étage de la tour de Chevilly. Poncey avait fait son temps et du bon boulot, sans aucun doute, mais il était vieillissant et maniaque. Roland, lui, ne mélangeait pas les chantiers de brousse et les bureaux de Paris. Des mains telles que les siennes, brûlées par les culasses, marquées de cals et enduites de cambouis, tenaient à grand peine un stylo mais elles reconnaissaient en deux secondes un écrou de dix-sept. Des mains d'aveugle. Ses yeux n'étaient pas si vaillants. Ils avaient du mal à suivre le mouvement des ficelles qui s'animaient au-dessus de lui et qui le conduisaient d'un chantier à l'autre depuis quinze ans. Je suis heureux, disait-il, parce que je ne suis pas fou.

A défaut d'être mariés, Roland et Nathalie vécurent maritalement et Poncey, qui s'était arrangé pour que la femme de Bibi ne vînt pas à Tassiga et pour que Gilbert rentrât de vacances sans sa fiancée, se soucia peu de voir Nathalie installée dans la seconde maison des célibataires. Le couple ne gênait personne. Roy et Marbœuf, les deux autres mécaniciens logés dans la même maison, n'avaient pas ce goût des popotes qui avait dessiné de belles tablées chez nous. Ils mangeaient des poulets au Continental, buvaient des Flag dans un bar du quartier des huileries, des whiskies au club. Ils pouvaient dormir à la belle étoile, serrés à l'arrière d'un pick-up, ou passer trois jours dehors. Ils puisaient dans une cantine ouverte leurs chemises et leurs sous-vêtements et abandonnaient le linge sale par terre. Ils faisaient venir des filles qu'ils avaient rencontrées grâce à Richard et d'autres filles encore qu'ils allaient chercher au bout de la ville. Ils donnaient des rendez-vous dans la rue qui menait à la centrale à fuel, une rue déserte et renflée, fendue au milieu de la chaussée, où les taxis ne conduisaient jamais personne et qu'eux-mêmes traversaient à toute vitesse. Nathalie n'avait aucune expérience des hommes, aussi quand, après une première dispute avec Roland, elle se précipita chez ses parents avec le projet de dormir une nuit dans la chambre d'adolescente qu'elle n'avait guère occupée depuis son arrivée à Tassiga, Mme Hébert se montra embarrassée. Les autres familles ne devaient pas apprendre que le petit cow-boy répudiait la fille après avoir dépossédé le père de son poste sur le camp vie. En réalité, Mme Hébert redoutait moins ses voisins que son mari et, si les deux femmes s'embrassèrent et restèrent un long moment serrées dans le pagne que la mère avait dénoué pour y contenir la fille, si elles pleurèrent, si Mme Hébert pleura plus fort encore, comme si elle s'efforçait de vider sa grande carcasse de toutes ses larmes, Nathalie rejoignit néanmoins son nouveau domicile. Par la suite, elle réussit à s'entendre avec Roland et si sa vie fut totalement transformée, si elle apprit beaucoup de choses, si elle fut arrogante parfois, avec les autres femmes ou avec ses parents, elle conserva assez d'innocence pour croire que Roland allait divorcer pendant son prochain séjour en France ou que les femmes des TP étaient appelées à connaître dans leur vie un homme et un seul. Ce n'était pas aussi simple. Si l'épouse de Roland, sa concubine et les enfants de celle-ci se trouvaient trop loin de Tassiga pour obscurcir la lune de miel des deux amants, si les Hébert, les voisins, ainsi que les deux autres mécaniciens savaient être discrets, la mangouste, qui suivait Roland depuis des années, montrait tant de hargne et de rancune que Roland devait l'attacher au début de la nuit pour éviter qu'elle ne descendît de son armoire et ne vînt se mêler aux ébats du couple. Pendant la journée, Nathalie, rentrée du marché ou de la piscine du club, se trouvait seule dans la maison avec la mangouste qui tournait sur le sommet de son armoire comme une bête en cage. Quand Nathalie pénétrait dans la chambre, la mangouste s'arrêtait et présentait son postérieur au-dessus du carrelage, puis, avec la lenteur paisible d'un bombardier larguant ses bombes, ajoutant un ronronnement d'aise un peu sourd comparable à un bruit d'hélices lancinant, elle se défaisait de la boue de son corps. Violents et nourris, les tirs étaient aussi très habiles. Sans quitter le sommet de son mirador, la mangouste se jouait des journaux dépliés en dessous et atteignait des cibles lointaines, le pied d'une chaise, une chaussure oubliée par terre. Une nuit, elle rompit sa corde, descendit de l'armoire et grimpa sur le lit. Nathalie sentit les griffes de la bête sur son ventre encore brûlant. Elle cria et se débattit si fort que la mangouste s'enfuit, traversa le couloir, la petite cour où dormait un boy et passa dans la villa voisine. Aidé de Roy et de Marbœuf, Roland franchit le mur et captura la mangouste au bout d'une heure de traque silencieuse dans les bosquets éparpillés. Mais il l'attrapa avec tant de précautions, la porta avec tant de soin que Nathalie renonça à demander à son compagnon, qui parlait pourtant tous les jours de se séparer de sa femme et d'abandonner ses enfants présumés, de se défaire de l'animal. Le lendemain, malgré l'entrave d'une véritable courroie qui l'empêchait de se pencher au-dessus de l'armoire, la mangouste reprit ses raids et souilla de ses excréments les vieux journaux disposés sur le sol que Nathalie ne ramassa pas. La jeune fille quitta la chambre de Roland et arriva une nouvelle fois dans la maison de ses parents à l'instant précis où le chauffeur du minibus, aidé de deux boys, emportait Mme Hébert vers la terrasse. Habile comme un jeune chien, Nathalie glissa dans les jambes de sa mère, traversa la terrasse, entra dans la maison et s'enferma dans sa chambre.

Cormier était en France et Bibi mangeait souvent chez les Descorches. Maurel traînait le soir en ville. Parfois, je l'accompagnais au cinéma. Gilbert faisait des relevés pour la prochaine route et couchait dans des villages lointains. Les grandes tablées du soir autour de Poncey étaient révolues, oubliées. Un jour, nos deux boys ramassèrent leurs nippes et leur tapis et s'en allèrent. Ils avaient reçu de Hébert l'ordre de s'installer chez Roland, dans la seconde maison des célibataires. Les deux boys s'y rendirent peut-être, mais le lendemain, ils avaient disparu. Ils étaient partis à pied pour leur village natal, ils s'étaient embarqués pour Maradi, Niamey, pour les lointaines villes du littoral dans un bus de ligne ou un taxi-brousse et Poncey, qui avait de bonne grâce payé pendant des mois une troupe de paysans peu assidus pour construire sa route, se mit en colère contre ces deux pauvres bougres. Seul le cuisinier demeura chez nous mais le temps des agapes était révolu et nous n'allions plus au marché de Myrriah faire ses courses. Pour travailler correctement, il avait besoin d'avoir du monde autour de lui : nous, nos invités, ses deux collègues, les boys du quartier. Il aimait cuisiner, il aimait aussi passer derrière les convives avec son faitout rempli, avec des verres empilés sur la paume d'une main et des bouteilles de bière glissées entre ses doigts. Il regrettait les blagues de Cormier, les denrées prélevées par Gilbert dans une ferme perdue, les palettes d'œufs… Après le départ de ses deux camarades, il refusa l'accès de la villa à Kaï et Bon Prix et aux marchands ambulants qui se présentaient sur la terrasse avec des guirlandes de poulets, des haricots et des piments et demandaient à nous voir. Il inventa un petit potager sur les restes de la pelouse et, dans l'attente que ses légumes fussent assez gros pour les vendre dans le quartier, il dressa l'inventaire des bouteilles de Johnny Walker vides, rassembla des magazines vieux de deux ans, des montagnes de *Ouest-France*, découvrit, intacte, la maquette de la *Pinta* de Christophe Colomb que l'homme du noir avait abandonnée dans une remise avant son retour précipité pour la France et entassa le tout dans une carriole. Pendant les dernières semaines du chantier, il délaissa la maison des célibataires pour le marché de Tassiga ou pour son village natal et rentrait en fin d'après-midi. Il préparait encore le repas, mais il ne faisait plus le ménage. Il parlait très peu et ne riait plus. Il était pressé d'en finir avec la Compagnie. On lui avait proposé une place de cuisinier sur un cargo et il avait besoin d'argent pour quitter le pays. Un matin, en me rasant, je voulus effacer le piton de neige blanc que la mousse avait édifié dans le lavabo. Alors que j'ajoutais au trait vif du robinet le mouvement nerveux de mes doigts avec lequel j'effaçais aussi la craie sur le tableau, je reconnus, amoncelées sous la bonde, les blattes qui avaient grimpé le long du tuyau et faisaient flotter leurs antennes dans la lumière.

18

Marbœuf était probablement un de ces mercenaires décrits par Maurel, sans famille ni port d'attache, qui se postaient sur un talus, au Nigeria ou ailleurs, avec une carabine et attendaient les rebelles en fumant des cigarillos. Comme Roland qui "faisait" l'Afrique depuis des années ou comme Roy, longtemps tenu au secret sur des atolls, Marbœuf avait vécu des épisodes dramatiques ou cocasses mais il était incapable de les raconter. A l'imitation de ses deux camarades, il avait été affecté à Tassiga dans l'attente de l'adjudication et il n'était pas question de renvoyer les trois hommes en France au mois de juin, en compagnie des autres expatriés, fût-ce pour une permission de dix jours, ni de les payer à boire des bières au bar du Continental, car le nouveau chantier avait besoin d'eux. Mais si, à Chevilly, avant de signer son contrat, Roland avait réclamé le poste de Lagneau pour ne pas passer en brousse les trois derniers mois d'un chantier qu'il ne considérait pas comme le sien, les deux autres mécaniciens avaient accepté de travailler sur la route. Roy veillait sur la centrale à goudron et Marbœuf, avec une petite équipe de six hommes, allait d'un engin à l'autre et roulait beaucoup. S'il n'avait pas les doigts de Santareno, d'Ortega ou de ses deux complices de chambrée, s'il n'était pas très adroit dans les rafistolages entrepris avec les moyens du bord comme le faisaient les mécaniciens du pays, Marbœuf avait une oreille prodigieuse. Un alternateur, une courroie, un cardan, un amortisseur produisaient des frottements que lui seul entendait et il y avait, au-delà de ces bruits infimes, des pannes qui ne voyaient jamais le jour puisque, aussitôt décelées par l'oreille de Marbœuf, la pièce que personne n'avait entendu grincer était remplacée ou réparée sur les prescriptions du mécanicien.

Poncey avait retenu le plus gros de la troupe sur les ultimes kilomètres mais, redoutant des déformations sur la couche de surface, des fissurations dans le béton de certains ouvrages, il avait envoyé sur des sites en amont des équipes de terrassiers et de coffreurs que Marbœuf et ses ouvriers dépannaient régulièrement. Un soir, en quittant la route pour rejoindre le village d'un de ses hommes, le pick-up de Marbœuf versa dans un fossé. Les quatre ouvriers installés à l'arrière, sur la plateforme, roulèrent dans la poussière et l'un d'eux se brisa l'épaule contre un arbre. Le lendemain, de retour de l'hôpital où il avait rendu visite au blessé, l'inspecteur du travail s'arrêta à la base et attendit Poncey. Celui-ci, qui avait hurlé au complot quand on lui avait enlevé l'homme du noir et Cormier, ne fit rien pour empêcher l'expulsion de Marbœuf. Le mécanicien n'avait tué personne mais il avait dû commettre une faute considérable aux yeux de Poncey, aux yeux de tous, et sa position devait être négligeable dans la hiérarchie des TP pour qu'il attendît deux jours son départ, assis sur ses bagages dans les couloirs de la base. Il demanda en vain à voir Poncey, à parler à Roland, à Hébert, qui avaient trop de travail pour arrêter leur course dans les couloirs. Le mécanicien finit par s'endormir sur ses bagages et dormait toujours quand on l'étendit à l'arrière de la cabine du camion vert. Oublié à l'entrée de l'aéroport de Niamey, il se précipita sur le tarmac, grimpa sur une passerelle puis sur une autre avant de s'embarquer dans le mauvais avion, arriva à Abidjan et là, plus seul encore qu'il ne l'avait été dans les couloirs de la base, attendit deux jours de plus une place sur un vol à destination de Paris. C'était un de ces épisodes que Poncey se plaisait autrefois à raconter au bar du Dam ou à la maison des célibataires et il le raconta, en effet, mais aux rares personnes qui avaient accès à son bureau, et l'histoire n'alla guère plus loin. Les correspondants de Niamey, qui avaient laissé Marbœuf s'envoler dans la mauvaise direction, et qui s'étaient plu à faire la relation détaillée de l'épisode à Poncey, ne savaient rien, en revanche, sur le camion vert que l'on n'avait pas vu revenir. Depuis peu, à chacun de ses retours vers Tassiga, le Togolais se déportait sur la ville nigériane de Katsina et se livrait à de mystérieux échanges. Après le rapatriement du mécanicien, le chauffeur fut arrêté par des soldats qui le dépouillèrent du camion et de son chargement avant de l'abandonner tout près du poste frontière. Là, le

Togolais, ne pouvant révéler l'agression dont il avait été la victime sans expliquer aussi pourquoi la route qui le conduisait de Niamey à Tassiga passait par Katsina, inventa une histoire de taxi-brousse égaré, de voyageurs vindicatifs. Son passeport togolais le sauva. Quand il eut échappé aux douaniers, le chauffeur, qui ne pouvait regagner Tassiga en taxi-brousse ou à pied et ne songeait pas à entrer dans le bureau où attendait Poncey, prit la fuite. Marcillat, Descorches, Bibi, Lenoncourt, tous les hommes aux mâchoires serrées qui avaient guetté le retour du Togolais, défilaient dans le bureau pour affirmer que, dans sa fuite, celui-ci avait récupéré puis emporté le camion et le fret et qu'il s'apprêtait à fourguer le tout à Lomé ou à Lagos. Qu'il foute le camp, bon vent, à lui et à son camion, concédait Poncey avant de quitter son bureau. Poncey ne fit aucun effort pour retrouver le chauffeur en fuite. Aux correspondants de Niamey qui réclamaient le camion vert pour envoyer les derniers lots de pièces détachées, Poncey répondit simplement que le camion vert n'existait plus et que, pendant les semaines qui précédaient la fin du chantier, il suffisait de mettre les arbres de roue, les pots d'échappement ou encore le beurre autrichien et les bonbonnes de vin espagnol dans un avion. Une fois par semaine, Hébert embarqua deux ou trois ouvriers dans son break, partit pour l'aérodrome, roula jusqu'au bout de la piste où se garait le Fokker de la ligne après avoir déposé ses passagers. Il prenait possession des marchandises en quelques minutes et allait ensuite boire une bière à la buvette de l'aérodrome.

Là, il découvrit Kaï et Bon Prix, couchés dans le remous des batiks, somnolents et désarticulés comme des vagabonds ivres. Les deux marchands ne quittaient plus le hall, dans l'attente de l'avion du soir où se retrouvaient les Européens qui prenaient à l'aube du lendemain le vol au départ de Niamey pour Paris. A ce moment-là, tous les pingres qui accordaient naguère encore une heure de leur temps au marchandage de statuettes en bois d'ébène ou de cola lâchaient comme du lest leurs derniers francs CFA.

Un après-midi, Hébert, qui n'avait qu'un colis à prendre à l'avion de Niamey, s'était mis en route tout seul pour l'aérodrome. En équilibre sur le petit monticule séparant la base du reste de la ville, il laissait passer les voitures de la rue sans cesser de bougonner, de tousser, de mordre le vestige d'un mégot, de se déhancher doucement pour donner successivement un peu de poids sur la pédale de l'embrayage et sur celle de l'accélérateur. Poncey ouvrit brusquement la portière et prit place à ses côtés. Il ressemblait à un promeneur que la pluie a surpris. Démarre, bon Dieu, qu'est-ce tu fais ? Poncey ne dit rien sur les raisons de sa sortie à l'aérodrome mais quand le break fut à hauteur du Fokker où attendait un manutentionnaire, il ordonna à Hébert de franchir un fossé et de couper la piste. L'Américain était à l'autre bout, accompagné de mécaniciens et de coursiers qui vinrent au-devant de Poncey. Il était parti de Niamey à bord du petit Piper remis à neuf. Il était fatigué mais souriant et les gens qui se pressaient autour de l'avion croyaient qu'il arrivait de Dakar ou de Djibouti.

Poncey ne se contenta pas de tourner autour de son jouet, de monter à l'intérieur en avançant courbé, à la façon d'un père qui visite la cabane édifiée par ses enfants, il se laissa enfermer dans l'avion, sans rien dire, mais en affichant un sourire que Hébert eut le tact de ne pas décrire. L'Américain avait insisté pour faire un tour avec le nouveau propriétaire et Poncey avait accepté à la condition qu'il n'y eût pas d'autre passager. Le Piper roula sur la piste et décolla avec très peu de vitesse. Il fut un point silencieux dans le lointain et, quand il survola à nouveau l'aérodrome, ce fut le bruit du moteur qui atteignit en premier les badauds rassemblés au milieu de la piste. On ne sut jamais ce qui se passa entre le pilote et son passager dans le ciel victorieux et lisse. A l'atterrissage, quand les deux hommes descendirent de l'avion, Poncey, satisfait de sentir le sol sous ses pieds et sensible aux regards qui se portaient sur lui, fut assez fort pour se comporter en homme, puisqu'il dissimula sa peur, et en chef, puisqu'il dissimula sa colère. Il ne fut pas question de rentrer à Tassiga. Poncey avait serré des billets dans une enveloppe et eut un geste si brutal pour la donner que Hébert comprit que le directeur du chantier ne réglait pas seulement le solde de l'avion mais que, dans le même temps, il proposait de l'argent à l'Américain pour le faire décamper.

Poncey quitta l'aérodrome de fort mauvaise humeur. Pourtant, quand les hommes attroupés à l'entrée de la base réclamèrent des détails sur la nouvelle acquisition et sur la promenade au-dessus de Tassiga, Poncey se montra enthousiaste : n'avait-il pas tenu le manche pendant quelques minutes, n'avait-il pas appris des mots du vocabulaire des pilotes ? Le lendemain, tout le monde sut que Poncey, qui avait la hantise des petits avions et des baptêmes de l'air, avait réprimé ses appréhensions et réalisé un véritable exploit en faisant un tour à bord de ce coucou harassé que pilotait un brise-tout notoire. Ce fut assez pour que Poncey, qui pensait cacher sa peur en cachant l'avion, organisât une sortie à l'aérodrome pour tous les cadres du chantier présents à la base. L'avion n'avait pas bougé car Poncey avait retiré de son coffre un peu d'argent afin de persuader les responsables de l'aérodrome de lui laisser l'accès à la piste pendant les longues heures de calme. Marcillat, Descorches, Lenoncourt, Hébert s'installèrent confortablement à bord du Piper. En vieux renards des TP rompus aux engins, aux pannes et aux accidents, ils éprouvèrent du poing ou du pied les hublots, les tôles de la cabine, le plancher puis, ignorant que Poncey avait acheté cette machine pour transporter des hommes plutôt que des marchandises, affirmèrent que l'on devait mettre moins de choses dans l'avion que dans le camion vert et que l'obtention d'un brevet pour piloter un tel engin coûtait une fortune.

Poncey, qui venait d'acheter un avion, se rappela qu'il n'avait pas dépensé un sou pour faire la moindre petite fête chez lui et que, depuis près de deux ans, Chevilly envoyait régulièrement à Tassiga des caisses de Mumm. Il eut l'idée de faire boire son champagne à tous ceux qui, ayant une villa surmontée d'un réservoir, buvaient déjà l'eau de ses forages, c'est-à-dire aux expatriés de la Compagnie et à quelques privilégiés de la colonie européenne. Il choisit un samedi car il ne souhaitait pas entrer en concurrence avec les dîners du dimanche soir de Mme Terraz, donna des instructions à ses cuisiniers et à ses boys et partit pour le km 150. Mme Poncey n'eut elle-même aucune part dans la préparation de la cérémonie, elle n'avait pas le goût des réceptions et n'avait jamais rien fait pour attirer des invités chez elle. Le soir de la petite fête, elle gagna le jardin, maladroite et lourde comme ces animaux qui renouent avec la lumière du jour après des mois de tanière, passa sans dire un mot au milieu des boys qui déroulaient une toile sur des tréteaux, une bâche entre deux arbres, et se planta sur le carré de terre battue. Là, usant pour tous des mêmes paroles de gentillesse, Mme Poncey accueillit les mécaniciens et les conducteurs de travaux, les expatriés touchés par un blâme, menacés par une disgrâce, les vieux compagnons, les mercenaires, les gens de la Compagnie et les autres. Elle était souriante et un peu pâle et on ne pouvait savoir si ses prévenances masquaient son ennui ou son enchantement. Certaines épouses la voyaient pour la première fois et les autres, à l'exception de Mme Marcillat qui vivait à peu près dans le même état de réclusion et avec qui Mme Poncey prenait parfois le thé, les autres l'avaient à peine croisée chez Baraka ou dans la boutique de tissus des Libanais. Celles qui osaient l'accoster recevaient ces paroles douces et réconfortantes qu'une reine déchue prononce à l'intention de badauds traversant la rue pour la saluer. Enfin, les plus audacieuses, qui se croyaient encouragées par un sourire et entamaient avec elle une conversation, s'interrompaient bientôt. Ce jour-là, Mme Poncey répétait les amabilités qu'elle employait d'ordinaire moins pour saluer les gens de sa connaissance que pour les tenir à distance et, à ceux qui échouaient devant elle dans le bruissement discipliné des compliments et qui ne bougeaient plus malgré le flot incessant des nouveaux convives, elle ne disait rien. Poncey arriva après tout le monde. Dans la masse des invités qui s'étaient présentés à son épouse et n'attendaient plus que lui, il se contenta de saluer le petit nombre de méritants à qui nous distribuions autrefois la première palette d'œufs et se dirigea vers les tréteaux. Il déboucha une bouteille de champagne, commença à remplir les verres que les boys poussaient devant lui mais il lui fut impossible de déverser autre chose qu'une longue coulée d'écume tiède. Il parvint à se mouiller les doigts et poussa de sonores "bon Dieu" avant de tendre la bouteille à un boy. L'air d'une valse s'échappa d'un électrophone posé en bout de table. Poncey se fit un chemin parmi les convives, sans faire attention aux regards, aux mains qui se posaient sur lui et s'arrêta devant Mme Lenoncourt, qu'il attrapa sans douceur et qu'il entraîna dans le convoi chaloupé d'une danse. Le couple fit deux ou trois tours afin d'écarter la foule. D'autres couples se formèrent peu à peu, valsant autour de Poncey et de sa cavalière. Les femmes regardaient dans le vide et les hommes surveillaient le déplacement de leurs pieds. A la fin de la valse, la silhouette de Mme Lenoncourt se décrocha doucement de l'étreinte de Poncey et se tint, inutile et gauche, au milieu des couples qui se défaisaient à leur tour. Quand Poncey rejoignit la piste avec sa femme pour danser sur un air de tango, Mme Lenoncourt se dirigea vers son mari et resta un long moment plantée à côté de lui. Lenoncourt parlait avec ses camarades, il fumait, s'interrompait parfois pour vider un verre de whisky. Il n'avait pas senti la présence de sa femme. Le boy placé derrière l'électrophone passa deux ou trois fois la même valse et le même tango avant d'arrêter. Les disques craquaient comme de l'écorce sous la morsure du saphir et la musique n'était pas assez forte pour que les danseurs pussent tourner à son rythme. Les convives, qui avaient très chaud, se pressaient devant les tréteaux et réclamaient à boire. L'écume du champagne et le champagne lui-même avaient été engloutis, tièdes et sirupeux, et les boys charriaient désormais des sodas et de l'eau. Les femmes se tenaient d'un côté et les hommes de l'autre. Dans chacun des camps, on surveillait Poncey. Personne ne croyait à ces nouvelles soirées du samedi, un mois avant la fin du chantier. C'était trop tard. En revanche, les convives attendaient un petit discours, quelques mots du directeur sur le camp vie. Hébert, qui avait refusé un an plus tôt de s'enfermer dans un campement de tôle, au bout du monde, avait posé sa candidature pour un emploi qui restait à définir. Il avait appris avant les autres que les primes d'expatriation avaient été doublées, que la Compagnie avait glané auprès d'institutions internationales d'appréciables subventions.

A lui seul, l'avion, avec les réparations, le pilote, les assurances, représentait une véritable fortune. Poncey était au loin, aux côtés de Marcillat et de Bibi. Il passait une main dans sa barbe, un mouchoir sur son front. Il n'avait pas rassemblé les familles pour parler. D'ailleurs, il parlait peu, s'adressant à ses interlocuteurs avec des murmures. Il ne regardait pas autour de lui et il éconduisait les boys qui arrivaient avec des rafraîchissements. La musique qui retentit brusquement le fit sursauter. La fille des Descorches avait eu dans son courrier le disque de *La Danse des Canards* qui rencontrait un grand succès en France et l'avait apporté. Tous les enfants et les adolescents de la Compagnie s'étaient rassemblés sur le carré de terre battue laissé libre par les danseurs et formaient un cercle autour de la jeune fille qui reproduisait la chorégraphie agrafée sur la pochette du disque, en se baissant, se redressant, se contorsionnant, au son de la musique et des paroles. La fille des Descorches était raide et boudinée mais personne ne songeait à se moquer d'elle. Quand on remit le disque, des convives plus âgés, tels que Nathalie ou Mme Lenoncourt, vinrent agrandir le cercle et, bientôt, *La Danse des Canards* fut une machine en mouvement, soulevant la poussière et se heurtant aux curieux immobiles. Il avait suffi de quelques minutes pour que la fille Descorches ne fût qu'une marionnette désarticulée sur laquelle on ne réglait plus son pas. Le disque passa deux ou trois fois et, à chaque nouvelle danse, sous le regard des boys hilares, la petite troupe gagna de nouveaux canards. Bientôt, il ne resta plus sur le bord de la piste que les hommes endimanchés, les femmes qui tenaient un bébé dans leurs bras ou encore un yorkshire nerveux et gémissant qu'elles n'arrivaient pas à calmer. Mme Hébert ne pouvait se joindre aux danseurs sans prendre le risque de s'effondrer comme un immeuble, aussi se tenait-elle à l'écart, un sourire aux lèvres, déportant sa carcasse douloureuse d'un pied sur l'autre, avec des efforts grandioses.

L'acquisition du Piper, le départ de Marbœuf, la disparition du camion vert et de son chauffeur furent les derniers incidents avant la tourmente qui s'abattit sur la Compagnie. Poncey avait dépêché des hommes sur le site de la future route et ne quittait plus le chantier. Le début de la saison chaude fut très éprouvant. Les expatriés, les ouvriers et les engins finissaient la route au milieu d'une steppe brûlée. Il n'y avait pas d'ombre et l'eau des Coleman était chaude, imbuvable. Poncey traînait un peu la patte, il grimpait dans le Land Cruiser pour faire vingt mètres. Il refusait d'admettre qu'il était fatigué, que sa hanche le faisait souffrir, qu'il avait besoin de repos. Il évitait Terraz. Le contrôleur, qui avait constaté quelques malfaçons, lui avait demandé de remonter la route en sa compagnie. Trois fois rien, disait-il. Poncey n'était pas de cet avis et, s'il acceptait de faire vingt kilomètres pour constater un défaut sur un coffrage ou sur une couche de surface, il ne voulait pas embarquer Terraz dans sa voiture. Bibi, Marcillat, Descorches entendaient chaque jour leur patron proférer des calomnies sur celui-ci. Un soir, peu avant de rentrer à Tassiga, alors que les deux hommes allaient ensemble sur un talus longeant la route, Poncey perdit l'équilibre en descendant pour rejoindre son quatre-quatre. Toutes les forces de son corps œuvrèrent violemment pour que le faux pas ne devînt pas une chute, au prix d'une douleur insupportable qui se transforma en colère quand Terraz le rattrapa par le coude. Poncey retrouva, pour qualifier le mari, les mots qui avaient blessé l'épouse. Bibi, Marcillat et Descorches poursuivirent le contrôleur pour le prier d'écouter, à défaut d'excuses que seul Poncey pouvait donner, quelques mots de sympathie. La colère de Poncey n'avait pas gagné Terraz. Ça n'a pas d'importance, répondit simplement le contrôleur, avant de monter dans sa voiture et de s'en aller. Sur le chemin du retour, les trois hommes voulurent faire entendre à Poncey que Terraz n'était pas un adversaire de la Compagnie, comme l'était l'inspecteur du travail, ou encore un ennemi comme l'était Van Beck. Poncey se résigna à parler au contrôleur, mais, le lendemain et les jours suivants, les deux hommes allèrent chacun de son côté, sur le bord de la route et tout autour des ouvrages, et on ne sut jamais si Poncey renonça à présenter ses excuses ou si Terraz refusa de les entendre. La chaleur ralentit les travaux mais ne les interrompit jamais et Terraz s'en tint à réclamer des rajustements qui occupèrent un nombre d'hommes restreint. Puis Poncey fit savoir que le lieutenant-colonel Kountché pouvait arriver à tout moment pour inaugurer la nouvelle route car le km 0 était lisse et étincelant comme un cadeau enrubanné et que le mois de juin convenait fort bien s'il souhaitait faire rouler un convoi d'officiels jusqu'au km 160. Les autorités de Niamey consultèrent le Président et arrêtèrent avec lui la date du vendredi 18 juin. Deux hauts responsables de Chevilly furent désignés pour faire le voyage jusqu'à Tassiga où devaient les accompagner les diplomates en poste à Niamey. Dans le même temps, les correspondants de Niamey étudièrent la liste des familles et procédèrent aux premières réservations de vols à destination de la France. Hébert eut pour mission de réaliser l'inventaire du mobilier et des appareils électroménagers et fit le tour des maisons. Il pénétra dans le jardin du cours La Fontaine, posa son visage couperosé contre la vitre du mobile home et frappa à la porte. Il entra en ronchonnant, compta les tables, les chaises, effectua des mesures qu'il reporta sur un cahier. Le mobile home était moins une salle de classe qu'une pièce du chantier comme les autres dont Hébert dressait le gabarit, avant de l'inscrire sur ses listes, de le déclarer bon pour le service et de l'emporter au loin. Nerveux, agité, Hébert allait d'un bord à l'autre sans détacher son regard du plafond. Il ne me pardonnait pas d'avoir signé mon contrat quand lui attendait le sien, de me trouver ici, avec mes élèves, pris dans la cadence paisible du programme scolaire à achever quand il commençait le décompte des meubles bancals, des congélateurs en panne, des réservoirs fuyards. Il m'avoua finalement que Poncey avait décidé de conserver le mobile home pour l'école du camp vie. Je me rappelai les soirées dans la cuisine aux trois frigos et les longues parties de morceaux de pain sur le Formica de la table. Hébert n'avait pas tort. Poncey n'avait jamais évoqué autre chose qu'un simple mobile home pour représenter l'école du camp vie. Il restait à trouver des élèves pour la future école de brousse mais j'ignorais qui, dans la petite colonie des expatriés, avait adressé sa candidature, qui avait été convoqué dans le bureau de Poncey. Bien sûr, quelques noms revenaient, le nom des courtisans ou celui des plus méritants, comme Santareno ou Alberto, le responsable de la carrière, Martelot, un soudeur père de six filles. Maurel, qui venait parfois m'attendre devant l'école et qui ne croyait pas aux histoires de Hébert, affirmait que si le mobile home ne finissait pas en ferraille sous le marteau d'un casseur, il allait servir de dortoir à des ouvriers oubliés dans un chantier de brousse. Quand le camp vie revenait dans les conversations, Maurel avançait toujours son histoire de mercenaires. Il voulait bien croire à l'affectation de Santareno, Alberto ou Martelot mais pas à la présence des enfants de ces derniers dans le camp vie. Lui-même avait connu dans le nord du Québec des terres immenses et désolées que la colère du ciel avait autrefois éventrées et sur lesquelles des hommes osseux et coriaces comme Marcillat s'étaient perdus. Poncey, disait-il encore, pouvait arracher un peu d'eau aux sols les plus âpres, rester une journée entière au volant et dormir à l'arrière de son Land Cruiser, il pouvait se mettre aux commandes d'un bull ou d'un grader, se glisser dans le froid obscur d'un coffrage et y demeurer comme une bête en cage quand la grue le promenait dans l'air brûlant… Il était passé maître dans l'art des routes, il avait laissé derrière lui des ouvrages prestigieux, mais il était incapable de poser une ville quelque part autrement qu'en poussant des bouts de pain sur une table, incapable de parler aux gens avec d'autres mots que ceux de la flatterie ou de l'injure. Il était inapte à la vie en société comme il était inapte à la vie en famille. Poncey croyait au camp vie mais lui, Maurel, n'y croyait pas. Les mercenaires allaient débarquer sur la terre désolée par petits contingents, à la manière de soldats mobilisés, sans femme ni enfants, évidemment, comme étaient arrivés Roland et ses deux camarades mécaniciens. Ils s'étaient déjà mesurés aux grands froids, aux canicules et aux hommes et ils étaient prêts à remuer la poussière et la pierre pour en faire une route ou une crevasse. Peu importait que Roland racontât ses histoires de brigands à l'affût en se donnant le beau rôle, qu'il eût deux épouses et quarante maîtresses, que sa vie tout entière fût un tissu de mensonges puisque, pendant les heures interminables qu'il passait dans le feu mal éteint des moteurs, il abattait plus de besogne que Santareno, qu'Ortega ou que ces deux-là réunis.

Poncey avait bu en l'honneur de mon contrat. Devant moi, pour montrer sa satisfaction, il s'était frotté le ventre et la barbe, il avait vidé des verres et juré tous les dieux du ciel. Mais, dans les jours qui suivirent, à cause de ce contrat précédant tous les autres, adressé au moins utile des expatriés, les topos, les chefs d'équipe, les conducteurs de travaux, les mécanos firent le siège de son bureau. Poncey affirma à chacun que les autres contrats n'étaient qu'une question de jours, que Chevilly allait tout envoyer dans une enveloppe. Les hommes sortaient du bureau ragaillardis par les promesses. Poncey savait parler à sa troupe, il savait faire croire à chacun de ses interlocuteurs qu'il était le seul topo, le seul chef d'équipe, le seul conducteur de travaux, le seul mécano sur lequel il pouvait compter. Poncey n'avait pas des contrats pour tous mais il attendait l'enveloppe en provenance de Chevilly avec vingt noms glissés à l'intérieur, vingt noms choisis par lui. Maurel n'avait pas demandé audience à Poncey et, s'il parlait volontiers du camp vie, il était un des rares à souhaiter que son nom ne fût pas dans l'enveloppe. Le chef du labo n'avait pas envie de ramasser des échantillons à l'état de fusion, de faire cinquante kilomètres pour boire une Flag tiède dans un bar de village, de fêter Noël sous un ciel lumineux. Il en avait assez de la maison des célibataires, des poulets athlétiques que les boys poursuivaient dans les rues et que le cuisinier faisait cuire trois heures pour les rendre mangeables, assez des cuisses de crapauds, du vin espagnol, des rôdeurs qui emportaient les bouteilles vides. Maurel possédait à Montréal un deux pièces dans lequel, grâce à son double passeport, il pouvait séjourner à sa fantaisie sans remplir la moindre paperasse. Il avait hâte d'en finir avec Tassiga, il rêvait d'un hiver de quatre mois, d'un hiver sans fin. J'étais le seul à qui il parlait encore. Les autres, les hommes mal rasés et brûlés par deux ans de brousse qui s'arrêtaient pour écouter des blagues quand ils passaient devant le labo, étaient las d'entendre Maurel débiter sa rengaine, à savoir que Poncey était un chef en sursis, qu'il était peut-être fini, bon pour la taille des hortensias et que les pontes de la Compagnie n'avaient pas le temps de penser à lui, ils prenaient l'avion ou le train trois fois par semaine, des voitures de location ou des taxis avant de grimper au dernier étage d'un immeuble, loin de Chevilly.

Les grandes affaires se traitaient à Copenhague, Milan ou New York, en effet, où les patrons de Poncey rencontraient des personnages plus importants qu'eux. Au mois de mai, Poncey reçut des coups de téléphone, des fax et des courriers qui ne laissaient aucun doute sur l'enjeu favorable de l'adjudication. Pendant toute une matinée, Poncey alla de son bureau aux ateliers en trottant dans les couloirs d'un pas régulier. Bon Dieu, disait-il aux ouvriers qu'il croisait, à Maurel, à Roland, à Hébert, bon Dieu, cette fois-ci on l'a ! Il eut ensuite l'enveloppe contenant les vingt contrats, mais il négligeait de l'ouvrir, il n'était pas pressé… Tout le monde fut très nerveux. Depuis que Hébert avait révélé la nouvelle donne des primes d'expatriation, les réticents ne cachaient plus leur intention de revenir en septembre pour les premiers coups de pioche. Les plus acharnés à rester étaient ceux qui, dans le paysage impeccable de leur nouvelle vie après Tassiga, avec pavillon, jardin, barbecue, voiture neuve, allaient découvrir les bêtises commises pendant leur absence par un fils presque adulte ou les complications de santé d'une vieille mère. Il fallait, disaient-ils, de l'argent pour aider les uns à vivre et les autres à mourir, fût-ce au prix d'une nouvelle séparation, et, parmi les expatriés qui comptaient autrefois les jours en se plaignant des privations endurées à Tassiga, nombreux furent ceux prêts à écourter leur séjour en France pour venir s'enterrer en pleine brousse.

Il restait à trouver un site pour le camp vie. Poncey hésitait à installer ses troupes près d'un village ou de la future route et comptait se décider en fonction de l'eau. Il avait découvert quelques forages et avait besoin de l'opinion de Maurel. Celui-ci, quittant rarement son labo, se montrait très maladroit dans l'étude des échantillons quand les substrats étaient mélangés aux immensités et ne connaissait rien à l'hydrologie. Conduit à deux cents kilomètres de Tassiga, Maurel gratta le sol, posa une main en travers d'un forage, prit des échantillons, regarda le ciel, les falaises, les arbres qui posaient une ombre maigre au milieu des champs. Non loin de lui, trottinant autour du Land Cruiser et pointant son doigt dans toutes les directions, Poncey décrivait son camp vie. La carrière, les cuves, les ateliers, les mobile homes, l'école, les bureaux... Maurel, qui était le premier à voir la future base autrement qu'avec des bouts de pain poussés sur un coin de table, comprit que Poncey, indifférent à l'ampleur et à la qualité des nappes d'eau, avait demandé à Maurel de l'accompagner pour vaincre les réticences du seul homme de la Compagnie qui, malgré les fax, les coups de téléphone et les courriers, ne croyait toujours pas au camp vie. A la fin de la journée, sur le trajet du retour, quand vint le moment de dire quel était, parmi les sites que les deux hommes avaient visités, celui qui convenait à l'établissement d'une colonie, Maurel, qui n'avait cessé depuis des semaines de brocarder les projets de son patron, fut assez lâche pour ne pas dire à celui-ci que le camp vie était un rêve, que les gens de la Compagnie, les nababs de Paris et d'ailleurs, le promenaient comme une marionnette depuis longtemps. Maurel n'avait aucun souvenir de la terre qu'il venait de soulever, de l'eau qu'il venait de boire, des paysages que Poncey avait déroulés pour lui avec un geste ample du bras, il était un peu sonné par la chaleur, par la poussière, les bières bues dans la buvette d'un village, la monotonie du chemin. Il n'avait pas envie de répondre aux questions, il voulait juste dormir.

Poncey reçut peu après une esquisse des comptes du chantier accompagnée de commentaires. L'impossibilité de créer une seconde carrière vers le km 100 avait coûté cher à la Compagnie. L'échange standard des moteurs de pick-up après le remplissage défectueux des cuves, l'acheminement du fameux ordinateur et le maintien du programmeur à son poste représentaient aussi un coût important. Enfin, le montant élevé des locations des maisons de Tassiga, en alourdissant le budget, plaidait en faveur du camp vie. Le bilan très approximatif du chantier donnait cependant des chiffres à l'avantage de Poncey. Pour fêter les bonnes nouvelles, celui-ci renonça à organiser chez lui une seconde réception. Il était à court de champagne, n'aimait pas danser et sa femme avait entrepris les premiers rangements. A défaut de recevoir chez lui, Poncey, une fois de plus, reçut chez les Descorches, réclamant au cordon-bleu un dîner spécial pour une assistance restreinte, dix convives seulement. Les absents se consolèrent en se rappelant que, si Poncey avait retenu dix expatriés pour le dîner chez Descorches, la Compagnie en avait retenu vingt pour le camp vie. Ce soir-là, comme pendant tous les repas servis chez Descorches ou ailleurs, comme pendant les soirées au bar du Dam, Poncey but, mangea et parla beaucoup mais il se leva brusquement avant minuit. Depuis longtemps, l'usage voulait qu'il fût le dernier à quitter la table. S'il avait l'habitude de traiter ses affaires dans la journée, si les douloureux lendemains d'agapes poussaient d'habiles solliciteurs devant sa porte, Poncey pouvait régler un problème à deux heures du matin en retenant un de ses hommes dans un escalier, bien que tous deux fussent titubants et presque bègues. Ce soir-là, bien que de très bonne humeur et volubile, Poncey se montra pressé de rentrer chez lui. Il avait besoin de dormir un peu avant de prendre l'avion du matin. Le président Mitterrand arrivait à Niamey en visite officielle et Poncey était l'une des personnalités que le lieutenant-colonel Seyni Kountché avait choisies dans une liste de ressortissants français proposée par l'ambassadeur pour le repas donné en l'honneur du chef d'Etat. Poncey avait acheté dans une boutique de Paris qui habillait les administrateurs d'outre-mer et les diplomates un costume élégant et léger qui le suivait partout depuis cinq ans et qu'il n'avait jamais porté. Quand il découvrit le costume en travers d'un dossier de fauteuil, le lendemain matin, Poncey se rendit compte avec épouvante qu'il ne pourrait y faire entrer le volume de son corps modifié par les torrents de bière et les spécialités de Descorches. Il parvint tout de même à s'habiller parce que Mme Poncey procéda en catastrophe à quelques retouches, mais il eut ensuite beaucoup de difficultés à se déplacer dans un tel harnachement. Le pantalon craqua par endroits quand Poncey grimpa avec empressement la passerelle au sommet de laquelle l'attendait le pilote. Installé sur son fauteuil, Poncey poussa le bout des doigts le long de son corps et fit le décompte des coutures maltraitées. Après s'être persuadé qu'il lui serait facile de trouver à Niamey un pantalon de rechange à sa taille et que le président Mitterrand, à qui il devait être présenté dans les salons de l'ambassade de France, ne voyageait pas en Afrique noire pour vérifier l'élégance et la distinction de vieux pionniers couverts de poussière tels que lui, Poncey s'efforça de penser aux douceurs de la journée à venir, au défilé des voitures, aux discours, aux réceptions, ou encore au camp vie, aux dernières nouvelles reçues de Chevilly, au Piper qui poireautait au bout d'une piste. Il constata avec fierté qu'il n'avait plus si grande peur en avion. Il s'assoupit enfin, malgré la chaleur emmagasinée dans la cabine et les craquements incessants du vieux Fokker. A Maradi, où l'avion atterrit en catastrophe une demi-heure plus tard à cause d'un moteur défectueux, Poncey se réveilla d'un sommeil lourd et migraineux et, se croyant à Niamey et cherchant à descendre, fut empêché par les autres passagers qui se pressaient contre les hublots. Après s'être mêlé aux mécaniciens rassemblés, le pilote annonça que l'avion allait décoller dans l'heure et que la panne était sans gravité. La cabine n'était pas climatisée et les rares courants d'air faisaient entrer de brûlants souffles chargés d'odeurs qui poussèrent les passagers vers la salle d'attente de l'aérodrome. Poncey comprit que, s'il était trop tard pour le déjeuner, il était encore possible d'assister au cocktail du soir donné par l'ambassade. Il ne se rendit ni à l'un ni à l'autre car l'avion du matin resta au sol et les deux avions qui décollèrent de Maradi ce jour-là avec du retard furent déroutés sur d'autres aérodromes, à cause de l'affluence à Niamey. Prévenu par un coup de téléphone, le chauffeur de Poncey quitta Tassiga pour Maradi au volant de la 504 mais il arriva seulement dans l'après-midi. Poncey renonça aux six cents cinquante kilomètres qui le séparaient des salons de l'ambassade. Il ne souhaitait pas, devait-il avouer plus tard, se retrouver dans un fossé pour des mondanités stupides. De retour chez lui, au début de la soirée, il courut dans sa chambre, arracha ses vêtements avec les gestes rageurs d'une femme qui se croit laide, fit sa toilette, mangea un morceau et partit pour la base. Il s'enferma dans son bureau avec l'intention de rattraper le temps perdu, travailla deux heures, décrocha son téléphone et réveilla l'un des correspondants de la Compagnie à Niamey. Il apprit ainsi que sa malencontreuse absence avait suscité l'attention bienveillante des deux présidents, que les experts français étaient au fait des travaux de la Compagnie dans le pays et qu'ils connaissaient le détail des adjudications à venir. Puis, juste avant de raccrocher, le correspondant révéla que certains invités avaient fini la soirée au bar du Gaweye où ils se mêlèrent à la petite foule des habitués et qu'il y avait parmi ces derniers, un peu en retrait, un type du nom de Détroyat qui ne buvait pas, ne parlait pas et fixait sur les visages des regards de troglodyte aveuglé par la lumière du jour.

19

Début juin, Boris, qui ne faisait pas la prochaine rentrée à Tassiga, commença à vider son logement. Il allait regagner la France en traversant le Sahara avec son quatre-quatre rempli de bagages et n'avait pas grand-chose à déposer devant chez lui pour la vente traditionnelle des enseignants. A ce moment-là, je vivais dans la fiction du camp vie et, si je partageais l'enthousiasme de Poncey et de ses amis, si j'avais la conviction d'être entraîné dans une véritable aventure, je savais que la brousse était aussi désolée et inhospitalière qu'un pan de banquise à la dérive et que je ne pouvais pas vivre complètement coupé du monde et j'avais fait le projet, pendant mes vacances en France, de mettre des livres par dizaines dans une cantine et de m'inscrire à des cours par correspondance. Un an plus tôt, Boris avait emporté sous mon nez un poste de radio à ondes courtes de marque Grundig dont il ne se servit jamais et qu'il était prêt à me céder, pour une somme correspondant à vingt fois son prix d'achat. Chers mais extrêmement performants, les postes de radio à ondes courtes étaient difficiles à trouver et ce fut en vain que, dans les boutiques de Tassiga, où l'on trouvait tout ou presque, je cherchai un modèle analogue. Je n'avais pas pensé que si l'on trouvait presque tout à Tassiga, on trouvait tout, absolument tout, à Paris ou ailleurs, en France, et qu'il me suffisait de patienter quelques semaines. Mais j'avais envie de ce poste de radio, pas d'un autre et je ne voulais pas attendre. Curieusement, en refusant de baisser son prix, Boris avait renforcé mon envie d'acheter le poste et, quand il me vit payer sans discuter, quand il comprit que ce n'était pas vingt fois mais cinquante fois, cent fois la somme initiale que j'étais prêt à donner, il me tendit le poste de radio à regret comme si je l'avais menacé d'une arme. Je m'enfuis ensuite de l'école en coupant par les rues encombrées de chèvres. Il faisait une chaleur insoutenable mais je marchai d'un pas rapide et sûr. En m'arrêtant sur le chemin du retour pour contempler mon achat, je découvris que, pendant son séjour d'un an chez Boris, le poste de radio avait pris la poussière, perdu ses piles, son cordon d'alimentation et sa notice d'utilisation. Je n'étais pas impatient de le faire fonctionner, il suffisait que le poste de radio fût entre mes mains. J'avais été volé, je savais que j'avais été volé et j'éprouvais une joie d'enfant. C'était stupide. J'avais vécu près de deux ans à Tassiga au milieu des titans barbus, deux ans pendant lesquels j'avais abordé dans les confins du monde un territoire prodigieux sur lequel j'allais poser quatre ans de ma vie, j'avais supporté les hurlements d'Edith Piaf et mangé des poulets centenaires, j'avais appris la chaleur, la soif, les crises de palu et les relents amers de la Nivaquine et, ce jour-là, je retournai chez moi en tenant fièrement cet objet incomplet et probablement inutilisable. Jamais, pendant tout ce temps, je n'avais cédé aux propositions de Kaï, de Bon Prix ou d'autres, qui voulaient me voir rentrer en France avec des statuettes, des batiks, des pagnes semblables à ceux qui s'empilaient dans les couloirs de toutes les maisons depuis des mois et, au moment de ranger mes affaires dans ma cantine, alors que tout était silence autour de moi, je ne voyais rien d'autre à ajouter à mes bagages que ce poste de radio muet.

Si, un livre. Quelques jours plus tard, j'étais revenu dans le labo photo du centre culturel pour faire l'inventaire du matériel, à la demande de Boisson-Mourre, quand celui-ci me fit appeler. L'agent consulaire avait décidé de quitter Tassiga. Sa femme ne pouvait rester un an de plus sans exposer irrémédiablement sa santé et lui refusait de vivre sans sa femme. Dans l'attente d'une affectation au ministère où des amis obligeants le chaperonnaient, Boisson-Mourre allait se réfugier dans sa maison du Gers. Il avait embauché un factotum pour effectuer de menus travaux et accueillir les caisses d'effets personnels, de paperasse et de souvenirs. Pour l'instant, il était debout derrière son bureau et rangeait des papiers. Quand il m'aperçut, il prit un très bel ouvrage consacré au Nigeria dans la pile de livres qui s'entassaient sur son bureau et marqua quelque chose sur la page de garde. J'attendis d'être éloigné du centre culturel pour ouvrir le livre. Les photos montraient des sultans au-dessus de leurs sujets, des couchers de soleil dans les baobabs, des troupeaux de zébus, des greniers à mil, des maisons à façade sculptée, tout un pan du territoire haoussa qui s'étendait aussi de ce côté-ci de la frontière. Le photographe avait poursuivi sa course vers le sud et dévoilait, au-delà de la forêt que perçaient de monstrueux engins de marque Caterpillar, des villes surpeuplées, des échangeurs en construction et, contenu par la haute rampe d'acier des cargos plantés, l'océan à peine visible, coiffé d'un ciel aux nuages sombres et pleins. Boisson-Mourre avait rédigé une dédicace de circonstance avec tant d'empressement que le mot "Jacques" remplaça mon prénom et me donna, accolé à mon nom de famille, une identité nouvelle. En choisissant un pays voisin pour marquer par un livre la trace de mon séjour ici, en employant un prénom différent du mien pour me désigner, l'agent consulaire dénonçait la fatigue due à son séjour à Tassiga, aux préparatifs de départ, aux ennuis de santé de sa femme. Pas seulement. En réalité, Boisson-Mourre, qui courait les représentations diplomatiques lointaines et désolées depuis des années, avait façonné une conduite et un langage originaux qu'il croyait être la norme dans la Carrière et sur lesquels l'angoisse et le surmenage avaient greffé maladresse et distraction. Il pouvait ainsi faire boire à Poncey du café dans une tasse en porcelaine, imposer à ses interlocuteurs une interminable promenade sur les sentiers de son jardin pour des échanges qu'il maîtrisait fort bien, ou encore, à la fin d'une mission, oublier le nom des gens qu'il avait côtoyés. Mme Boisson-Mourre partit peu après. Une de ses amies, dont le mari était en poste à Abidjan, rentrait en France dans un avion qui faisait escale à Niamey et avait accepté de l'accompagner dans la demeure familiale cernée par des oies et de lui servir de gouvernante pendant les trois semaines que Boisson-Mourre passa seul dans le centre culturel. L'agent consulaire était nerveux, agité. Il affirmait volontiers que le centre culturel de Tassiga allait fermer et qu'il avait reçu l'ordre d'acheminer quatre mille cinq cents livres vers Maradi. Il souffrait beaucoup de la chaleur. Il était moite et ses yeux minuscules et fiévreux brillaient au fond des orbites… Personne ne le vit quitter Tassiga, trois semaines plus tard…

Le 1er juin 1982, Habib se présenta devant l'étal de Paradis et fit savoir au boucher que le bail n'était pas reconduit et qu'il devait s'en aller. Cette fois-ci, le Libanais avait la loi pour lui et, s'il n'y avait pas d'huissier à Tassiga, il y avait assez d'hommes vigoureux qui, pour cinq mille francs CFA, pouvaient découper la boutique du Français en petits morceaux et pousser le tout au milieu d'une rue. Peut-être ces mêmes hommes touchèrent-ils une telle somme de Paradis lui-même pour faire la besogne car, le lendemain, il ne restait rien. L'étal, les deux compartiments de chambre froide, la vitrine, les outils, les demi-carcasses, les bas morceaux conservés dans des seaux et les montagnes d'os avaient disparu. Avec eux, disparurent Paradis, sa femme et la troupe sonore des enfants. Habib et sa femme mirent en fuite les dernières mouches en battant des mains et en proférant des cris de joie. Le départ de Paradis marquait la fin de l'épicerie, du petit commerce. Le couple ne pensait plus aux magazines vieux d'un mois, aux boîtes de lait en poudre oubliées à côté des sacs de riz. Ils allaient mettre en place des présentoirs réfrigérés, des faux plafonds avec des néons, proposer à leurs clients des chariots, un service de pressing, de la confiserie en libre-service, des yaourts et du beurre. L'étal de Paradis laissait une brèche que la femme de Habib comptait combler avec des produits de maquillage ou de parfumerie. Depuis qu'un Français de passage l'avait prise pour une Targui, elle badigeonnait son visage avec un fond de teint très clair, mettait sur ses lèvres un rouge très vif. Quatre fois par jour, avec les mêmes gestes saccadés qu'elle avait naguère encore pour contenir avec une bombe insecticide les mouches de Paradis dans le réduit de la boucherie, elle appliquait un spray autour d'elle. Les odeurs de la ville étaient lourdes, omniprésentes, elles flottaient dans l'air brûlant et pénétraient le sol avant d'être libérées par les premières pluies. Habituellement, début juin, au début de l'hivernage, la femme de Habib était retenue sur son lit par des migraines, des nausées. Elle pouvait avaler un peu de thé et des biscottes. L'idée de traverser la ville, fût-ce dans la 504 climatisée de son mari, pour respirer les relents de viande aigre de Paradis la faisait vomir. En commençant les travaux sur une aile du magasin, les premiers ouvriers recrutés par Habib, à défaut d'odeurs, répandirent de la poussière et des courants d'air qui indisposèrent la jeune femme au point que celle-ci renonça à entrer dans sa boutique. Elle fut ensuite vraiment malade et garda le lit pour de bon. Habib put ainsi diriger les ouvriers à sa guise et conduire des améliorations à l'insu de sa femme. Le petit supermarché qu'il réussit à mettre en place en moins d'une semaine avec du matériel de rebut acheté pour trois fois rien à des négociants de Kano était le début de son œuvre. Habib avait des projets : un magasin de vêtements à la place de la boutique de tissus, un restaurant français. Il était prêt à racheter le Continental ou le Dam. Il était riche de son argent, il était riche aussi de sa famille restée au Liban. Il savait que la toute récente occupation de son pays allait lui apporter des renforts et, avec les capitaux de ses cousins, il avait fait le projet de racheter la base de la Compagnie, bientôt désaffectée. Il abandonnait volontiers le commerce local et le quartier des villas aux hadj à condition de régner sans partage sur le centre de la ville. Il souhaitait également entreprendre des réparations dans le club privé, rénover la piscine et les sanitaires, empiéter sur le parking pour faire un véritable terrain de pétanque…

Quelques jours après l'atterrissage forcé de Poncey à Maradi, l'inspecteur du travail quitta Tassiga pour Niamey où l'attendait une promotion. Ayant amassé très peu d'objets personnels dans son petit logement de Tassiga et les papiers entassés sur son bureau ne lui appartenant plus, le fonctionnaire ne revint pas à Tassiga où ses supérieurs n'étaient pas pressés de le remplacer. Il y avait encore du travail sur le chantier mais de nombreux ouvriers, qui croyaient à de belles récoltes, avaient franchi les talus et rejoint les semailles. En quête de bras pour d'ultimes travaux de force, Poncey s'embarqua sur les pistes, s'arrêta au bord des champs et chercha des visages familiers sous le vaste chapeau de paille conique que tous les ouvriers du chantier coiffaient quand ils quittaient la terre de la route pour la terre de leurs ancêtres. Il ne reconnut personne. Pendant des mois, les hommes avaient poussé devant eux une route qui les éloignait de leur village, ils avaient subi la tyrannie médiocre de Français fatigués et craintifs ou celle d'un camarade à qui on avait donné une paie supérieure à la leur. Pour eux, le chantier était désormais une plaie bien refermée, une couture en travers de la brousse. Ce n'étaient plus les hommes qui gouvernaient leur vie mais les saisons, les pluies violentes et capricieuses, les avions gorgés d'insecticide qui volaient en rase-mottes au-dessus d'eux.

En juin, peu avant la visite inaugurale du président Kountché, Poncey fut contraint au repos par ses douleurs à la hanche. Les médicaments l'étourdissaient ou le rendaient irascible, les médecins ne pouvaient pas le toucher et il commençait à avoir besoin du secours des autres pour vivre avec ses vieilles douleurs. Quand il se retrouvait coincé dans un couloir, il se contorsionnait pour appliquer les deux mains sur un mur et garder l'équilibre. Il attendait ensuite que quelqu'un sortît d'un bureau et le conduisît chez lui. Poncey s'allongeait sur son lit et ne bougeait plus pendant deux jours. Seule l'immobilité réparait ses forces et, pendant que les muscles et les os contenus dans la large charpente bancale de Poncey trouvaient le repos, l'esprit déroulait comme une étoffe la masse des aventures, des intrigues, des succès, des échecs d'une vie. Deux jours de repos et de jeûne suffisaient à donner un homme nouveau, jovial et hardi. Mais, à la fin de ce chantier-là, Poncey éreinté ajouta du sommeil à son repos et dormit vingt heures d'affilée. A peine sorti de son lit, il engouffra de la nourriture en puisant au hasard dans le frigo et partit pour la base. Poncey était morose et soucieux comme si, réchappé d'une nuit emplie de songes, il avait vu, dans le spectacle coloré de sa vie, s'amonceler les nuages qui allaient dans les jours à venir s'ajouter au ciel noir de l'hivernage naissant. Lorsqu'il s'assit à son bureau, il appela tous les expatriés présents dans la base, négligea de répondre aux messages de sympathie qui lui furent adressés spontanément et réclama le programmeur. Celui-ci était en France depuis une semaine déjà et Poncey se souvint qu'il avait refusé d'entendre ses adieux. L'ordinateur ne servait à rien depuis des mois – s'il avait jamais servi à quelque chose – et le programmeur avait quitté Tassiga sans procéder au moindre rangement. Poncey pénétra dans la grande pièce obscure avec des hommes qui entraient là pour la première fois. Quelques témoins lumineux brillaient sous la gaze qui recouvrait l'ordinateur et des branchements couraient sur le sol jusqu'au tableau de distribution. Poncey marchait doucement. Il n'avait encore jamais fait le tour de l'ordinateur. A cette époque-là, les ordinateurs d'entreprise étaient énormes, monstrueux, et un homme tel que Poncey, qui savait regarder un camion ou un grader avec les yeux d'un maquignon pour une bête, contemplait l'ordinateur de la Compagnie avec embarras, cherchant l'avant et l'arrière, le moteur et les commandes. Poncey était convaincu que l'ordinateur n'était pas en panne et que, à défaut de fonctionner ici, il pouvait fonctionner ailleurs. Il évoqua le climat, trop sec ou trop humide, les climatiseurs mal réglés, la poussière, arrêta brusquement sa ronde et, se tournant vers les contrôleurs de travaux, les topos, les mécaniciens qui l'accompagnaient, il s'écria que s'il n'y avait jamais eu personne pour faire marcher l'ordinateur, il y avait bien ce jour-là deux ou trois débrouillards qui pouvaient l'éteindre sans faire de dégâts. Avec des gestes méthodiques, Hébert et Roland démontèrent les gaines rivées sur le sol, se dirigèrent vers le tableau de distribution et détachèrent les fiches une à une. Ils enroulèrent ensuite les câbles électriques en avançant côte à côte. Ils allaient en silence et ressemblaient à ces manutentionnaires qui démontent le chapiteau d'un cirque. Les témoins lumineux s'étaient éteints l'un après l'autre et le ronronnement du ventilateur intégré s'arrêta à son tour. Puis, Hébert proposa d'installer l'ordinateur contre le mur opposé au tableau de distribution et, pour ce faire, tout le monde dut pousser car l'engin était fragile mais il était lourd. Hébert avait eu une bonne idée, une prémonition. La nuit suivante, Van Beck déclencha des pannes nombreuses et subites suivies de courtes surtensions et, pendant que les lumières publiques s'éteignirent dans les quartiers, le centre ville s'embrasa mystérieusement. Des lampes laissées en veilleuse dans la devanture d'une vitrine, des ampoules nues qui pendaient au plafond d'un bar donnèrent de violents éclats qui crépitèrent comme des jets d'eau. Les locaux de la base s'illuminèrent aussi, à la faveur de rares instruments raccordés à une prise, de fins éclairs vacillant à l'intérieur d'un néon. En rassemblant toutes les forces de sa vieille usine, Van Beck avait pris pour cible l'imposant ordinateur de la Compagnie. La centrale thermique était à l'agonie et le réseau de la ville était en assez mauvais état pour que les tirs mis au point atteignissent une autre cible, mais Van Beck était un ancien ingénieur, il connaissait les postes de transformation et les disjoncteurs comme Poncey connaissait les matériaux granulaires et les coffrages. Peut-être ne parvint-il pas à diriger du premier coup tout le feu de son usine vers la base, peut-être eut-il besoin d'une bonne moitié de la nuit pour engager le volume de son corps dans la salle des machines, pour le faire avancer au milieu des tuyauteries et des manettes mais le tableau de distribution éclata enfin. Le court-circuit fut d'une telle violence que le mur se fendit par endroits et que les étincelles rassemblées en gerbes drues et rapides se répandirent dans toute la pièce. Moussa traversa les couloirs en serrant contre lui ses torchons et mit fin à un début d'incendie. Peu après, le Land Cruiser entra bruyamment dans la cour de la base. Poncey, Descorches, Marcillat et Lenoncourt en descendirent et se précipitèrent dans les bureaux. Les quatre hommes avaient quitté le salon des Descorches où ils avaient bu de la bière et du whisky. En rejoignant leur voiture pour retourner chez eux, ils virent le singe trotter d'un pas nerveux autour de son pieu et ils reconnurent les relents de gazole de la vieille centrale qui flottaient dans l'air humide. Les dernières salves avaient été tirées avec une telle précision que la présence du vieil ingénieur dans la salle des machines ne faisait aucun doute. Poncey traversa à son tour les couloirs de la base. Les douleurs à la hanche que le repos n'avait pas complètement apaisées freinaient un peu sa marche. Les couloirs sentaient le caoutchouc brûlé. Malgré quelques débuts d'incendie, les dégâts n'étaient pas importants. Installé contre un mur, à l'autre bout de la pièce, l'ordinateur avait échappé aux étincelles et aux flammes. Poncey fit glisser ses mains sous la gaze et cessa de jurer. L'ordinateur était intact. Poncey resta un long moment immobile au milieu de la pièce. Il n'avait plus envie de partir pour la centrale à fuel, de casser la gueule à un vieillard impotent, mais Descorches, Marcillat et Lenoncourt attendaient dans le Land Cruiser. Selon eux, il fallait que Van Beck vît Poncey vociférant devant la centrale à fuel, que, à défaut de coups, il reçût des menaces. C'était le meilleur moyen, dirent-ils, pour éviter de nouveaux courts-circuits. Le chantier n'était pas terminé. Si les magasiniers oubliaient un bidon de carburant dans un couloir, la moindre étincelle pouvait tout faire sauter. Le Land Cruiser quitta la base pour la centrale à fuel et roula longtemps dans les rues obscures. Les mains accrochées au sommet du volant, les mâchoires serrées au point de faire entrer les fils de sa barbe dans la bouche, Poncey prenait une rue, puis une autre, revenait sur ses pas. Les phares illuminèrent deux fois, trois fois les mêmes façades de banco. Des hommes inquiets et presque nus se plantaient devant leur maison mais le Land Cruiser filait vite et les silhouettes défilaient à toute vitesse sous la lumière crue des phares. Descorches, Marcillat et Lenoncourt, qui en avaient assez de tourner en rond et s'assoupissaient, découvrirent avec soulagement la masse obscure de Van Beck entre la salle des commandes de la centrale et le vieux pick-up Peugeot 403. Van Beck avançait péniblement mais il avançait seul. Son grand âge, ses maladies, ses blessures contrariaient son pas. Certainement était-il aveugle, aussi, car le violent faisceau des phares collé sur lui ne l'avait pas ébloui. La colère de Poncey avait été défaite par la bière et le whisky engloutis chez Descorches, par le sauvetage réussi de l'ordinateur, par le trajet interminable, par la nuit. Comment pouvait-on adresser des coups, des insultes et des menaces à cette blatte monstrueuse sur la cuirasse de laquelle la mort avait brisé toutes ses armes ? Quel châtiment Poncey était-il en droit d'infliger à un homme que les cours martiales avaient oublié ? La maladie, la honte, pensait-il, n'avaient pas seulement puni Van Beck, elles avaient imprimé sur son visage, sur son corps une lèpre qu'aucun homme n'eût acceptée. Poncey n'avait plus assez de force en lui, ce soir-là, plus assez de haine pour rejoindre Van Beck dans la marche douloureuse et lente qui le menait à sa vieille voiture. Il pensait au volume intact de l'ordinateur sous le voile de gaze, aux outils, aux caisses, aux engins qu'il allait emporter sous peu loin de Tassiga, loin de Van Beck. Celui-ci n'était plus si arrogant, si fier. La paralysie, à défaut de mort, allait sous peu tenir le vieux traître à l'écart du monde. Poncey se trompait. Van Beck ne régnait pas sur Tassiga car il avait renoncé à régner, il vivait à peine car il avait renoncé à vivre, mais il bougeait, il respirait toujours et il y avait dans son souffle, dans son odeur, dans chacun de ses gestes, un peu de la mort qui avait nourri sa vie passée, qu'il avait répandue autour de lui et qui faisait de ce soldat vaincu un sorcier triomphant.

La Compagnie avait perdu. Le lendemain, Poncey apprit par un fax que les trois cent trente kilomètres de la route Gouré-Diffa avaient été confiés à un consortium dirigé par les Danois. Il partit aussitôt pour le chantier. Il n'avait pourtant rien à y faire ce jour-là... Sur le chemin, il s'arrêta à tous les postes où se trouvaient encore des hommes. Il donna des ordres, des conseils, fit des reproches, des compliments, aussi. Il parla beaucoup pour ne rien dire, pour ne pas révéler les termes du fax qu'il se répétait inlassablement, entre deux arrêts, en posant le menton sur le volant. Au km 160, il retrouva Descorches, Marcillat et Lenoncourt et là, au milieu des décombres que le chantier avait poussés pendant près de deux ans, il annonça la nouvelle et proféra les accusations, les jurons, les ressentiments qu'il n'avait pas proférés pendant la nuit quand Van Beck était à portée de sa voix. Abattu, défait, dépouillé, Poncey était toujours debout mais, à mesure qu'il ressassait les injustices et les irrégularités qui avaient retiré à la Compagnie un chantier qu'elle seule, que lui seul, plus précisément, pouvait conduire à son terme, il se fatiguait à faire des phrases, à trouver ses mots. Il insista ensuite pour que ses trois compagnons et lui rejoignissent Bibi, Richard et Gilbert. Depuis une semaine, ceux-ci allaient sur la piste de Diffa. Ils dormaient dans les villages, mangeaient avec les chefs de canton, faisaient le décompte des dispensaires, des maisons vides, des chevaux, des ateliers de mécanique, des bars, des épiceries, des coiffeurs, des groupes électrogènes. Les trois hommes expliquèrent en vain que leurs camarades étaient à deux cents kilomètres de là, au moins, et qu'il fallait une journée entière pour les retrouver, mais ils partirent quand même et, comme la veille dans la nuit de Tassiga, Poncey échoua à trouver son chemin. Il entra à deux reprises dans le même village, interrogea des gardes du chef de canton assis à même le sol, le dos appuyé sur un mur de torchis, il tourna en rond, se perdit. Les quatre hommes burent des bières dans des buvettes où aucun Blanc ne s'était jamais arrêté, dans d'autres où l'on avait vu des Français, en effet, mais pas plus de deux, dont le signalement rappelait Jacky et le Révérend. Poncey se décida à rentrer et arriva à Tassiga en pleine nuit. Il mangea un morceau chez Descorches et s'endormit sur un fauteuil. Le lendemain, il s'enferma dans son bureau, donna des coups de téléphone et apprit que l'adjudication du chantier s'était faite non pas aux dépens de la Compagnie mais aux dépens de la France, que celle-ci n'avait pu faire entendre sa voix dans les consultations préliminaires qui n'avaient jamais eu lieu à Paris. Il était question de compensations, de travaux prestigieux, ailleurs. A plusieurs reprises, ce jour-là, il traversa les couloirs de la base avec une démarche légèrement chaloupée mais vive. Il tirait sans cesse la ceinture de son pantalon vers le haut en disant bon Dieu, il faut que je pense à rappeler Niamey. Il n'avait pas oublié la visite du président Kountché et il était prêt pour l'inauguration de la route. Les coffrages en retard avaient été achevés, les camions, les bulls, les graders, les pick-up rejoignaient la base l'un après l'autre. La centrale d'enrobage se trouvait au bout du chantier et déroulait ses derniers kilomètres de bitume. C'était le seul engin qui fonctionnait encore. La Compagnie pouvait s'en aller. La route était achevée.

Après m'avoir annoncé que le contrat signé quelques jours plus tôt était dénoncé, Poncey me pria d'appeler le consulat sans attendre. Je ne devais pas rester en rade à la prochaine rentrée. Il avait raison. Je n'avais pas pensé au consulat ni à la rentrée. Depuis près de deux ans, je vivais dans la maison avec Gilbert, Bibi et Maurel. Comme eux, je mangeais les œufs de la Compagnie, je buvais la bière de la Compagnie, je dormais sur un lit de la Compagnie, je roulais dans une voiture de la Compagnie. Le camp vie était mort. A peine avait-il existé à l'état de maquette sur le Formica à empreinte de marbre d'une table de cuisine, à la fin d'un repas bien arrosé. Je commençais à comprendre que l'échec du camp vie me rendait la liberté. Pendant vingt mois j'étais resté sous la tutelle de Poncey comme l'étaient Bibi ou Gilbert et tous les expatriés qui ne se fiançaient pas, ne se mariaient pas, ne bougeaient pas, ne respiraient pas sans demander l'absolution à leur chef. A aucun moment, je n'avais envié Boris qui était parti pour la brousse avec son vieux cheval, pour le Togo avec son quatre-quatre, qui avait dormi avec des scorpions dans un bus nigérian abandonné, suivi par erreur des pistes menant à des précipices. J'avais compté les écrous de marque Caterpillar, étalé les cahiers de mes élèves dans la tiédeur de notre popote, rempli d'œufs la maison de mécaniciens méritants, immortalisé par des clichés ineptes les forages que Poncey avait découverts et maintenant, parce que j'étais obligé d'admettre que le camp vie avait été une idée de Poncey et de lui seul, je me croyais perdu. Que devais-je faire pour m'échapper sans dommage ? Boisson-Mourre était dans sa maison de Gascogne. Il ne pensait plus à Tassiga, aux promesses faites pour m'arracher à la troupe de reîtres empoussiérés conduite par Poncey. Son crédit au ministère, qui n'était certainement pas grand-chose autrefois, quand il parlait comme un diplomate, n'était plus rien maintenant qu'il se frayait un chemin devant chez lui dans le désordre des oies rebelles. S'il était trop tard pour décrocher un poste à Niamey ou dans une autre ville d'Afrique de l'Ouest, je pouvais encore revenir en France, trouver sur des terres désertes des villages que les maîtres d'école évitaient comme la peste depuis qu'on ne recrutait plus les maîtres d'école dans les campagnes. Mais c'était si loin… Car je ne rentrais pas de Tassiga, préfecture de la république du Niger, je sortais engourdi et fragile d'un rêve qui n'était même pas le mien, que j'avais pénétré par erreur, par indolence ou par lâcheté, d'un territoire sans frontière ni peuple, pour l'arpentage duquel un vieux renard avait usé toutes ses griffes. Désormais, j'allais être seul parce que Poncey faisait le siège de ses amis de Chevilly pour prendre sans tarder la direction d'un autre chantier. Il avait exigé le tronçon du métro du Caire qui avait été attribué par adjudication à la Compagnie et l'obtint quelques jours plus tard. Le Caire était une métropole considérable où la France avait sans aucun doute des représentations diplomatiques et des écoles. Tout allait bien. Poncey n'avait plus besoin de moi.

Dans les jours qui suivirent, presque tous les expatriés furent fixés sur leur sort. Descorches, Marcillat, Lenoncourt, Bibi, Santareno, Alberto et deux ou trois autres que Poncey avait distingués pendant les vingt derniers mois partaient pour le Caire. Les autres, qui aspiraient à habiter la maison construite pendant leur séjour ici, rentraient en France. Ils avaient une place sur le chantier d'une autoroute, d'une voie de TGV. De son côté, le consortium danois ne semblait pas pressé d'envoyer du monde à Tassiga. Interrogés par Poncey, les responsables de Chevilly ne purent dire quelles entreprises s'étaient liguées pour enlever trois cents kilomètres de brousse à la Compagnie mais ils avouèrent que, si le consortium n'avait encore envoyé personne, c'était simplement parce qu'il avait déjà quelqu'un sur place. En effet, Roland avait été chargé de réquisitionner des dispensaires de village pour accueillir les premiers expatriés, il attendait un virement bancaire pour acheter à Poncey les engins que Hébert était allé prendre à Lagos et assurait provisoirement les fonctions de directeur du nouveau chantier. Quand il sut la nouvelle, Hébert comprit que Roland, qui ne pouvait prendre des galons sans les montrer aussitôt à tout le monde, allait frapper à sa porte sous peu et qu'il convenait de l'inviter à dîner. Les deux hommes, qui se croisaient dans les ateliers de la base et se parlaient peu depuis que Nathalie avait rejoint ses parents, renouèrent sans effort pendant l'apéritif. Au moment de passer à table, Hébert était rouge, agité. Il avait bu plusieurs whiskies et parlait très fort. Il remplissait son verre sans penser au verre des autres. En face de lui, réservé, un peu distant, Roland ne jouait plus au cow-boy, il ne se levait plus brusquement comme il avait l'habitude de le faire pour raconter ses histoires d'ouvriers menaçants et de maraudeurs mis en fuite. Il écoutait Hébert et approuvait chaque phrase en pointant doucement son couteau vers celui-ci. Hébert faisait sa cour. Il avait son rêve, lui aussi. Le consortium allait établir un camp vie quelque part entre Gouré et Diffa, sur un site que Richard avait trouvé et que Poncey finirait bien par indiquer à ses concurrents. Mais le camp vie n'était rien sans Tassiga où il y avait un aérodrome, un dépôt de carburants, des comptoirs et des boutiques de pièces détachées par dizaines. Hébert avait l'idée d'un avant-poste et d'un administrateur qui eût réglé les problèmes d'intendance. Il connaissait les hadj, les commerçants. Il était prêt à s'entendre avec Habib pour créer un réseau d'approvisionnement spécifique. Il avait même trouvé une combine pour récupérer le fameux camion vert à moindres frais et avait l'ambition de devenir cet administrateur. Hébert s'interrompit pour allumer une cigarette, pour permettre à Nathalie de débarrasser les assiettes. Mme Hébert ne disait rien, mangeait à peine. Elle ponctuait les phrases de son mari d'un simple clignement d'yeux. Roland ne fit aucune réponse à la proposition formulée par son ancien chef mais, à la fin du repas, il se leva et se dirigea vers la cuisine. Il y eut un peu de bruit, des éclats de voix et du silence, enfin. Roland sortit seul de la cuisine et se planta devant les Hébert qui n'avaient pas bougé. Il affirma qu'il n'était pas le patron du nouveau chantier et qu'il assurait une sorte d'intérim, le temps de régler des problèmes d'intendance, de matériels. En revanche, il allait sans faute répéter à ses supérieurs les arguments en faveur d'un bureau à Tassiga et, s'il ne pouvait imposer la candidature de Hébert, il pouvait la soutenir. D'ailleurs, ajouta-t-il en serrant contre lui Nathalie qui l'avait rejoint, il avait du mal à admettre que sa future épouse fût séparée de ses parents.

20

Une semaine avant l'arrivée du président Kountché, les soldats eurent pour mission de contrôler l'identité des lycéens, le titre des films programmés au cinéma, les journaux en vente. Ils ramassèrent les mendiants endormis sur les Champs-Elysées et les déposèrent dans des villages de brousse. Avec de vieilles cordes, ils improvisèrent des lassos, attrapèrent les chèvres qui mangeaient des cartons dans les rues commerçantes et les poussèrent dans un enclos, au nord de la ville. Les vieux Land Rover de l'armée roulèrent du matin au soir dans les quatre rues centrales et en délogèrent les piétons, les attelages d'ânes et les chauffeurs de taxi. Des techniciens français en poste à Niamey furent appelés au chevet de la centrale à fuel pour des réparations sommaires et deux soldats furent placés en sentinelles devant la maison de Van Beck. Des ouvriers grimpèrent sur les fausses défenses d'éléphant de l'arc de triomphe, à l'entrée de la ville, et passèrent une couche de peinture sur les lettres effacées du précepte présidentiel. Le chauffeur du préfet prit dix fois le chemin de l'aérodrome à la préfecture dans la Peugeot 504 officielle afin de repérer les ornières et les nids-de-poule. Le préfet en personne fit à son tour le trajet. On le vit aussi marcher sur les rares trottoirs. Il était en uniforme, pas en uniforme de préfet mais en uniforme de soldat. Je fus étonné d'apprendre qu'il était simplement sous-lieutenant, mais je me rappelai que le ministre de l'Instruction publique, qui envoyait parfois des circulaires et ajoutait son grade à son titre, n'était lui-même qu'adjudant-chef de gendarmerie. Par un heureux hasard, le supermarché de la femme de Habib ouvrit à ce moment-là. Il était grand, somptueux, étincelant. Avec ses néons, ses vitrines réfrigérées, ses congélateurs, il consommait probablement à lui seul la moitié de l'électricité de la ville. Habib avait acheté un petit camion pour transporter les marchandises qui arrivaient tous les matins avec l'avion de Niamey. Les femmes de la Compagnie firent leurs dernières courses en regrettant que le magasin n'eût pas ouvert plus tôt. Depuis qu'elle avait appris que son mari allait diriger un bureau de contrôle et que trois hommes devaient le rejoindre à Tassiga, Mme Terraz se rendait au supermarché tous les jours. Elle installait son gamin dans le Caddie, avançait au milieu des rayons et avouait volontiers aux autres clientes qu'elle n'avait pas vu mieux à Abidjan. Maurel et Gilbert prirent l'avion pour la France dix jours avant l'inauguration. La veille de leur départ, ils avaient offert un pot. La maison des célibataires se vida. Il ne resta rien du franc-bord en marge du chantier, paisible et accueillant, où des brutes surmenées et affables vivaient dans l'opulence.

Les boys avaient disparu, les marchands ne venaient plus sur la terrasse ou à la porte de la cuisine. Hébert, qui avait hâte de me déloger, trouva au Dam des chambres réquisitionnées par Roland à l'intention des premiers expatriés du consortium. Je n'avais pas envie de passer mes derniers jours à Tassiga dans un hôtel, au Dam ou ailleurs. Je n'étais pas si mal, seul dans la maison vide. Mes élèves étaient partis pour la France et, si tous avaient noté mon adresse, quelques-uns m'écrivirent des lettres du Caire postées à Chevilly-Larue, que je reçus beaucoup plus tard et que j'ai égarées depuis, sauf une, signée Sébastien, au milieu de laquelle était inexplicablement plié le dessin d'un cerf. En me rendant une dernière fois au cours La Fontaine, je découvris sous le plancher du mobile home, posé dans le sable et rond comme un œuf, un chat immobile et squelettique. Le sommeil et la mort s'étaient disputé ce chat et la vie, que révélèrent imparfaitement les gestes prudents avec lesquels je le délogeai, était si fragile que l'animal n'afficha à son réveil aucun des signes qui avaient fait de lui un chat, autrefois, l'œil vif, le corps déployé, les muscles tendus. Le chat s'installa dans un trou du jardin de la maison des célibataires et ne le quitta pas quand la pluie d'un orage inonda son refuge pendant la nuit. Il sentit la morsure de l'eau le matin venu, seulement. Il détala aussitôt, disparut pendant toute la journée, mais il rentra le soir, attiré par les restes de repas que j'avais placés sur la terrasse. Au bout de trois ou quatre jours, complètement rétabli, il disparut pour de bon. Le soir, je pris l'habitude de m'asseoir dans le vieux fauteuil de Maurel et, en attendant le chat qui ne rentrait plus, je me demandai quoi, de la disette ou de la réplétion, qui avaient toutes deux violemment gouverné la vie de l'animal, allait un jour décider de sa mort. Je pensais à l'existence des hommes de Tassiga, qui, à défaut d'être précaire ou dangereuse, comme l'était celle des chats, était malaisée et oppressante. En vivant près de deux ans loin de tout, j'avais pénétré une sorte de chaos initial dans lequel le sommeil était fragile, les soifs longues à apaiser, le sang lent à circuler. J'avais échappé aux fièvres, aux maladies, à l'épuisement qui avaient détruit Bibi et d'autres. Mon statut dans le chantier, modeste et marginal, n'avait pas dirigé sur moi les convoitises et les rancœurs qui menaçaient le groupe et le touchaient parfois. J'avais néanmoins accepté les corvées imposées par Hébert, la vie de garnison et de popote, la tutelle d'un chef, tout ce que je m'étais efforcé de fuir en venant ici. J'avais également accepté de rempiler. Quatre ans. En signant le contrat pour le camp vie, quelques semaines plus tôt, sans cesser d'être l'instituteur attitré de la Compagnie, j'étais devenu le photographe personnel de Poncey, comme Descorches était son cuisinier. Ce contrat était-il la reconnaissance de mon mérite ou l'empreinte de ma soumission, l'assurance que je ne pouvais plus m'échapper ? Poncey m'avait conduit dix fois en brousse et, à chaque voyage, quand ses yeux contemplaient le chantier, les miens recevaient le carcan d'un appareil photo, comme si, dès le début, il avait fallu une boîte pour contenir la route de Tassiga, pour la soustraire à ma vue. Sur les clichés du chantier apparaissaient les hommes, les engins, les couches successives de la chaussée, le bitume lisse et luisant. Un cent vingt-cinquième de seconde suffisait à fixer la route sur la pellicule de mon appareil photo alors que, bien plus tard, deux ans furent nécessaires pour faire de cette même route un livre. Après le départ de la Compagnie, les taxis-brousse et les voitures roulèrent sur la route de Tassiga et les premiers engins du consortium se posèrent sur le km 0 du nouveau chantier où ils commencèrent à fabriquer de la poussière. Je ne sus jamais s'il y avait eu en brousse un camp vie conforme à celui que Poncey avait imaginé, si ce camp vie avait rassemblé des mercenaires ou s'il avait réuni des familles, s'il y avait eu à sa tête un homme armé d'un rêve, quelqu'un qui alignait des morceaux de pain et des boîtes d'allumettes vides sur un coin de table…

Le cent soixantième kilomètre fut enfin goudronné et Poncey, qui ne croyait pas que le président Kountché roulerait jusqu'au bout, se résigna à laisser la centrale d'enrobage en travers de la route. Trop loin, trop lourd, dit-il succinctement. Il offrait de bon cœur la vieille machine au consortium qui pouvait l'emporter au diable et l'utiliser pour recouvrir de bitume l'Afrique entière. Une semaine avant l'inauguration par les autorités nationales, les autres engins et presque tous les pick-up furent garés sur l'immense cour de la base et pointés par Moussa sur un registre. Le mobile home dans lequel j'avais fait la classe pendant deux années scolaires fut enlevé sur ordre de Hébert et entreposé dans le coin du parking où je l'avais découvert vingt mois plus tôt. Mme Poncey, son fils et les dernières familles étaient rentrées en France. A l'imitation des autres expatriés, Poncey rendit à Hébert les clés de sa villa et disparut. Tout le monde pensa qu'il était à Niamey ou dans un village de brousse, qu'il faisait une excursion sur les plateaux de Bauchi, au Nigeria ou que, afin d'échapper à l'inauguration de la route, aux palabres et aux mondanités, il était parti pour la France. En réalité, Poncey, qui avait appris la mort de Bart et ne pouvait se rendre à Paris pour l'enterrement de son maître et ami quand tous les dirigeants du pays allaient déferler sur sa route, avait emménagé dans la maison de Descorches où il avait transporté les dernières réserves en nourriture et en boisson de sa propre maison. Il était de très mauvaise humeur et, pendant deux jours, personne ne songea à le rencontrer. Le jeudi 17 juin, il reparut au bureau. Il circula difficilement dans les couloirs à cause des réfrigérateurs, des congélateurs, des meubles, des climatiseurs entassés par Hébert, donna des ordres et entreprit une inspection de la route. L'inauguration était prévue le lendemain. Poncey fit cent soixante kilomètres en roulant doucement. La route n'était pas seulement neuve, elle était propre, lisse. La boue soulevée par les orages s'était répandue dans les fossés sans empiéter sur le revêtement. Poncey s'arrêta à plusieurs reprises afin d'écarter une pierre qui avait glissé d'un talus, de ramasser un outil oublié par un ouvrier sur la chaussée. Les ouvriers étaient tout près, ils se rendaient d'un village à l'autre en suivant les pistes avec leur âne et surveillaient le Land Cruiser. De retour à Tassiga, Poncey reçut un appel du service du protocole. Le Président, lui dit-on, souhaitait aller jusqu'au terminus de la route. Poncey regretta d'avoir, en cédant à un caprice absurde, abandonné, suintante et tiède, la vieille centrale d'enrobage au bout de la route quand des ouvriers poussaient encore leur balai sur les accotements. Il sortit de son bureau, traversa la grande cour de la base et, à Bibi qui promenait un tuyau d'arrosage sur le toit couvert de mousse du Land Cruiser, il annonça que le Président n'allait pas se contenter de couper les rubans et de faire un tour sur les premiers kilomètres de la route. Il comptait rouler jusqu'au bout et, s'il était trop tard pour rapatrier la centrale d'enrobage, il était possible de la prendre en remorque sur une centaine de mètres et de la dissimuler si, pour ce faire, une équipe arrivait avant la nuit. Bibi embarqua trois hommes avec lui et gagna le km 160. Là, pendant quelques minutes, le Land Cruiser fut plus fort qu'un camion ou un bull grâce au câble de treuillage que Bibi avait accroché à un gao et, si le gao rompit après les premières secousses, la centrale finit par se dresser comme un chien assoupi que l'on déloge du pied, avant de rouler sur un bout de piste et de s'immobiliser derrière un rocher, à l'abri des regards. Bibi laissa le volant, grimpa sur un talus et vit avec satisfaction que l'engin et la nuit ne faisaient qu'un. Il était pressé de rentrer pour aller faire la fête chez les Descorches.

Bibi n'avait jamais eu une telle forme. La semaine suivante, il devait retrouver sa femme. Il savait depuis peu qu'il allait partir avec elle pour Le Caire. Finis, la vie de popote et le chantier à deux heures de route. Il venait de faire sa dernière corvée et il n'était pas mécontent. Il eût volontiers mis le feu à la centrale d'enrobage si Poncey le lui avait demandé. Après une heure de trajet, il déposa ses trois passagers dans le village de l'un d'eux et rejoignit la route comme le faisait Poncey, en roulant en crabe sur les graviers du bas-côté, avant de faire une brusque embardée. Arrivé sur la chaussée, il bloqua son pied sur la pédale de l'accélérateur, lança le véhicule à plus de cent cinquante kilomètres-heure et fonça sous le ciel bas que lestaient les eaux réticentes d'un orage. On ne sut jamais si le Land Cruiser avait subi des avaries en charriant la centrale d'enrobage, s'il traînait depuis des mois un défaut de la direction ou des amortisseurs, ou s'il était usé comme un homme à force de rouler aussi longtemps, de rouler aussi loin, de rouler aussi vite. Ce soir-là, Bibi ne s'endormit pas comme il avait l'habitude de le faire quand il rentrait le soir à Tassiga et le Land Cruiser fit un écart sans la complicité de son chauffeur, quitta la route et roula trois cents mètres dans les mils hérissés et tendres de juin. Il s'arrêta tout seul, sans trouver sur son chemin un fossé, un rocher ou un arbre. A la faveur d'une secousse, la tête de Bibi avait heurté le montant de la portière ou le verre du pare-brise et les paysans qui vinrent aux secours et qui crurent l'homme endormi, le transportèrent sans précautions jusqu'à la route. Ils l'enveloppèrent dans de vieilles chemises, le couchèrent sur le goudron pendant que l'un d'eux allait prendre une voiture dans le village de Myrriah. Poncey était encore dans son bureau quand le médecin militaire français entra précipitamment et le pria de le suivre à l'hôpital. Après avoir marché dans les couloirs à la recherche d'une chambre, les infirmiers avaient installé le conducteur de travaux dans la salle des vaccinations. Pour le médecin militaire, il n'y avait aucun doute, Bibi souffrait d'un traumatisme crânien et devait être évacué de toute urgence. Poncey revint à la base sans ses clés et, pour se faire entendre de Moussa, frappa longuement la tôle du portail à coups de poings. Il s'enferma dans son bureau, appela à leur domicile les patrons de la Compagnie et, sans se soucier que ces derniers fussent dans leur salon ou dans leur lit, il réclama un avion sanitaire. A ceux qui lui demandèrent un diagnostic plus complet, à ceux qui lui répondirent qu'ils allaient lancer la procédure dès l'ouverture des bureaux le lendemain, à ceux qui lui dirent que le voyage risquait de tuer le blessé et que le chirurgien de Tassiga, fût-il russe, pouvait tenter l'opération, à tous, enfin, qui ne savaient pas que Bibi s'endormait au milieu des repas et qu'il n'avait pas attendu l'accident pour être presque mort, Poncey donna un délai d'une heure. Il était prêt, dit-il encore à ses interlocuteurs épouvantés, à mettre le blessé dans l'avion du président Kountché. Il réussit à joindre Berthier, le directeur général, à son domicile, et employa avec lui le même ton, les mêmes mots, les mêmes menaces.

Ensuite, il se dressa devant la grande fenêtre sur laquelle battait le début de l'averse, contempla l'orage et la nuit pendant une heure et, au bout d'une heure, le téléphone sonna. La Compagnie avait affrété un avion sanitaire qui devait décoller d'Orly à cinq heures du matin et se poser à Tassiga avant midi. En quittant le bureau, Poncey se heurta à Moussa qui emboîta son pas. Une fois dehors, les deux hommes courbèrent le dos sous la pluie et pataugèrent dans un petit ruisseau. Moussa se dirigea vers le portail et Poncey, que l'accident de Bibi avait privé de voiture et qui ne pouvait aller à pied chez les Descorches, prit le premier pick-up dans la première rangée des véhicules stationnés, mit le moteur en route et avança jusqu'au monticule. Il resta en équilibre entre la base et le reste de la ville le temps de laisser le passage à une patrouille de Land Rover, de jurer dix fois le nom de Dieu et se hissa sur la chaussée détrempée alors que le magasinier poussait le portail dans la nuit.

BABEL

Extrait du catalogue

953. JØRGEN-FRANTZ JACOBSEN
Barbara

954. HANAN EL-CHEIKH
Poste restante Beyrouth

955. YU HUA
Un amour classique

956. WACINY LAREDJ
Le Livre de l'Emir

957. INTERNATIONALE DE L'IMAGINAIRE N° 24
L'Immatériel à la lumière de l'Extrême-Orient

958. ETGAR KERET
Un homme sans tête

959. CLAUDE PUJADE-RENAUD
Le Désert de la grâce

960. ANNA ENQUIST
Le Retour

961. LIEVE JORIS
L'Heure des rebelles

962. JOHN STEINBECK
Dans la mer de Cortez

963. CARLA GUELFENBEIN
Ma femme de ta vie

964. FRANS G. BENGTSSON
Orm le Rouge t. II

965. ALEXANDRE POUCHKINE
La Dame de pique

966. MURIEL CERF
La Petite Culotte

967. METIN ARDITI
La Fille des Louganis

968. MINH TRAN HUY
La Princesse et le Pêcheur

969. LYONEL TROUILLOT
L'amour avant que j'oublie

970. CÉCILE LADJALI
Les Souffleurs

971. AKI SHIMAZAKI
Hotaru

972. HENRY BAUCHAU
Le Boulevard périphérique

973. IMRE KERTÉSZ
Etre sans destin

974. ELIAS KHOURY
La Petite Montagne

975. NANCY HUSTON
Ames et corps

976. ALBERTO MANGUEL
Le Livre d'images

977. NINA BERBEROVA
L'Affaire Kravtchenko

978. JEAN-MICHEL RIBES
Batailles

979. LEÏLA SEBBAR
La Seine était rouge

980. RUSSELL BANKS
La Réserve

981. WILLIAM T. VOLLMANN
Central Europe

982. YOKO OGAWA
Les Paupières

983. TIM PARKS
Rapides

984. ARNON GRUNBERG
L'Oiseau est malade

985. CHRISTIAN GOUDINEAU
Le Dossier Vercingétorix

986. KATARINA MAZETTI
Les Larmes de Tarzan

987. STEFANO BENNI
La Dernière Larme

988. IBN HAZM
Le Collier de la colombe

989. ABÛ NUWÂS
Le Vin, le Vent, la Vie

990. ALICE FERNEY
Paradis conjugal

991. CLAUDIE GALLAY
Mon amour ma vie

COÉDITION ACTES SUD – LEMÉAC

Ouvrage réalisé
par l'Atelier graphique Actes Sud.
Achevé d'imprimer
en décembre 2009
par Normandie Roto Impression s.a.s.
61250 Lonrai
sur papier fabriqué à partir de bois provenant
de forêts gérées durablement (www.fsc.org)
pour le compte
des éditions Actes Sud
Le Méjan
Place Nina-Berberova
13200 Arles.

Dépôt légal
1re édition : janvier 2010
N° impression : 094211
(Imprimé en France)